4.800

Principios de Antropología Económica
Filósofos, antropólogos y economistas, siglos XVIII y XIX

E. Guillermo Quirós

Editorial Biblos

E. GUILLERMO QUIRÓS

PRINCIPIOS DE ANTROPOLOGÍA ECONÓMICA
FILÓSOFOS, ANTROPÓLOGOS Y ECONOMISTAS, SIGLOS XVIII Y XIX

Carlos Frade
Mayo 197

Editorial Biblos

304   Quirós, E. Guillermo
QUI   Principios de antropología económica: filósofos, economistas y
       antropólogos, siglo XVIII-XIX. - 1a. ed. - Buenos Aires:
       Biblos, 1996.
       320 pp.; 23x16 cm. - (Antropología)

       ISBN 950-786-114-9

       I. Título 1. Antropología

Coordinación: *Mónica Urrestarazu.*
Armado: *Mauricio Poyastro.*
Diseño de tapa: *Horacio Ossani.*
Impresión: *Segunda Edición*, Rivera 1066, Buenos Aires, en abril de 1996.

ÍNDICE

A Graciela,
mi mujer

INTRODUCCIÓN

La antropología económica es la disciplina que de manera sistemática pone en contacto la antropología y la economía, y por ello contiene tres conjuntos de problemas teóricos claves que condicionan y potencian su desempeño: los propios de la antropología, los propios de la economía y los específicos del contacto entre ambas. La incomprensión de cualquiera de estos tres aspectos lleva necesariamente a plantear como novedoso lo que no lo es y a considerar como una particularidad del caso estudiado lo que en realidad es propio de la disciplina que lo aborda.

La antropología económica —que suele reconocer su momento fundacional hace cincuenta años—, para sostenerse como una rama vigente de las disciplinas sociales, requiere no sólo el estudio de nuevos casos que enriquezcan su bagaje empírico sino también el reconocimiento explícito y extenso de sus condicionamientos teóricos y metodológicos y, fundamentalmente, de la cosmología del mundo occidental moderno de la que las disciplinas que contiene no son meras tributarias sino decisivas protagonistas. Es más, sin este último reconocimiento los estudios contemporáneos reiteran falacias constitutivas.

Como toda disciplina, la antropología económica tiene sus fenómenos, sus teorías y sus especialistas. Pero también participa del cosmos que le dio a luz y es parte ineludible del sentido que las descripciones, explicaciones y acciones adquieren entre los que la comparten, activa o pasivamente. El hecho de participar de la organización mental occidental contribuye a reforzar una visión ordenada del mundo que le permite clasificar y calificar los fenómenos considerados. Decir que esto es económico o antropológico no es una mera disputa curricular sino que es decir algo del mundo y algo del fenómeno. En muchos casos es lo más decisivo que del fenómeno se dice.

Este efecto es más conmocionante aun por el hecho de que a través de la antropología económica se transfiere una disciplina nacida en Occidente para Occidente (como es la economía) a una disciplina nacida en Occidente para el desempeño en el mundo no occidental, como es la antropología.

La delimitación de ciertos tipos de fenómenos y las formas explicativas bajo el techo de la ciencia económica y, en igual sentido, la de otros fenómenos y sus explicaciones bajo el techo de la ciencia antropológica, son de una antigüedad que supera holgadamente los cincuenta años de la oficialización de la antropología económica, y la consideración de esa forma de delimitación y tratamiento es absolutamente inevitable para una disciplina que pretende poner en contacto a ambas. Pero no sólo la antropología y la economía preexistieron a la antropología económica, sino también los contactos entre ambas.[1] Estos contactos no fueron meros accidentes sino instancias decisivas para la constitución y comprensión de los fenómenos de cada una de ellas. La antropología y la economía se desprenden de un tronco común, la modernidad, y son partes indisolubles de ella. Tanto que ninguna de las dos se expide sin hablar de la otra.

Aun cuando nos atuviésemos a una visión progresista de las ciencias, pretendiendo que los viejos tratamientos han sido superados por los nuevos,[2] la apelación al recorrido total de ambas disciplinas y sus contactos se torna ineludible en la antropología económica por ser partes de ese mundo del que participan los disciplinados, y por tratarse justamente de una especialidad que se mueve preeminentemente en un mundo extraño que difiere del propio, participando activamente la cosmovisión del hablante en la caracterización de la diferencia.

Por eso, este libro, que trata de algunos principios básicos de la antropología económica, no comienza en este siglo sino tres siglos antes. Y por la vigencia de sus consideraciones, esta obra no es historia de la antropología económica sino específicamente de antropología económica. Los aspectos considerados contienen temas y problemas que son permanentes en esta rama, por ser constituyentes de la antropología y la economía como disciplinas en sí más allá de los paradigmas que las sustentan.

Por otra parte, este libro abarca, y esto por razones de espacio, sólo la primera parte de la antropología económica —aquella en la que se generaron las disciplinas participantes— y que se caracterizó por explicaciones que remitían a los orígenes, explicaciones basadas en la génesis de los fenómenos. La antropología y la economía en sus inicios de pretensión científica apelaron a explicaciones basadas en el antecedente, en la génesis. Esto vale tanto para los clásicos como para los evolucionistas.

---

1. "El reconocimiento de una esfera analítica que pudiera llamarse económica fue lento en los estudios antropológicos. Sintomático del retraso de apreciación del carácter de esa materia ha sido la adopción relativamente reciente del término «antropología económica» en vez del antiguo «economía primitiva»" (Firth, 1974: 10). Firth remite al cambio de título (1952) del ya clásico libro de Herskovits publicado originalmente en 1940. Sin embargo, Firth remonta los antecedentes no más allá de la década del 20 de nuestro siglo, a diferencia de nosotros, que los consideramos desde los albores de la modernidad.
2. Visión lineal que no compartimos (véase Khun, 1971).

La economía y la antropología científicas nacen con el Occidente moderno, que comenzó a crearse un cosmos autodenominado "científico" que intentaba la sustitución del cosmos llamado"religioso". Cuando el poder de la ley mosaica comienza a deteriorarse, se empieza a construir (sin saberse bien de antecedentes) un edificio de sustentación en el que la economía y la antropología no son meras espectadoras capaces de explicar fenómenos sino también protagonistas inevitables del propio sentido que el hombre occidental comienza a darse. Un precepto antropológico es que no existe comunidad sin una cosmovisión, y Occidente constituyó la propia. Pero no es, como muchas veces se ha aseverado, que la economía y la antropología, entre otras ciencias sociales, han recibido influencias de esa cosmovisión, casi como sutiles distorsiones, sino que en realidad —y ésta es nuestra tesis— son parte central de esa cosmovisión.

Tenemos, pues, un mundo de intercambios simbólicos al que se le ha dado la particular denominación de "económicos", y una división del mundo en dos, en que a una de las partes se le ha otorgado la denominación de "antropológica". Y, a partir de ello, cada vez que esos especiales intercambios simbólicos aparezcan o esos extramundanos lo hagan, economía y antropología lo harán, porque son sus fenómenos, y por tanto economistas y antropólogos también lo harán, porque son sus especialistas. El provocador de la lluvia y el inducidor de la buena cosecha, el guardador del ritual y el caballero de la guerra, son sólo ejemplos de especialistas de otros mundos que reconocemos sin discutir. Los economistas y los antropólogos son los verdaderos guardadores del culto económico y del antropológico, al punto de que tienen en sus manos el veredicto de lo apropiado y lo inapropiado en sendas partes de la cosmovisión occidental. Esta participación activa y cosmológica de ambas disciplinas no se remite exclusivamente a un inicio tambaleante en que los dos cosmos, el religioso y el científico, se debatían, sino que son parte activa hasta hoy y nos atrevemos a decir, hasta que economía y antropología tengan vigencia. De allí su pertinencia para una comprensión del presente de la antropología económica.

El precio, que había sido tema de discusión de la escolástica con fundamentación divina, era ahora explicado con fundamentación humana, naturalmente humana. Los extraviados del mundo que habían sido los descarriados, los ejemplos de la caída en el pecado, pasan a ser antepasados, ricos para el conocimiento de nuestros orígenes. La naturalización de la explicación en sustitución de la explicación divinizada es lo que denominamos el paso de la explicación religiosa a la explicación científica, y coincide, no casualmente, con el contacto entre antropología y economía en donde una apela a la otra para darse sentidos. La humanización del precio y la naturalización de nuestros orígenes serán dos condiciones para que antropología y economía practiquen sus primeros encuentros.

Ni la economía ni la antropología, en términos occidentales, vienen del cielo sino del hombre, del hombre naturalizado, de carne y hueso. Es condición de ellas dar el sentido, el significar, desde la misma hominidad.

Dios va dejando su lugar a los estados originarios que darán cuenta del actual. En ello quedarán implicados todos los autores que tratemos y que cobijamos bajo el rótulo de "genetistas" por su mirada a un estado o estados previos para dar cuenta.

La antropología y la economía se erigirán en dos fortalezas que hablan de situaciones primarias, mínimas, puras, y que justamente son el basamento sobre el que se constituirá lo posterior. La idea de lo complejo a lo simple es invertida hacia un complejo que nace de lo simple, que a su vez coincide con lo necesario. El mundo antropológico y el económico cumplen protagónicamente estos roles en que la simplicidad y la necesariedad son los cimientos.

Los filósofos del nacimiento de la cultura occidental son nuestros maestros en este sentido. Todos pretendieron hablar del mundo, particularmente del propio, de sus contemporaneidades, pero apelaron a una visión del otro mundo al que insertaron en su argumentación no en un lugar accesorio sino decisivo, el de la hominidad. Para ello se sustentaban sobre algunos procesos claves desde todo punto de vista (que eran procesos de subsistencia), aun allí donde éstos no fuesen el tema de interés central. Esta dinámica fue heredada por los economistas clásicos quienes diseñaron un mundo primitivo a medida en el que reconocieron los procesos de subsistencia para dar cuenta de los presupuestos más fuertes sobre los que se sustentó el ideario del particular acto simbólico del intercambio económico. Pero también será parte indisoluble de la antropología evolucionista, que reconocerá en los mismos términos a esos extraños, sobre la base de asentamientos de subsistencia aunque interesados en los aspectos simbólicos y organizativos más que en los propiamente materiales.

Este mutuo uso entre la antropología y la economía, que implican necesariamente el movimiento entre dos mundos, es lo que hace del tema un fenómeno decididamente antropológico. La preocupación por el sentido de estos movimientos intermundanos determina que la perspectiva lo sea también. Finalmente, el que el atributo que acompaña el viaje entre los dos mundos sea económico es lo que da pertinencia al adjetivo de la antropología económica.

Hemos elaborado este trabajo que comienza con dos filósofos decisivos para la comprensión de la elaboración de un mundo antropológico atado al sentido propio de nuestro mundo. Luego seguiremos con los economistas clásicos, para comprender tres cosas: el sentido de la forma mercancía, la apelación al primitivismo en cada paso sustancial de la explicación económica clásica y, por último, para demostrar cómo la ética es clave para aceptar el intercambio económico. Finalmente, trataremos a los antropólogos evolucionistas diseñando la lógica de la antropología científica evolucionista en su particularidad frente a otras formas antropológicas, la forma de relacionar aspectos sincrónicos y diacrónicos, la importancia de la cientificidad para finalmente concluir con algo que sin querer utilizamos desde el comienzo: la necesidad metodológica de definir.

CAPÍTULO I

ECONOMÍA DEL ESTADO DE NATURALEZA DE LA ECONOMÍA DE LOS ESTADOS
(Locke)

La economía de los estados es aquella que tiene lugar en un mundo dividido en dos, uno actual, cercano, y otro originario, lejano, y que es el producto de usuales elaboraciones duales a partir de los siglos XVII y XVIII. La intención explícita de dar cuenta de ciertos aspectos contemporáneos remitiéndose a sus orígenes dio lugar a la elaboración de un mundo natural con atributos bien definidos.

Si bien podríamos comenzar con diversos autores para dar cuenta de este hecho y, sin dudas, cualquiera de ellos hubiese sido útil a nuestros propósitos, pocos como Locke sientan los presupuestos de la nueva época y en gran medida la inaugura.[1] Todas las ciencias humanas en general, desde la sociología hasta la politicología, de la pedagogía a la psicología, encontrarían en este autor datos fundantes. La antropología y, subsidiariamente, la economía —que son nuestro derrotero— no constituyen la excepción y se reconocen también en algunas formas usadas por este inglés del siglo XVII y, en igual medida, en algunos de sus contenidos. Para nosotros será un buen pretexto al iniciar nuestro camino por la antropología y la economía con lecturas lo suficientemente lejanas como para no perder la concentración sobre consideraciones formales que serán instrumentos claves en la comprensión de la antropología económica y sus problemas inherentes. No pretendemos aquí dar cuenta de Locke, sus aciertos o desaciertos, su originalidad o no (que dejamos a los historiadores de las ideas e incluso a los de la política) sino dar cuenta de aspectos en Locke que la antropología económica revive hasta hoy. No es Locke por sí mismo quien nos interesa, sino como informante que utiliza en sus argumentos antropologías y economías: para apoyar sus argumentos hace uso de mecanismos antropológicos y económicos.

---

1. Se ha hablado de "la edad de Locke" (Ferrater Mora, 1984, III: 1998).

LA IDEA DE UN ESTADO DE NATURALEZA[2]
(O DE UN MUNDO SOCIALMENTE INCIPIENTE)

La idea de un estado de naturaleza[3] implica imaginar un estado (o condición) diferente del estado de sociedad civil. Es este estado de sociedad civil, que refiere a la sociedad del autor —o, para ser más precisos, del estado más generalizado en su sociedad— del que se pretende dar cuenta; mientras que el estado de naturaleza es a su vez el más excepcional contemporáneamente. Éste se constituye para comprender algo presente y como un medio para remitirse a su fuente:

> Para comprender bien en qué consiste el poder político y para remontarnos a su verdadera fuente, será forzoso que consideremos cuál es el estado en que se encuentran naturalmente los hombres....
>
> (Locke, 1983: 25.)

Se caracteriza por una serie de atributos que, en primera instancia, son *la ausencia* de los existentes en el estado propio (estado de sociedad civil): sin sujeciones, sin dependencias (más que a la ley natural), sin distinciones con relación a las ventajas proporcionadas por la naturaleza, sin dominios exclusivos de la tierra, etc. Ausencias que simultáneamente se convierten en *el contrario*, lo cual implica que se le da un sustantivo positivo como independencia, libertad, igualdad, propiedad comunal, etcétera.

> ... un estado de completa libertad para ordenar sus actos y disponer de sus propiedades y de sus personas [...], sin necesidad de pedir permiso y sin depender de la voluntad de otra persona.
> ... participar sin distinción de todas las ventajas de la Naturaleza [...] sin subordinación ni sometimiento.
>
> (Locke, 1983: 25.)

> La voluntad natural del hombre consiste en no verse sometido a ningún otro poder superior sobre la Tierra, y en no encontrarse bajo la voluntad y la autoridad legislativa de ningún hombre, no reconociendo otra ley para su conducta que la de la Naturaleza.
>
> (Locke, 1983: 36.)

> ... todos los frutos que esa tierra produce naturalmente y todos los animales que en ella se sustentan, pertenecen en común al género humano en cuanto que son producidos por la mano espontánea de la

---

2. En 1690 se publican los dos *Ensayos sobre el gobierno civil* (el segundo de los cuales será la base de este y del tercer apartado), y *Ensayos sobre el entendimiento humano* (base del segundo apartado de este capítulo) de John Locke.
3. Esta idea no es originaria de Locke, pues tiene su antecedente más ilustre en Hobbes (1651) (véase Hobbes, 1940) o el mismo Juicioso Hooker (1597), citado por Locke (véase Locke, 1983).

Naturaleza, y nadie tiene originalmente dominio particular en ninguno de ellos con exclusión de los demás hombres, ya que se encuentran de este modo en su estado natural ...

(Locke, 1983: 38).

Queda establecido un *universo* en que se encuadran todos los estados posibles del hombre, en que las características de *naturaleza* se contraponen a las características del *propio estado*, inaugurando dos situaciones, una de ellas dominantemente contemporánea, que marcan un universo, el humano. Locke quiere dar cuenta de dos estados que conviven en su tiempo apostando a la conveniencia de la futura universalización de uno de ellos. Mientras en las monarquías no parlamentaristas el rey vivía en estado de naturaleza y el resto de la población lo hacía bajo la ley del rey, en las monarquías parlamentaristas todos, incluso el rey, estaban bajo la ley civil. He ahí su adhesión.

Las personas que viven unidas formando un mismo cuerpo y que disponen de una ley común sancionada y de un organismo judicial al que recurrir con autoridad para decidir las disputas entre ellos y castigar a los culpables, viven en sociedad civil los unos con los otros. Aquellos que no cuentan con nadie a quien apelar, quiero decir, a quien apelar en este mundo, siguen viviendo en el estado de naturaleza[4] y, a falta de otro juez, son cada uno de ellos jueces y ejecutores por sí mismos, ya que, según lo he demostrado anteriormente, es ese el estado perfecto de naturaleza.

(Locke, 1983: 68.)

El estado de sociedad civil es, lógicamente, anterior al de naturaleza, puesto que conceptualmente aquél da lugar a éste. Sin embargo, uno debe preguntarse, y así lo hace Locke, si ese estado de naturaleza, en un principio más *lógico* o hipotético que real, adscripto en primera instancia al rey absoluto es, en definitiva, una entidad de existencia real o no.

¿Existen o existieron alguna vez hombres en ese estado de Naturaleza? De momento bastará como respuesta a esa pregunta el que estando, como están, todos los príncipes y rectores[5] de los poderes civi-

---

4.   En realidad existe un tercer estado, el de guerra, reflejado por la esclavitud, la monarquía absoluta, la guerra propiamente dicha, sólo que es un estado imperfecto. Sin embargo, la definición por la ausencia de posibilidad de apelación terrena lleva a considerar las situaciones absolutistas como de naturaleza.

5.   Más adelante incluye a todo el mundo bajo monarquía absoluta en el estado de naturaleza: "Allí donde existen personas que no disponen de esa autoridad a quien recurrir para que decida en el acto las diferencias que surgen entre ellas, esas personas siguen viviendo en un estado de naturaleza. Y en esa situación se encuentran, frente a frente, el rey absoluto y todos aquellos que estén sometidos a su régimen" (Locke, 1983: 70) pero es para oponer absolutismo-sociedad civil.

les independientes de todo el mundo en un estado de Naturaleza, es evidente que nunca faltaron ni faltarán en el mundo hombres que vivan en ese estado.

(Locke, 1983: 30.)

Y así lo lógico comienza a adquirir visos de *realidad* que serán crecientes en la argumentación, ya no de un caso (el monarca o algunos ejemplos aislados, como el trueque practicado por dos hombres en una isla desierta o entre un suizo y un indio [Locke, 1983: 30], sino de comunidades completas. Una construcción referencial de ausencias, sobre todo hipotética, comienza a "realizarse" y, para ello, habrá un medio, *América*. América se tornará[6] en forma creciente en el mejor referente de la situación de naturaleza. Creciente en el tiempo; mientras Hobbes apenas ejemplificaba con América la condición natural correlativamente con una construcción más ideal que real de esta condición:

Acaso pueda pensarse que nunca existió un tiempo o condición en que se diera una guerra semejante,[7] y, en efecto, yo creo que nunca ocurrió generalmente así, en el mundo entero; pero existen varios lugares donde viven ahora de ese modo. Los pueblos salvajes en varias comarcas de América, si se exceptúa el régimen de pequeñas familias cuya concordia depende de la concupiscencia natural, carecen de gobierno absoluto, y viven actualmente en ese estado bestial a que me he referido.

(Hobbes, 1940: 103-104.)

Locke lo hace profusamente cuarenta años después. La obra abunda en ejemplos del tipo:

... en muchas partes de América no existía ninguna clase de gobierno.

(Locke, 1983: 76-77.)

Así es como nos encontramos a los pueblos de América que [...] disfrutaban de su propia libertad natural...

(Locke, 1983: 78.)

Cabe mencionar que al comienzo del trabajo los ejemplos sobre América son escasos y accidentales pero, a medida que avanza en el desarrollo de los caracteres del estado de naturaleza (condición de verosimilitud), abundan e incluso terminan constituyendo el prototipo del estado natural. Un estado originalmente lógico (de realidad en discusión) o parcialmente real contemporáneo, que halle referentes empíricos, o más generalizables, suele tranquilizar; de hecho, además de lógico se torna real, o real típico de un lugar inhóspito. Pueblos enteros en un amplio espacio como el americano lo representan.

6. Para ver algunas líneas acerca del porqué histórico, véase Meek, 1981: 37 y ss.
7. Los estados de guerra y naturaleza, para Locke, son diferentes.

Pero hay una instancia más. La idea de que América es un modelo de lo que fueron las épocas primitivas:

... América, que sigue siendo todavía un modelo de lo que fueron las épocas primitivas en Asia y Europa...

(Locke, 1983: 80).

Se instaura un tiempo en que el estado lógico —además de atribuciones antitéticas y de ejemplos lejanos, espacial y costumbrísticamente— tiene una época dominante que antecede a la propia.[8] Ya estamos hablando de un *estado actual* y un *estado anterior* referenciado por un *contemporáneo en estado anterior*, América.[9] Sin embargo, América no sólo es una muestra de la vieja Europa, sino también del *estado originario*, hecho que la coloca en mucho más que un simple antecedente. Una de las generalizaciones antropológicas de que debemos dar cuenta es que no se conocen culturas en las que no exista algún mito de origen. Es interesante, en este sentido, preguntarse en qué medida Locke constituye una muestra de una época que está comenzando a sustituir un mito de origen. De hecho, la referencia a Adán, Caín, Abel respecto del estado primitivo (usada luego para hacer la analogía con América) no es casual: se sabe que se está caminando por esos tiempos, "en los comienzos de la humanidad" (Locke, 1983: 43). El mundo bíblico se superpone con aquellos tiempos y comienza a tener vida en América.

Ahora tenemos un estado originario, históricamente anterior al estado actual, con lo que se invierte el orden de constitución lógico que mencionamos antes. Un tiempo en el que el hombre vivía en estado de naturaleza, como en América hoy, y un tiempo posterior, en que el hombre por medio del consentimiento (Locke, 1983: 74), de la convención, entra en el estado de sociedad política, como en Inglaterra en la actualidad.

El estado actual y el estado originario, primitivo, del que un continente da cuenta; es decir, situaciones contemporáneas (América) que explican situaciones primitivas (originarias). Pero, a su vez, situaciones contemporáneas (Inglaterra) que son explicadas gracias a situaciones primitivas (América). América no sólo representa el mundo primitivo: da sustento a lo contemporáneo. Lo que comenzó siendo una explicación de lo actual por un imaginario natural, terminó plasmando un real natural y contemporáneo que explica y antecede al actual propio.

8.   Si bien son "figuras teóricas", como sostiene Moreau (1981: 33), las ejemplificaciones apuntan a lo real e incluso darán cuenta de un orden cronológico; en este sentido, son más que "figuras teóricas".
9.   Cuando hacemos referencia a América no implica la remisión exclusiva a esta geografía, sino la remisión prototípica de este estado: América no es el único ejemplo de estado de naturaleza, sino el mejor ejemplo.

Estado de sociedad civil	Estado de naturaleza
Inglaterra (nosotros)	América (otros) originalmente lógico ausencias (no) caracteres opuestos (contrarios) progresivamente real (que existe) ejemplificado por contemporáneos lejanos de tipos temporalmente anteriores filogenéticamente originarios dignos de investigar

El estado de naturaleza nace como necesidad de dar cuenta de la naturaleza del hombre actual más que por un interés específico en el estado de naturaleza mismo. Serán los antropólogos quienes se irán interesando, en su especialización, en este estado de naturaleza en sí y para sí. Este mundo imaginario, aunque progresivamente real, es socialmente incipiente. Un estado de naturaleza cuyo mejor ejemplo es América.

LA IDEA DE UN HOMBRE EN ESTADO NATURAL
(O DE UN HOMBRE PREIDEACIONAL)

En el nivel de lo social es un acto convencional, consensuado y por tanto definitivamente humano el que sustenta el estado de sociedad civil. En el nivel de lo individual, las experiencias realizadas o percibidas son el sustento de las ideas contrarias a las pretensiones de atribuirlas a un origen innato:

> ... los hombres, por el simple uso de sus facultades naturales, pueden obtener el conocimiento que poseen, sin ayuda de ninguna impresión innata.
>
> (Locke, 1987: 25.)

La naturaleza, ahora bajo la forma de facultades, es la condición originaria, pero como un papel en blanco que se debe ir completando gracias a la experiencia y sólo por ella:

> Supongamos que la mente es, como nosotros decimos, un papel en blanco, vacío de caracteres, sin ideas. ¿Cómo se llena? ¿De dónde procede el vasto acopio que la ilimitada y activa imaginación del hombre ha grabado en ella con una variedad casi infinita? A esto respondo con una palabra: de la experiencia.
>
> (Locke, 1987: 45.)

Es sólo por medio de acciones de vida que esa especie de gabinete aún vacío irá, a través de los sentidos y en el tiempo, llenándose:

> Al principio, los sentidos aprehenden ideas particulares y abastecen el gabinete todavía vacío de nuestra mente con alguna de ellas que son conservadas en la memoria y a las que se da nombre.
> (Locke, 1987: 30-31.)

Tener las condiciones (facultades naturales) es absolutamente necesario pero insuficiente sin la acción de la percepción o de la experiencia:

> ... la percepción de las ideas es al alma [...] lo que el movimiento al cuerpo: no su esencia, sino una de sus operaciones...
> (Locke, 1987: 49.)

Y seguramente por ser uno de los mandatos más fuertes, la práctica social será uno de los campos experimentales más fértiles para la incorporación de las ideas. El uso del lenguaje más que su capacidad orgánica es lo que marcaría al hombre su diferencia, y en ello reside su particularidad del "hombre por naturaleza"; mientras que las facultades naturales junto a ese uso señalarán su diferencia con los animales.

> Dios ha creado al hombre como un animal sociable, con inclinación y bajo necesidad de convivir con los seres de su propia especie, y lo ha dotado además del lenguaje, para que éste sea el gran instrumento y el lazo común de la sociedad. El hombre por naturaleza tiene sus órganos adaptados... Pero esto no era bastante para producir lenguaje, pues las cotorras y los pájaros pueden aprender a articular sonidos y por ningún medio son capaces de tener lenguaje.
> Es necesario que el hombre, además de articular sonidos, sea capaz de usar estos sonidos [...], hacer uso de tales signos...
> (Locke, 1987: 129.)

Por lo tanto, si uno pensara en detectar las facultades naturales y la gradual inserción de ideas, no hay dudas de que el lugar experimental clave sería allí donde se esperase la ausencia o escasez de experiencia o percepción (lugar experimental válido también para la postura opuesta, los innatistas), aunque no obviamente entre los animales por su falta de condiciones naturales:

> Es evidente que los niños y los idiotas no tienen el menor pensamiento de ellas [las proposiciones especulativas que parecen más innatas: —lo que cs, es—. Y —es imposible para la misma cosa ser o no ser—]
> (Locke, 1987: 26.)

Como los niños, los idiotas, los salvajes y las personas analfabetas son los menos corrompidos entre toda la humanidad por las costum-

bres y las opiniones recibidas, sería razonable pensar que en sus mentes estas nociones innatas se mostrarían abiertamente a la vista de
cada uno, como ocurre en los pensamientos de los niños. Pero ¡ay!,
entre los niños, los idiotas, los salvajes y las personas analfabetas,
¿qué máximas generales se encuentran?, ¿qué principios universales
de conocimiento? Sus nociones son pocas y estrechas...

(Locke, 1987: 35.)

El que considere atentamente el estado de un niño recién nacido
hallará pocas razones para imaginarlo lleno de ideas que constituyan
el material de su conocimiento futuro. Es gradualmente como llega a
adquirir las ideas.

(Locke, 1987: 48.)

Obsérvese a un niño desde su nacimiento, y se verá cómo la mente
se despierta más y más por los sentidos; piensa más a medida que
posee más materia para pensar.

(Locke, 1987: 51.)

El campo experimental que resulta evidente es el del niño, punto de
despegue de la incorporación de ideas. Sin embargo, la aparición de ellas
serviría progresivamente de sustento tanto para innatistas como para sus
oponentes, en un caso como desenvolvimiento y en otro como adquisición.
Nada diría sobre qué ocurre con el mero nacimiento sin las experiencias
correspondientes. Distinto sería el caso de hallar un fenómeno que no
estuviera en ese punto de despegue, sino que, habiéndolo traspasado
largamente, sin experiencias, aún no haya incorporado ideas. Allí está la
razón de elección de los idiotas o los salvajes, que sin esta presunción no
tienen razón de ser en las citas precedentes. Porque son retrasados, que-
dados en una situación originaria, son puro innatismo, falto de ideas,
producto de sus inexperiencias. Tienen la edad cronológica de un adulto
pero con la falta de ideas propia de un niño.

Es por ello que un siglo después, pero con antecedentes desde el siglo
XVII, los casos de niños extraviados eran de interés mayúsculo. Tal es el
caso de Itard y del salvaje de Aveyron. El caso de un niño extraviado en el
bosque, en aparente "puro estado natural", que en el 1800 es estudiado
bajo los presupuestos de que:

... el hombre es arrojado sobre la tierra sin fuerzas físicas y sin ideas
innatas [...]; por lo tanto, sólo en el seno de la sociedad puede encontrar
el nivel eminente que le ha sido asignado en la naturaleza. Sin la civilización sería uno de los animales más débiles y menos inteligentes...

(Itard, 1978: 52.)

Y considerando que la presociabilidad era lo que se buscaba, el fenómeno individual en estado natural, y no un pretendido fenómeno social en
ese estado, era lo apropiado para la investigación.

Tanto los filósofos que la formularon por primera vez como los que la sostuvieron y difundieron exhibieron como prueba el estado físico y moral de algunas poblaciones errantes a las que consideraron no civilizadas por cuanto no lo eran en el sentido en que somos nosotros; en ellas fueron a buscar los rasgos del hombre en su puro estado natural. Sin embargo, dígase lo que se diga, no es realmente allí donde debe buscarse y estudiarse al hombre en su estado natural. En la horda más salvaje o en la nación europea más civilizada, el hombre sólo es aquello que se lo hace ser.

(Itard, 1978: 52.)

El intento englobador de Locke, implícito en la remisión "a gran parte de la humanidad" y en el concepto de "salvajes" (referido a las sociedades primitivas) —que se acerca a ser una prefiguración de la posterior analogía entre filogénesis y ontogénesis—, o la coincidencia entre el individuo y lo social en el estado natural que presenta el todo como una serie de átomos homólogos, o finalmente la referencia a "analfabetos", son rechazado por Itard,[10] a partir de un reconocimiento por parte de éste del estado social tanto para América como para Europa, así como de la independencia de los campos experimentales. Es por ello que:

Se hace preciso deducirlo a partir de las historias particulares de ese pequeño número de individuos que en el transcurso del siglo XVII fueron encontrados, en épocas diversas, mientras vivían en forma aislada en los bosques donde los habían abandonado desde la más tierna edad.

(Itard, 1978: 52-53.)

10. Vale la pena mencionar, por dar sólo un par de ejemplos, que Buffon (1749) indistingue los tratamientos de la "nación de salvajes" de "un salvaje absolutamente salvaje, tal como el niño criado con los osos del que habla Conor (descubierto en Lituania en 1694), el joven encontrado en los bosques de Hanover (el salvaje Peter descubierto en 1724), o la niñita hallada en los bosques de Francia" (Buffon, 1986: 228).

Y Rosseau (1755) tratará ejemplos de "naciones salvajes" y de sujetos extraviados sin solución de continuidad: "Hay aún naciones salvajes, tales como los hotentotes, que, cuidándose poco de los hijos, los dejan andar con las manos tanto tiempo, que después cuéstales trabajo hacerlos enderezar. Otro tanto acontece con los hijos de los caribes de Antillas. Cuéntanse diversos ejemplos de hombres cuadrúpedos, pudiendo entre otros citar el del niño que fue encontrado, en 1344, cerca de Hesse..." (Rousseau, 1992: 150). Sucedía lo mismo con el niño que fue hallado, en 1694, en las selvas de Lituania, que vivía entre los osos (Condillac) o el caso del "... pequeño salvaje de Hanover, que fue llevado hace muchos años a la corte de Inglaterra, con las mayores penas del mundo lograba sostenerse y caminar con los pies. Encontróse también, en 1719, otros dos salvajes en los Pirineos, los cuales corrían por las montañas al igual que los cuadrúpedos" (Rousseau, 1992: 150). Así como "un niño abandonado en una selva antes de poder caminar, y alimentado por una bestia, seguirá el ejemplo de su nodriza ejercitándose en andar como ella, dándole la costumbre facilidades que no había adquirido de la naturaleza; y de la misma manera que los mancos llegan, a fuerza de ejercicios, a hacer con los pies todo cuanto nosotros hacemos con las manos, así el niño llega a poder emplear las manos como los pies" (Rousseau, 1992: 151).

Y, en ese estado de presociabilidad, tener la excelente oportunidad de

... determinar el grado de inteligencia y la naturaleza de las ideas de
un adolescente que, privado desde la infancia de toda educación, ha
vivido totalmente separado de los individuos de su especie...
                                                        (Itard, 1978: 59.)

Ésta es la noción de un "estado natural puro" del individuo, quien a
través de la experiencia (sensaciones, contactos con otros seres, educación, etc.) va adquiriendo ideas. Aquel estado natural es originario, el de lo
dotado innatamente, mientras que el hombre desarrolla gradualmente su
inteligencia en el transcurso de su experiencia de vida. Qué mejor que
encontrar sujetos con mínima experiencia de vida, con la menor influencia
del contexto humano; qué mejor que los idiotas.
    Pero en esta elección hay una segunda razón: si las ideas fuesen in-
natas deberían ser universales; por lo menos algunas de ellas, elementales,
deberían estar en todos los casos.

... estoy de acuerdo con los defensores de los principios innatos en que,
si son innatos, necesitan tener asentamiento universal.
                                                        (Locke, 1987: 34.)
... las máximas generales de que tratamos no son conocidas por los
niños, los idiotas y gran parte de la humanidad [...]
                                                        (Locke, 1987: 34.)

Esto lleva, no sólo a un inicio, sea preexperimental o presocial, sino
también a completar los casos, como el hecho de que el darse en todos
ellos marca la naturalidad de algo, mientras que la particularidad muestra
el campo de lo adquirido. La universalidad y la naturalidad se encuentran
en lo que permanentemente será una contraprueba, la primera de la segunda. El que se consideren todos los casos, incluidos los extraviados, da
cuenta de la naturalidad; lo contrario, dará cuenta de la particularidad y,
por ello, es prueba de lo adquirido.
    La explicación de las ideas remite a la delimitación de lo natural, a
imaginar un estado dado naturalmente, inexistente en la adultez normal
por las adquisiciones de la vida de cualquier ser social, pero que encuentra referentes contemporáneos y laboratorios contemporáneos: niños im-
polutos gracias a su extravío social; su vida en el bosque los acerca a la
animalidad, condición de naturaleza compartida por los humanos, pero
no asimilada gracias a las facultades naturales propiamente humanas.
Así queda delineado un estado individual puro de naturaleza cuyo mejor
ejemplo serán los casos como el del "salvaje de Aveyron".

LA IDEA DE LOS HOMBRES ANTE LA NATURALEZA
(O LA NECESIDAD DE SUBSISTIR)

Hasta ahora nos hemos movido en situaciones naturales de grupos en estados de naturaleza, y en situaciones naturales de individuos en puro estado natural. Nos toca abordar la situación del hombre ante la naturaleza, en relación activa con ella. Relación universal, puesto que todo hombre, sea en grupo o individualmente, sea en estado natural o de sociedad civil, debe enfrentarla; su universalidad marca su naturalidad. Esta naturalidad es doble: se da en todas las sociedades y también más allá de la sociedad, aun en condiciones individuales, es condición de sobrevida:

> ... los hombres, una vez nacidos, tienen el derecho de salvaguardar su existencia, y, por consiguiente, *el de comer y beber, y el de disponer de otras cosas* que la naturaleza otorga para la subsistencia...
>
> (Locke, 1983: 38.)

Esta situación de derecho natural —la relación del hombre, cuyo requerimiento más primario es la alimentación, con la naturaleza para su subsistencia— se presentará en dos grandes instancias: bajo la ley natural (impuesta al hombre) y bajo la ley positiva (convenida por el hombre).

La ley natural de que el hombre disponga de la naturaleza presenta ciertos presupuestos básicos, uno de los cuales es decisivo: el hombre es propietario de sí mismo.

> Aunque la tierra y todas las criaturas inferiores sirvan en común a todos los hombres, no es menos cierto que cada hombre tiene la propiedad de su propia persona. Nadie, fuera de él mismo, tiene derecho alguno sobre ella. Podemos también afirmar que el esfuerzo de su cuerpo y la obra de sus manos son también auténticamente suyos.
>
> (Locke, 1983: 39.)

Mientras la tierra y los animales no son dueños de sí, el hombre, escindido de ellos, sí lo es; nadie fuera de sí tiene derecho sobre su persona. Este sentido de autopropiedad individual que crecientemente irá tomando forma en Occidente[11] es clave en la comprensión de por qué algo es mío:

> Por eso, siempre que alguien saca alguna cosa del estado en que la Naturaleza la produjo y la dejó, ha puesto en esa cosa algo de su esfuerzo, le ha agregado algo que es propio suyo; por ello, la ha convertido en propiedad suya. Habiendo sido él quien la ha apartado de la condición común en que la Naturaleza colocó esa cosa, ha agregado a ésta, mediante su esfuerzo, algo que excluye de ella el derecho común de los demás. Siendo, pues, el trabajo o esfuerzo propiedad indiscutible del trabajador, nadie puede tener derecho a lo que resulta después

---

11. Cuyo antecedente son Vitoria y Suárez (Moreau, 1981: 39).

de esa agregación, por lo menos cuando existe la cosa en suficiente cantidad para que la usen los demás [...] El trabajo puso un sello que lo diferenció del común. El trabajo agregó a esos productos algo más de lo que había puesto la Naturaleza, madre común de todos, y, de ese modo, pasaron a pertenecer particularmente (Locke, 1983: 39).

La posesión de la persona por la persona incluye la posesión del cuerpo y, por ende, de sus potencialidades, de las que el esfuerzo es decisivo. Este esfuerzo volcado sobre la naturaleza para la obtención de frutos es el acto clave de transformación mediante el que algo no individualizado se vuelve identificado. El dador de esfuerzo ha puesto algo suyo en la oferta de la naturaleza y, con ello, su derecho de propiedad.

La universalidad de la naturaleza y la particularidad de la apropiación constituyen una conversión que se logra gracias a un "agregado" que justamente corresponde a una experiencia humana. También la universalidad demostraba lo innato, significante de la naturaleza, y la experiencia humana daba cuenta de la particularidad, las ideas (véase el apartado anterior). Una estructura en la que universales y naturales así como particulares y humanos comenzarán a tener un diálogo permanente en el intento de marcar el límite entre lo dado y lo adquirido.

Naturaleza	Humano
dado universal	adquirido/agregado particular

En un caso se agregaban ideas, por medio de la experiencia, al estado natural, y en éste se agrega esfuerzo (trabajo) a la naturaleza. Acto que, en este caso, dará lugar a la apropiación del fruto por parte del sujeto agregador. La particularidad en nuestro caso es la propiedad:

> El trabajo que me pertenecía, es decir, el sacarlos del estado común en que se encontraban, dejó marcada en ellos mi propiedad.
>
> (Locke, 1983: 39.)

> Al entregar Dios el mundo en común a todo el género humano, le ordenó también que trabajase, y el encontrarse desprovisto de todo lo obligaba a ello. Dios y su razón lo mandaban que se adueñase de la Tierra, es decir que la pusiese en condiciones de ser útil para la vida, agregándole algo que fuese suyo: el trabajo [...] Dios ha dado el mundo a los hombres [...] Dios lo dio para que el hombre trabajador y racional se sirviese del mismo (y su trabajo habría de ser su título de posesión).
>
> (Locke, 1983: 41.)

El hombre, dueño de su persona y por tanto de su esfuerzo, lo vuelca sobre la naturaleza y así la vuelve útil para su subsistencia. Este acto lo imbuye de todos los derechos sobre su efecto: el objeto resultante tiene algo suyo y, por tanto, es suyo.

Así como el hombre, a través de su experiencia, adquiere ideas y, por consiguiente, se aleja del puro estado natural, así, a través de su esfuerzo, adquiere bienes de la naturaleza y, consecuentemente, los aleja de su estado natural, les agrega algo suyo. La cosa tiene ahora nombre: "es de fulano".

Pero esta apropiación se ve reforzada por el hecho de que lo agregado es lo que le da valor al objeto o, al menos, el valor más importante:

> ... vale tan poco una extensión de tierra si no se le aplica el trabajo del hombre...
>
> (Locke, 1983: 43.)

> ... es el trabajo, sin duda alguna, lo que establece en todas las cosas la diferencia de valor [...] las mejoras introducidas por el trabajo constituyen, con mucho, la parte mayor del valor de dicha tierra. Yo creo que es quedarse muy corto en el cálculo afirmar que nueve décimas partes de los productos de la tierra, útiles a la vida del hombre, son consecuencia del trabajo. Más aún, si valoramos debidamente las cosas, tal como nos llegan para consumirlas, y sumamos los gastos hasta entonces realizados, es decir, lo que hay en ellas debido exclusivamente a la Naturaleza y lo debido exclusivamente al trabajo, descubriremos que, en la mayoría de tales productos, es preciso atribuir al trabajo un noventa y nueve por ciento del total.
>
> (Locke, 1983: 45.)

> ... la naturaleza y la tierra proporcionan únicamente los materiales en bruto y que apenas tienen valor en sí mismos...
>
> (Locke, 1983: 46.)

El primer argumento de propiedad es que el objeto tiene algo de uno; el segundo argumento —que lo refuerza— es el del valor: lo que tiene de uno es lo que le da valor (o casi todo el valor). Ya no es solamente que yo ponga algo propio, sino que lo puesto es lo importante.

Tenemos así una relación hombre-naturaleza con una serie de atributos de cada una de las partes que da sentido al resultado y, por ello, derechos específicos sobre el producto.[12] Ahora bien, ¿qué quiso explicar Locke con esta construcción que a nuestros oídos resulta llamativamente evidente? ¿Es una construcción meramente lógica? (¿es simplemente un artificio lógico?).

Al primer interrogante debemos responder que Locke intentaba discutir con fundamentos el tema de la propiedad, el derecho de propiedad de su mundo inglés. Para dar cuenta de ello, con igual lógica que la usada

---

12. Ya en 1662 William Petty (en Roll, 1984) escribía: "El trabajo es el padre y el principio activo de la riqueza, y las tierras son la madre".

para sustentar su sociedad política, constituye una situación "natural"
que da fundamentos a su argumentación sobre su época. Es una instancia, como el estado de naturaleza, en principio, absolutamente lógica.

¿Significa que estamos respondiendo a la segunda pregunta con un
sí? En absoluto. La presencia de casos que ejemplifiquen tal situación
tientan nuevamente a Locke al punto de que son, en este caso, mucho
más numerosos. El hombre ante la naturaleza, compelido a buscar su
subsistencia por medio de su esfuerzo (trabajo) —lo cual lo torna propietario de la cosa obtenida por ley natural— es propio de los tiempos originarios cuando aún la población es poca y, por lo tanto, la naturaleza es
más que abundante para satisfacer las necesidades de cada uno.

> ... en los tiempos primitivos, cuando esta inmensa posesión en co-
> mún que constituía el mundo empezó a poblarse [...] la ley impuesta
> al hombre le ordenaba, en realidad, que se apropiase de ella. Dios le
> impuso la obligación de trabajar, y sus necesidades lo obligan a ello.
> Era, pues, su trabajo el que creaba su derecho de propiedad [...] Ve-
> mos, pues, que poner la tierra en labranza, cultivarla y adquirir pro-
> piedad constituyen operaciones unidas entre sí. La una daba título a
> la otra.
>
> (Locke, 1983: 42.)
>
> Así, pues, en las épocas primeras, el trabajo creaba el derecho de
> propiedad, siempre que alguien gustaba de aplicarlo a bienes que eran
> comunes...
>
> (Locke, 1983: 47.)

En esos tiempos el hombre estaba limitado en sus posibilidades. Si
bien la naturaleza le ofrecía las mayores abundancias, su límite natural
de consumo reducía sus necesidades a lo utilizable.

> La medida de la propiedad la señaló bien la naturaleza limitándola
> a lo que alcanzan el trabajo de un hombre y las necesidades de la vid
> [...] Esa medida señalada por la naturaleza limitaba las posesiones de
> cada hombre a una proporción muy moderada, permitiéndole apro-
> piarse sin perjudicar a nadie, en las primeras épocas del mundo.
>
> (Locke, 1983: 42.)

La inexistencia de medios de diferimiento en el consumo impedía
cualquier intento de extraer de la naturaleza más de lo utilizable por quien
extraía que, en general, por ser imperativos de subsistencia, eran de corta
duración:

> La parte mayor de los artículos realmente útiles para la vida del
> hombre, aquellos que la necesidad de subsistir hizo imperativo que
> buscasen los primeros hombres [...] son, por lo general, de corta dura-
> ción...
>
> (Locke, 1983; 47-48.)

La única forma de extraer por encima del límite de lo autoutilizable era "regalando", por "trueque" o "cambio" (es decir, útil para otro) (Locke, 1983: 48).

> Así fue como se introdujo el dinero, es decir, alguna cosa duradera que los hombres podían conservar sin que se echase a perder, y que los hombres, por mutuo acuerdo, aceptarían a cambio de artículos verdaderamente útiles para la vida y de condición perecedera.
> (Locke, 1983: 48.)

Medio clave para lograr la acumulación y que llevará (junto con el aumento de la población) a una situación de escasez, estableciéndose leyes que regirían la asignación bajo formas totalmente diferentes de las de los tiempos primitivos,

> Así, pues, en las épocas primeras, el trabajo creaba el derecho de propiedad, siempre que alguien gustaba de aplicarlo a bienes que eran comunes [...] La mayor parte de los hombres se conformaron, al principio, con lo que la Naturaleza les ofrecía espontáneamente para satisfacer sus necesidades; más adelante, sin embargo, en ciertas regiones, el crecimiento de la población y de los recursos, mediante el empleo del dinero, hicieron que la tierra escasease y adquiriese cierto valor; entonces las diferentes comunidades establecieron los límites de sus distritos respectivos y regularon por medio de leyes, dentro de ellas mismas, las propiedades de los individuos y las de la sociedad a que pertenecían. Así fue como el acuerdo y consenso mutuos establecieron definitivamente la propiedad que el trabajo y la industriosidad habían iniciado.
> (Locke, 1983: 47.)

> ... y al hacerlo renunciaron, por común acuerdo, al derecho natural común que primitivamente tenían a las tierras de dichos países.
> (Locke, 1983: 47.)

Es el caso de la Europa del autor, donde el hombre ya no está frente a la abundante y disponible naturaleza, sino bajo formas de ley positiva y formas de apropiación sustancialmente diferentes:

> ... en Inglaterra, o en cualquier otro país de población numerosa, con un gobierno, con moneda y comercio, nadie puede, tratándose de tierras comunes, cercar una parcela o apropiarse de ella sin el consentimiento de los demás coposeedores: eso ocurre porque dicha tierra sigue siendo comunal por un convenio, es decir, en virtud de la ley del país, ley que no puede violarse...
> (Locke, 1983: 42.)

La relación del hombre con la naturaleza ya no se rige simplemente por la ley (de la naturaleza) impuesta a los hombres sino por la ley de los hombres. No es sólo el trabajo el que dará derechos sino que debe cumplimentarse el consentimiento de los demás. El encuentro natural entre el hombre y la naturaleza se ha tornado convencional y mediatizado, y la moneda y el comercio han sido condición técnica clave de esta situación.

La tierra —referente más significativo de la naturaleza— y el dinero, —referente más significativo de la inutilidad intrínseca (no sirve para subsistir o comer)— son en Inglaterra sujetos de sendas intervenciones humanas: la propiedad de la tierra es producto de una distribución consentida, y la moneda de un valor consentido. El trabajo y la utilidad intrínseca se ven invadidos por el acuerdo.

> Es indudable que en los comienzos de la humanidad [...] antes de que el ansia de poseer más de lo que cada cual necesitaba alterase el valor intrínseco de las cosas, valor que depende únicamente de la utilidad de éstas para la vida humana, o antes de que hubiesen llegado al acuerdo de que un trozo pequeño del metal amarillo, capaz de conservarse sin desgaste ni alteración, tuviese el valor de un trozo de carne o de un gran montón de cereal [...] si bien cada hombre tenía derecho a apropiarse de las cosas mediante su trabajo, cada cual para sí, en la cantidad que podía consumir, lo cierto es que esa apropiación no podía ser grande [...] Que cada hombre posea la tierra que puede cultivar, podría seguir rigiendo en el mundo, sin que nadie se sintiera perjudicado, porque hay en el mundo tierras para mantener el doble de habitantes que hoy viven en él, si la invención del dinero, el consenso tácito de los hombres de atribuirle valor, no hubiese establecido (por acuerdo mutuo) las grandes posesiones y el derecho a ellas.
>
> (Locke, 1983: 43.)
>
> ... puesto que el oro y la plata resultan de poca utilidad para la subsistencia humana [...] tienen ambos metales su valor únicamente por el consenso humano, aunque ese valor se rige en gran medida por el trabajo.
>
> (Locke, 1983: 49.)

¿Quiere decir que todo el mundo que lo rodea es como Inglaterra? No, justamente existen dos mundos contemporáneos: Inglaterra y un mundo coexistente que ofrece una pintura viva de la situación originaria.

> ... en los tiempos primitivos todo el mundo era una especie de América.
>
> (Locke, 1983: 49.)
>
> ... la necesidad de subsistir hizo imperativo que buscasen los primeros hombres —como los buscan hoy los americanos—...
>
> (Locke, 1983: 47-48.)
>
> ... América, que sigue siendo todavía un modelo de lo que fueron las épocas primitivas en Asia y en Europa...
>
> (Locke, 1983: 80.)

Y esta ley de la razón asegura la propiedad del ciervo al indio que lo mató. El animal pertenece al que puso su trabajo en cazarlo, aunque antes perteneciese a todos por derecho común.

(Locke, 1983: 40.)

Esta referencia al estado originario por medio de América, o esta remisión de América al estado originario, ya considerada como referente del estado de naturaleza, nos traslada a una imagen de ese estado poco poblado, con abundantes tierras, con una notable independencia de sus habitantes respecto de otras personas. Modelo absolutamente compatible al de un individuo aislado, como lo es el del hombre ante la naturaleza. ¿O acaso Locke no provoca a esta imaginación para plantear suposiciones que consideren estas condiciones?

A pesar de que el mundo nos parece tan poblado, podría todavía aplicarse idéntica medida sin perjuicio para nadie. *Suponiendo* a un hombre o a una familia en el estado primitivo, como cuando los hijos de Adán o de Noé empezaron a poblar el mundo, debemos dejarle que se establezca en algún lugar desocupado del interior de América. Descubriremos entonces que las tierras de que podrían apropiarse, dentro de las reglas que hemos establecido, no serían muy extensas ni, hoy mismo, se perjudicaría con ello al resto del género humano...

(Locke, 1983: 43.)

Supongamos, por ejemplo, una isla sin relación alguna con todo el resto del mundo, y que residiese en ella...

(Locke, 1983: 48.)[13]

Provocación que veintinueve años después, en 1719, recibe respuesta al aparecer la rápidamente difundida novela de Daniel Defoe, *Robinson Crusoe* (Defoe, 1984), al que casualmente su autor le da fecha de nacimiento en el año en que nació Locke (1632). Perdido en una desértica isla americana (cerca de Venezuela), razonará su situación solitaria ante la naturaleza, inventariando sus pros y contras, casi como un calco de los supuestos de Locke recién citados.

Hice un balance del estado de mis negocios, no para dejarlos a mis herederos, sino para apartar mi imaginación de ideas tristes. Como la razón logró imponerse a mi decaimiento, comencé a *consolarme comparando los bienes y los males,*estableciendo una especie de cargo y data; de un lado los placeres que disfrutaba, y del otro los males que sufría, del modo siguiente:

Males:
— Soy arrojado a una horrible isla desierta, sin esperanza de volver a salir de ella.

---

13. Más adelante insistiremos sobre la bisagra que Locke termina estableciendo entre el modelo América y el modelo individual.

— He sido separado del resto del mundo para caer en el estado más deplorable.
— Me veo apartado del mundo como un solitario, desterrado de la sociedad y de sus semejantes.
— No tengo vestidos para cubrirme.
— Me veo sin medios de defensa para resistir a los ataques de los salvajes y de las fieras.
— No tengo a nadie con quien hablar y que me consuele.

Bienes:
— Pero veo que no me he ahogado, como mis compañeros.
— Pero soy el único de la tripulación que he sido arrancado de la muerte; y Él, que ha salvado tan milagrosamente mi vida, puede también sacarme de esta triste situación.
— Pero no sufro los horrores del hambre; no estoy expuesto a perecer en un lugar estéril que me niegue sustento.
— Pero estoy en un clima caluroso, en donde los vestidos me serían inútiles.
— Pero en la isla en que he sido arrojado no hay ningún animal dañino como los que he visto en África. ¡Qué sería de mí si hubiera naufragado en ella!
— Pero el cielo, milagrosamente, ha conducido el navío bastante cerca de tierra para que pudiese ir a buscar una multitud de efectos que me ponen en situación de proveer a mis necesidades, no sólo para el presente, sino para el porvenir.

   Habiendo así aliviado mi espíritu, abandoné la costumbre de mirar el mar para descubrir alguna embarcación. *Me dediqué a solucionar mi modo de vivir y hacer las cosas del modo más fácil posible.*
                                                              (Defoe, 1984: 49-50.)

Posiblemente la laboriosidad de Robinson sea la contracara de la imagen inglesa del siglo acerca de la pasividad de los desnudos nativos. Así como América fue pensada despoblada, sin gobierno, fue también pensada como menos laboriosa.

   El pan, el vino y las ropas son cosas de uso diario y de gran abundancia; sin embargo, si el trabajo no nos proveyese de esta clase de artículos utilísimos, nuestra bebida y nuestras ropas serían las bellotas, el agua y las hojas o las pieles. Y eso porque el mayor valor que tiene el pan sobre las bellotas, el vino sobre el agua y el paño o la seda sobre las hojas, las pieles o el musgo, se debe por completo al trabajo y a la industria humana. Las bellotas, el agua y las hojas son el alimento y el vestido que nos proporciona la Naturaleza, abandonada a sí misma; los otros productos, como el pan, el vino y los paños, nos lo proporcionan nuestra actividad y nuestro esfuerzo. Bastará comparar el exceso de valor que tienen éstos sobre aquéllos para ver que el trabajo constituye, con mucho, la parte mayor del valor de las cosas de que nos servimos en este mundo, y bastará también para que veamos que la tierra que produce los materiales apenas debe ser tomada en cuenta en ese valor.

(Locke, 1983: 45-46.)

¿No son el pan, el vino y las ropas de las costumbres europeas, y las bellotas, el agua y las hojas o pieles las de los naturales americanos? ¿No son respectivamente Crusoe y Viernes? ¿No son el resultado del trabajo, producto del esfuerzo del hombre ante la proporción lisa y llana de la naturaleza? Aquel primitivo cuyo solo acto de extracción daba curso al agregado de algo propio, el trabajo, recibe en esta instancia toda la naturalidad, aun en los objetos extraídos y, para ello, nada mejor comparar lo que valen (¿sus precios?) aquí y allá.

Un acre de tierra que en nuestro país produce veinte bushels de trigo y otro acre de tierra en América, que mediante idéntico laboreo produciría esa misma cantidad, tienen, sin duda alguna, idéntico valor natural, intrínseco. Sin embargo, el beneficio que el género humano recibe durante un año de uno de esos acres es de cinco libras, mientras que el que recibe del otro quizá no valga ni un penique; si se valorase y se vendiese en nuestro país lo que un indio saca del acre en América, creo poder decir con toda verdad que no llega ni a la milésima parte de aquel otro valor. Es, pues, el trabajo el que da a la tierra la máxima parte del valor...

(Locke, 1983: 46.)

Mientras el trabajo como derecho de propiedad era más que claramente visto en los primeros tiempos, antes de la moneda y la superpoblación, para la importancia del valor dado por el trabajo nada es mejor que los tiempos contemporáneos en contraposición con las anteriores, cuando este valor estaba casi ausente.

De esta manera, queda completa una situación natural que se ha delineado sobre la base de la ausencia de atributos de la sociedad comercial contemporánea: el estado originario se caracteriza por la ausencia de escasez (la naturaleza como satisfactor excede las necesidades), la falta de propiedad privada de la tierra (la vasta naturaleza es poseída en común con el único requisito de usar sus frutos y no desperdiciarlos), la inexistencia de dinero (que justamente provoca la ausencia de lo que sigue), la falta de acumulación (por lo perecedero de los bienes) y de laboriosidad (reflejada por el menor valor de los productos). La lógica de la definición por ausencias se ha hecho una vez más presente y, como ya ocurriera anteriormente, los ejemplos le dan una geografía particular a las dos situaciones delimitadas y contrapuestas:

Inglaterra	América
Escasez	Sin escasez
Propiedad privada	Sin propiedad privada (tierra)

Inglaterra	América
Dinero Acumulación Comercio Laboriosidad	Sin dinero Sin acumulación Sin comercio Sin laboriosidad

El interés de explicación del status presente (primera columna) da origen a la constitución de una situación hipotética (segunda columna) que tiene tiempo (el originario) y casos reales contemporáneos (América).

Para el estado natural (ya lo mencionamos en la primera parte de este capítulo) América había sido un buen ejemplo, como ahora lo es de este modelo simple del hombre ante la naturaleza; mientras que Inglaterra lo era del estado de sociedad civil, como ahora lo es del mundo mercantil. Y así como América e Inglaterra representaban diferentes formas de relación social, así también representan diferentes formas de apropiación.

Sin embargo, no ha sido sólo América el ejemplo posible. A la idea atomista de sociedad, implícita en el tratamiento del estado de naturaleza y explícita en los supuestos de la situación originaria del hombre ante la naturaleza, suele serle indiferente tratar con grupos o con individuos. Es más, como cada individuo resulta ser homólogo a otro, cualquier ejemplo es bueno para dar cuenta del resto.

Es por ello que en esta idea de que los hombres necesitan subsistir y la naturaleza es ofrecida para satisfacer tales necesidades valen tanto los ejemplos de hordas americanas, usados intensamente por Locke, como el posteriormente célebre *Robinson Crusoe*, escrito a medida. Mientras América es un ejemplo social del estado originario, algo extraviado en los orígenes, Robinson es alguien puesto fuera de la sociedad contemporánea, un extraviado, solo frente a la naturaleza. Es por ello que son pertinentes ejemplos de los requerimientos básicos, mínimos, incluso naturales, del hombre.

Con Crusoe, el hombre es colocado en una situación de aislamiento, en contacto con un medio, el paisaje, que satisfará sus necesidades de sobrevivencia por medio de su inteligencia y esfuerzo, símil del hombre libre de los comienzos de la humanidad. La abundancia de tierras y frutos es tan grande en la situación de América que la relación con la naturaleza es casi como la de un sujeto frente a ella, sin interferencia de otros hombres. Esto hasta encontrar otros hombres (y su interferencia), cuando aparecen nuevamente los límites a su libertad, y "desaparece el sentimiento de inmensidad y se perfila el sentimiento de estrechez" (Defoe,1984: 8-9). América y Robinson Crusoe quedarán así fijados como referentes del hombre ante la naturaleza, aunque ambos sean productos de la imaginación.

FORMAS DE EXPLICACIÓN COMUNES DE LAS TRES IDEAS

Explicación de lo actual por lo original

La evidente intención de explicar un hecho acabado y presente tomando como punto de partida una situación inicial, natural, que resultará clave en la explicación, y que tendrá existencia real a través de la persistencia de fenómenos contemporáneos semejantes en estado originario, es común a los tres problemas planteados en este capítulo.

Esa situación inicial se constituye, en principio, a través de la ausencia de ciertas características, presentes en la contemporaneidad, y que casi simultáneamente se transforman en antitéticas de lo contemporáneo.

La división en dos instancias, una a explicar y contemporánea, y otra explicativa y originaria (que son caracterizadas cada vez que se quiere dar un fundamento) nos permite definirlas y hacernos una idea de los dos mundos o estados implicados.

Mundo contemporáneo	Mundo originario
con ley positiva individuo dependiente sujeción desigualdad	sin ley positiva (natural) individuo independiente libertad igualdad
apropiación privada de la tierra apropiación por convención y trabajo	propiedad común de la tierra apropiación por trabajo
valor por convención y trabajo vestimenta ropas pan vino laboriosidad escasez de tierras mucha población ambición dinero acumulación comercio	valor intrínseco valor por trabajo desnudez hojas bellotas agua poca laboriosidad abundancia de tierras poca población lo necesario sin dinero trabajo para subsistir autoconsumo-regalo-trueque
Adulto normal	**Niño recién nacido**
con ideas muchas nociones y amplias	sin ideas pocas nociones y estrechas

La particularidad de que las diferentes explicaciones sean remitidas a lo originario y no simplemente a lo anterior es decisiva, dado que lo segundo sólo da cuenta de antecedentes, mientras que lo elegido remite además a lo natural, es decir, al límite.

De la misma manera que se habían buscado los orígenes y fundamentos de la sociedad civil y de las ideas a través de una situación —la de naturaleza— que se contrapone y antecede, también así fueron buscados los fundamentos de la propiedad. Así como la condición contemporánea difería de la de naturaleza (sujeción a la ley civil frente a la libertad), así como la condición adulta normal difería de la natural (gabinete vacío frente a gabinete con ideas), así también la propiedad contemporánea difiere de la propiedad natural. Sin embargo, como en aquellos casos en que la libertad es modificada parcialmente pero pervive, el gabinete es modificado pero pervive, así también la forma de adquisición de la propiedad natural es modificada pero pervive.

Explicación de lo original por lo actual (los ejemplos de retraso)

El hallazgo de casos actuales para dar cuenta de situaciones originales es otra de las características comunes a la explicación de las tres ideas. Veamos esta forma de construcción.

Imaginemos un estado presocial, un estado preconvencional o un estado de preacumulación, lógicamente, con la ausencia de ciertos elementos (por ejemplo: entendimiento, dependencia o acumulación, respectivamente), con cierta connotación gradualista de aparición. Conjuntamente, comenzamos a detectar casos ejemplificadores y actuales (como los niños perdidos, o América) que, de hecho, por estar en un tiempo actual pero en condiciones originarias, son casos de retraso: un niño que transcurrió un tiempo sin adquisiciones y por tanto está como en nuestros inicios; una sociedad que también pasó un tiempo sin ciertas atribuciones. y por tanto está como la nuestra antes de adquirirlas. Ambos son un modelo de nuestro origen.

El ejemplo más fuerte de contemporáneos retrasados es América, en el sentido prototípico a que hemos hecho referencia. Siguiéndole en orden, pero sólo referido al segundo apartado, aparece el caso de los idiotas, sin que estén ausentes (a través de salvajes y analfabetos) nuestros contemporáneos primitivos.

> Pero ¡ay!, entre los niños, los idiotas, los salvajes y las personas analfabetas: ¿qué máximas generales se encuentran? ¿Qué principios universales de conocimiento? Sus nociones son pocas y estrechas, adquiridas únicamente de los objetos con los que más se relacionan y que han causado en sus sentidos las impresiones más frecuentes y fuertes...
>
> (Locke, 1987: 35.)

Una de las fuerzas de estos referentes está en que son percibidos reales y originarios, condiciones que no cumplen los demás ejemplos: los reyes absolutistas o el naufragio de Pedro Serrano (Locke, 1983: 30), si bien son reales, no son originarios; el indio y el suizo (Locke, 1983: 30) no sólo no son originarios sino imaginarios, y el de Robinson Crusoe es novelesco aunque, por ello mismo, el autor se ocupó de hacerlo creíble.

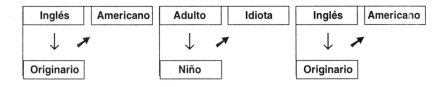

Si bien lo precedente apunta al carácter de lo "actual en estado originario", existe una segunda característica común a todos los ejemplos más fuertes, incluso los que no comparten la característica de ser originarios, que es una forma particular en su condición de laboratorio experimental:

1. Un niño extraviado sin contacto humano previo que por primera vez se va enfrentar con los humanos y a partir de ello probablemente desarrollará su entendimiento. Cuerpo, razón, y luego un tercero.
2. Un hombre extraviado que se enfrenta solo con la naturaleza para subsistir por medio de su esfuerzo. Cuerpo, fuerza y razón, naturaleza.
3. Un continente extraviado que mantiene las condiciones naturales previas a la convención civil. Algo del modelo 1 —estado natural, razón—, algo del modelo 2 —estado natural, fuerza, razón, naturaleza—.

En el primer caso, la adquisición es por medio de la experiencia social; en el segundo, por la experiencia de extracción de la naturaleza (trabajo), y en el tercero por convención.

En el primer ejemplo debe hallarse *alguien presocial*, virgen socialmente. En el segundo se impone *alguien fuera de la sociedad*. En el tercero un mundo de individuos independientes, preconvencional.

Lo destacado en el primer ejemplo es la ausencia absoluta de contacto con la sociedad (pues, de hecho, con la naturaleza ha habido contacto). Lo destacado en el segundo caso es el brutal enfrentamiento con la naturaleza (pues, de hecho, hubo contacto social anterior). Lo destacado en el tercero es la falta de ley positiva (pues siempre existió la ley natural).

Individuo o individuo en sociedad, en un caso. Individuo y naturaleza, en el segundo. Individuos libres, o individuos bajo convenio.

Nótese que el primer individuo, dado, presocial, podría ser pensado como natural; el segundo individuo es la antítesis de la naturaleza, mientras que los últimos son la sociedad natural.

Explicación de lo social por lo individual

La particular forma de construcción de los tres tratamientos permite la trasposición de ciertos atributos individuales (los asignados a la incorporación de ideas) a atributos grupales (los asignados al estado de naturaleza y al estado de subsistencia).

Si bien las tres ideas no se mueven (abusando de términos actuales) en la misma unidad de análisis, es cierto que las referencias no mantienen necesariamente su coherencia, o quizá sea más preciso decir que la mantienen gracias a una particular construcción de lo primitivo.

Dos deslizamientos son los más notorios. La primera transposición se manifiesta cuando un estado atribuible a ciertos grupos como el americano es asignable a individuos (con un corte tan individual que aquel estado de naturaleza se atribuye a ciertos príncipes y reyes). La segunda se produce cuando en forma generalizada se otorga la condición preideacional a salvajes, analfabetos y gran parte de la humanidad.

Coadyuva una construcción de una sociedad primitiva con sujetos en un estado alto de aislamiento: libres, sin sujeción, independientes, casi solos frente a la naturaleza.[14] Pero también lo hace (particularmente en la segunda de las transposiciones) la imagen de un primitivo con un reducido bagaje de ideas con relación al inglés contemporáneo (Robinson versus Viernes). Lo grupal inicial se construye como individuos semiaislados, o sea, como suma de individuos, y lo grupal en situaciones iniciales tiene algunas faltas asimilables a las del niño.

Si tenemos en cuenta que todo el mundo contemporáneo nos habla de Europa y particularmente de Inglaterra, y el mundo originario de América, podemos, ahora, en la tabla precedente, sustituir aquellos términos por éstos. Los ejemplos nos dan sustento para esta sustitución. Pero, a su vez, la imagen del recién nacido nos habla también de los salvajes americanos, y en este sentido la segunda columna refleja la descripción de América. Podemos adscribir a ella a la mayoría de los americanos, según el pensamiento de Locke.

Explicación por medio del concepto de naturaleza

El concepto de naturaleza es común y complicado, de uso generalizado y polisémico. Sin pretender agotar sus significados, cambiantes a través

---

14. Si bien Locke da lugar a la sociedad familiar desde el comienzo, no modifica la imagen centrífuga que presenta cuando da cuenta del estado de naturaleza. El énfasis dado al aislamiento en su primera sustentación del estado de naturaleza y en el tratamiento del hombre ante la naturaleza en sus orígenes es mucho más potente que el dado a las organizaciones familiares en las sociedades más primitivas. Es más, la laxitud de las relaciones del individuo adulto y de su desobligación de sujeción fortalece esta imagen.

del tiempo y según sus presentaciones, haremos referencia a tres de ellos que surgen de lo considerado hasta aquí:

1. Remisión a situaciones originarias sociales.
2. Remisión a situaciones originarias individuales.
3. Remisión a medios de subsistencia.

La primera de las remisiones es la observada en el primer apartado. La segunda se acerca a la construcción del segundo apartado. Y, así como el estado de naturaleza tenía su caso o casos en América, los niños perdidos y rescatados han hecho las delicias de los buscadores del "gabinete aún vacío". La última remisión es la que enfrenta al hombre con la naturaleza para la provisión de su subsistencia y que es profusamente ejemplificado también por América y luego llevado de la mano por la popularidad de Robinson Crusoe.

Cada una de estas situaciones presenta una estructuración particular, a saber:

Nosotros/otros:	Que respectivamente representan lo que es por consentimiento o lo que es por naturaleza.
Sociedad/individuo:	Que respectivamente representan lo adquirido y lo dado por naturaleza.
Hombre/subsistencia:	Que respectivamente representan al hombre en cuerpo (aspecto natural del hombre) ante su satisfactor (la naturaleza) dado por Dios.

Los segundos términos significan naturaleza, y específicamente dan cuenta de algo natural o en estado natural. Significado que aparece también por excepción en el primer término de la tercera oposición.

TRES TEMAS DE LA ANTROPOLOGÍA ECONÓMICA

Existen tres fenómenos que son de interés básico para la antropología económica:

— El individuo natural (sin lo social).
— El individuo y la naturaleza (sin acumulación —la subsistencia—).
— El estado natural (sin la convención).

Los dos primeros hablan de la partición del individuo: cuerpo y espíritu. El tercero, de la partición de lo social en prepolítico y político, así como de la partición de la humanidad en actual y originaria.

Veamos primero la partición del individuo: el hombre como gabinete aún vacío, cuerpo-razón, y el hombre frente a la naturaleza, cuerpo, razón, esfuerzo.

Si bien Locke no piensa en ningún momento en la existencia de un hombre solitario, desde el punto de vista conceptual lo utiliza sin empacho. En este sentido vale la pena plantear dos situaciones: la del hombre genérico como *tabula rasa* (lo dado), que por medio de la razón (característica eminentemente humana) y de la experiencia (social) comienza su andar por el camino del entendimiento. La otra, la de individuos independientes frente a la naturaleza, cuya única propiedad es la de su persona, y, de ella, su esfuerzo.

La primera situación aporta el modelo de lo dado y lo adquirido, cuya mediación es la razón. Para lo dado sólo es condición imaginar una persona, para lo adquirido es necesario presentar el contacto con otra, la vida en sociedad. Cualquier persona viviente en sociedad ya cuenta con lo dado y con adquisiciones, que ya no dan cuenta de la situación originaria (digamos, presocial). Es por ello que el hallazgo de "niños perdidos" fuera de gran interés como verdaderos laboratorios del estado innato. Este modelo, entonces, instaura una concepción de la persona sin sociedad y con sociedad, cuyo prototipo son los niños salvajes, inscribiéndose en la persona sin más la naturaleza (papel en blanco) y en la persona social la naturaleza más la cultura. Ésta ha sido la base de las ciencias del espíritu: educación, psicología...

El hombre y naturaleza (o el hombre ante la naturaleza) es la segunda situación presentada. Lo dado en esta situación es el hombre propietario de sí mismo (y por consiguiente de sus fuerzas), las cosas que la naturaleza presenta, y la razón (la imagen de Dios). Un estado así, sin más, es un estado de naturaleza, constituido por lo dado originariamente. Se establece, de esta manera, un modelo del hombre (necesidad de existencia), la naturaleza (satisfactor de esa necesidad) y la razón y el esfuerzo inherentes al hombre como mediadores. El contacto entre hombre y naturaleza establece una nueva relación de agregaciones que implica una novedosa propiedad, la de la naturaleza o sus frutos, por la persona, y para este modelo el prototipo es la novela *Robinson Crusoe* o los salvajes americanos. Ésta ha sido la base de las ciencias económicas.

De estos modelos surgen, por un lado, la relación entre la persona física (cuerpo) con la persona entendimiento (espíritu), razón mediante. También surgen concatenadas las situaciones presocial (individuo aislado) y social (individuos en contacto). Ambos aspectos son tratados en *Sobre el entendimiento...* Pero también surge una relación del hombre (necesidad y esfuerzo) con la naturaleza (cosas para la subsistencia), razón mediante. Asimismo, un hombre (propietario de sí por naturaleza), una naturaleza (de la que puede ser propietario) y la mediación de la razón y el esfuerzo (trabajo).

En cuanto al estado de naturaleza, sustento de la explicación del estado de convención (que implica el sustento explicativo del pasaje de la vigencia de las leyes de la naturaleza a las leyes positivas) ha sido la base de las ciencias políticas y sociales.

Finalmente, la partición de la humanidad en un estado originario y uno actual (que ha sido el eje conductor del discurso), ejemplificada por un actual en estado originario, dará cuenta de una escisión en que cada una de las disciplinas sociales se encontrará con fenómenos de igual "naturaleza" pero de sustanciales diferencias en su manifestación. Y estas manifestaciones diferenciales harán que, cualquiera sea el problema, económico, político, social e incluso psicológico, merezca en el mundo originario un tratamiento específico. Mundo originario que será el fenómeno de las ciencias antropológicas, arqueológicas y etnológicas, con sus economías, sociedades, organizaciones políticas e incluso mentalidades específicas. Nos queda así un mundo primitivo que sería un sello sobre el que una disciplina hallará su razón de ser y una imagen de ese mundo, que dará cuenta de sus principales discusiones.

Por ello consideramos este primer tratamiento *como economía de los estados* (economía de la acumulación y economía de la subsistencia), que incluye una idea de la subsistencia entre los primitivos, economía del estado originario, objeto específico de la antropología económica.

OTRAS CIENCIAS SOCIALES		ANTROPOLOGÍA
RAMA	**INGLATERRA:** **mundo actual**	**AMÉRICA:** **mundo originario**
SOCIO- POLÍTICO	con ley positiva individuo dependiente sujeción desigualdad	sin ley positiva (natural) individuo independiente libertad igualdad
POLÍTICO- ECONÓMICO	apropiación privada de la tierra apropiación por convención y trabajo	propiedad común de la tierra apropiación por trabajo
ECONÓMICO	valor por convención y trabajo escasez de tierras mucha población dinero acumulación comercio	valor intrínseco valor por trabajo abundancia de tierras poca población sin dinero trabajo para subsistir autoconsumo-regalo-trueque
ECONÓMICO- CULTURAL	laboriosidad ambición pan vino vestimenta ropas	poca laboriosidad lo necesario bellotas agua desnudez hojas
PSICO- CULTURAL	con ideas muchas nociones y amplias	sin ideas pocas nociones y estrechas

APÉNDICE

Las citas que siguen fueron extraídas *del Ensayo sobre el gobierno civil* (Locke, 1983). En estos párrafos se enuncian precariamente algunos aspectos que más adelante serán diagnósticos en la antropología económica.

Consumo (H-O) (para sí)

Únicamente debía preocuparse por consumir *lo recogido antes de que se echase a perder, pues, de lo contrario, ello quería decir que había tomado más que la parte que le correspondía, robando así a los demás. Y no cabe duda de que era una estupidez y una falta de probidad acaparar* cantidades superiores a las que cada cual podía consumir *(p. 48).*

HOMBRE-TRABAJO-NATURALEZA-SATISFACTOR-CONSUMO
Objeto útil y perecedero

Regalo (H-O-H) (para otro)

Podía también hacer uso de la cantidad recogida regalando *una parte a cualquier persona, a fin de* evitar que se echasen a perder inútilmente *en posesión suya (p. 48).*

HOMBRE-TRABAJO-NATURALEZA-SATISFACTOR-ENTREGA A OTRO
Objeto útil y perecedero

Trueque (H-O-O-H) (para otro)

Tampoco dañaba a nadie haciendo un trueque *de ciruelas, que se le pudrirían al cabo de una semana, por* nueces, *que se mantendrían comestibles un año entero; en uno y otro caso no malgastaba los recursos que podían servir a todos, puesto que* nada se destruía sin provecho *para nadie entre sus manos (p. 48).*

HOMBRE-TRABAJO-NATURALEZA-SATISFACTOR
-ENTREGA A OTRO   -ENTREGA DEL OTRO
Objeto útil y perecedero   Objeto útil y perecedero

Cambio (H-O-O-H) (para otro)

Tampoco atropellaba el derecho de nadie si entregaba sus nueces a cambio de un trozo de metal, movido de la belleza de su color, o si cambiara sus ovejas por conchas, o una parte de lana por una piedrecita centellante o por un dia-

mante, guardando estas cosas para sí durante toda su vida; podía amontonar de estos artículos todos los que él quisiese; no se excedía de los límites *justos de su derecho de propiedad por ser muchos los objetos que retenía en su poder, sino* cuando una parte de ellos perecía inútilmente en sus manos (p. *48).*

HOMBRE-TRABAJO-NATURALEZA-SATISFACTOR
-ENTREGA A OTRO   -ENTREGA DEL OTRO
  Objeto útil y perecedero   Objeto "útil" y duradero

Dinero (H-O-D-H) (para otro)

Así fue como se introdujo el empleo del dinero, *es decir, de alguna cosa* duradera *que los hombres podían conservar sin que se echase a perder, y que los hombres, por* mutuo acuerdo, *aceptarían* a cambio de artículos verdaderamente útiles para la vida y de condición perecedera *(p. 48).*

Si ni existe nada que sea a la vez duradero, escaso y tan valioso para ser atesorado... (p. 49).

HOMBRE-TRABAJO-NATURALEZA-SATISFACTOR
-ENTREGA A OTRO   -ENTREGA DEL OTRO
  Objeto util y perecedero   Objeto "util por conveniencia", duradero y
                                  escaso

CAPÍTULO II

ECONOMÍA DE LOS ESTADIOS PREVIOS
DE LA ECONOMÍA DE LOS ESTADIOS
(Rousseau)

Entender la economía de los estados implica comprender los presupuestos de la división dual, actual/originario, y la presentación (también dual) hombre/naturaleza; dos estructuras decisivas de la antropología y la economía, respectivamente. La economía de los estadios, de la que trataremos en este capítulo, presupone este entendimiento puesto que, esencialmente, es un desenvolvimiento de lo originario y una heterogeneización de los contenidos de aquel hombre ante la naturaleza.[1] Ya no hablaremos de una sola economía primitiva sino de varias, y no hablaremos sólo de lo originario sino desde lo originario.

Durante los siglos XVIII y XIX, además de sostenerse y generalizarse el uso de la dualización en la que uno de los estados, el natural, es caracterizado por negación, la idea de gradualización hacia el presente da lugar a una complejización que implica la incorporación de estadios intermedios: entre aquella situación original y la situación actual pueden encontrarse otras condiciones. América[2] ya no será el modelo de un solo estado sino el reflejo de más de una situación paradigmática. Comienza a visualizarse una presentación más procesual y, por ende, menos homogénea de aquella situación natural.

ACTUAL

ORIGINARIO

---

1. La economía de los estados sobrevivirá en la economía de los estadios.
2. América es la primera elegida; África, Oceanía y las Asias inexplotadas la siguen aunque, de hecho, "no se cambia de mundo al cambiar de continente" (Duchet, 1975: 29).

Nueva presentación para la que el "modo de vida" (o "modo de subsistencia") se convierte en el parámetro de clasificación, que señala un estadio de caza, uno de pastoreo y uno de agricultura como antecedentes de una situación actual de comercio.

> Las ocupaciones originales del hombre fueron la caza y la pesca, con vistas al sustento. A continuación vino la vida pastoril; y el siguiente estadio fue el de la agricultura.[3]

Se presenta de esta manera un pasado complejo de tres estadios que contrastan con el actual, pero que a la vez ofrecen diferencias entre sí que son significativas "modificaciones" de complejidad, que producen un gradual acercamiento al estadio contemporáneo.

COMERCIO
AGRICULTURA
PASTOREO
CAZA

En esta apertura habrá una partición durísima que hemos marcado con *x*, manifestación de la pervivencia de la dualidad, y que demarcará los campos de futuras investigaciones: la economía política, que abrevará en el comercio, y la antropología, que lo hará en los otros tres estadios.

ESTADO NATURAL COMO LÍMITE

En el siglo XVIII se consolidó la utilización de una situación de naturaleza para dar cuenta de discusiones contemporáneas. Sin embargo, y como hemos mencionado, la simple dualización sufrió segmentaciones en una de las oposiciones, la natural. El sencillo estado de naturaleza, que sobrevivió en un extremo, se abrió en tres estadios primitivos, culminando en la antesala de la actualidad de la Europa de las Luces. La lógica de elaboración de esta clasificación se puede ejemplificar con bastante claridad, y es extensible en sus aspectos generales a otros autores,[4] con *el Discurso sobre el origen de la desigualdad* de Rousseau, de 1755, y el *Ensayo sobre el origen de las lenguas*, de 1760,[5] también de Rousseau.

---

3. Concepto original de Kames, de 1758, citado por Meek (1981: 103), quien investiga profundamente la utilización de cuatro estadios, tres originarios, en el siglo XVIII.
4. Véase Apéndice.
5. Valen aquí las mismas salvedades que ya hiciéramos con relación a Locke. No es Rousseau por Rosseau mismo quien nos interesa, sino como informante que hace uso de una forma determinada.

Comencemos con la consolidación de la dualización. Nuevamente se pretende dar cuenta de un hecho contemporáneo —la desigualdad social— y, para ello, se apela a la figura del hombre primitivo.

> Este [...] estudio del hombre primitivo, de sus verdaderas necesidades y de los principios fundamentales de sus deberes es el único buen medio que puede emplearse para vencer las mil dificultades que se presentan sobre el origen de la desigualdad moral, sobre los verdaderos fundamentos del cuerpo político, sobre los derechos recíprocos de sus miembros y sobre multitud de otras cuestiones semejantes, tan importantes como mal aclaradas.
>
> (Rousseau,1992:108.)

Estado natural, originario, primitivo, que es el medio decisivo para dilucidar cuestiones fundamentales, y que no se espera sea necesariamente real sino hipotético. Un estado que aparentemente no requiere de referentes empíricos sino sólo de razonamientos lógicos:

> No es preciso considerar las investigaciones que pueden servirnos para el desarrollo de este tema como verdades históricas, sino simplemente como razonamientos hipotéticos y condicionales, más propios a esclarecer la naturaleza de las cosas que a demostrar su verdadero origen, semejantes a los que hacen todos los días nuestros físicos con respecto a la formación del mundo.
>
> (Rousseau,1992:110.)

Definida la recurrencia hipotética al hombre primitivo para dar cuenta de cuestiones actuales, la metodología de elaboración de ese supuesto estado es sencilla, y ya conocida por nosotros: se caracteriza por la asignación de innumerables ausencias de atributos comunes y caros a nuestro tiempo:

> ... estado primitivo, en el cual no teniendo ni casas, ni cabañas, ni propiedades de ninguna especie...
>
> (Rousseau,1992: 119.)

> ... errantes en las selvas, sin industria, sin palabra, sin domicilio, sin guerras y sin alianzas, sin ninguna necesidad de sus semejantes como sin ningún deseo de hacerles mal y aun hasta sin conocer tal vez a ninguno individualmente, el hombre salvaje, sujeto a pocas pasiones y bastándose a sí mismo, no tenía más que los sentimientos y las luces propias a su estado; no sentía más que sus verdaderas necesidades.
>
> (Rousseau,1992: 127.)

De esta manera se dibuja una imagen, básicamente contrastante, del estado actual, y que será el fiel (y lógico) reflejo del estado de naturaleza originario, una especie de grado cero imaginario de:

... lo que sería el género humano si hubiese sido abandonado a sus propios esfuerzos.

(Rousseau,1992:110.)

Estado límite donde se resaltan "las funciones puramente animales" (Rousseau, 1992: 116), al punto de que resulta muchas veces difícil distinguir al hombre en este estado original de un animal:

> Nuestros viajeros convierten sin miramiento en bestias con el nombre de pongos, mandriles y orangutanes a los mismos seres que, bajo el nombre de sátiros, faunos y silvanos, los antiguos transformaban en divinidades. Tal vez, después de investigaciones más exactas, se descubrirá que no son bestias ni dioses, sino hombres.

(Rousseau,1992: 163.)

Riesgo de confusión que también se hace presente cuando se juzga apresuradamente a nuestros ya conocidos niños salvajes (o abandonados, para seguir literalmente al supuesto).

> ¿Qué juicio se cree que hubieran hecho semejantes observadores del niño encontrado en 1694, del cual he hablado anteriormente, y que no daba ninguna muestra de razón, andaba a gatas, no hablaba ningún idioma y producía sonidos que no se semejaban en nada a los del lenguaje del hombre?

(Rousseau, 1992: 163.)

> Si por desgracia suya este niño hubiese caído en manos de nuestros viajeros, no cabe duda de que después de haber notado su silencio y estupidez, habrían decidido enviarle nuevamente a la selva o encerrarlo en una casa de fieras, sin dejar de hablar sabiamente de él en sus bellas narraciones, como de una bestia muy curiosa que se parecía mucho al hombre.

(Rousseau, 1992: 163.)

Por estar tan cerca de lo que es un "primer embrión de la especie" (Rousseau, 1992: 111) puede ser considerado como un hombre muy curioso que se parece mucho a una bestia:

> Cuéntanse diversos ejemplos de hombres cuadrúpedos, pudiendo entre otros citar el del niño que fue encontrado, en 1344, cerca de Hesse...

(Rousseau, 1992: 150.)

> Sucedía lo mismo con el niño que fue hallado, en 1694, en las selvas de Lituania, que vivía entre los osos...

(Rousseau, 1992: 150.)

> El pequeño salvaje de Hanover, que fue llevado hace muchos años a la corte de Inglaterra, con las mayores penas del mundo lograba

sostenerse y caminar con los pies. Encontróse también, en 1719, otros dos salvajes en los Pirineos, los cuales corrían por las montañas al igual que los cuadrúpedos.

(Rousseau, 1992: 150.)

Ámbito del límite donde la seguridad de las clasificaciones entra en riesgo, o, más precisamente, en incertidumbre. Más aún cuando lo hipotético ha comenzado a tomar cuerpo y existencia real a través de estos extraviados, primeros indicios empíricos de una simple construcción lógica. La elaboración hipotética y condicional, inobservable por definición, comienza a ser objeto de excepcional atención.

Sin embargo, la hipotética condición de naturaleza no detendrá su camino hacia la existencia real en estos aislados ejemplos. La remisión a tiempos remotos, pero tiempos al fin, comenzará a dibujar una época natural de la especie:

Los tiempos de que voy a hablarte son muy remotos.

(Rousseau, 1992: 111.)

...el inmenso espacio de tiempo que ha debido transcurrir entre el estado natural y el que se impuso la necesidad de las lenguas...

(Rousseau, 1992: 119.)

Estado con una existencia temporal, y por tanto real en los orígenes, pero no sólo imaginable sino observable gracias a sus exponentes contemporáneos:

Tal es el estado animal en general y tal es también, según los relatos de los viajeros, el de la mayor parte de los pueblos salvajes [...] los hotentotes del cabo de Buena Esperanza [...] los salvajes de la América...

(Rousseau, 1992: 115.)

... los caribes que, hasta ahora, de los pueblos existentes es el que menos se ha alejado del estado natural...

(Rousseau, 1992: 126.)

Estos exponentes son los hotentotes y los caribeños,[6] los exponentes más naturales de esta situación límite y, por tanto, los más fáciles de confundir por su estado animal con el animal mismo y a los que, posteriormente, se sumarán:

... los esquimales, el más salvaje de todos los pueblos...

(Rousseau, 1980: 71.)

---

6.   Muchos autores de la época dan a los hotentotes y a los caribes como muy cercanos al estado de naturaleza; el grado cero según Duchet (1975: 328), refiriéndose a una referencia similar de Helvecio.

Como vemos, el estado natural aparece claramente plasmado como lo desarrolláramos en el capítulo anterior: apelación explicativa de lo actual, construcción hipotética y por ausencias, ejemplificación con los salvajes vivientes y los niños perdidos. Hasta aquí, casi sin novedades.

ESTADIOS PRIMITIVOS

Sin embargo, una vez construido el estado primitivo como resultado de esta contrastación, nuestro autor comienza un movimiento, un denso camino hasta las formas más comprensibles, más completas, más cercanas, a partir de aquel grado cero,

> Tomemos, pues, de nuevo las cosas desde su más remoto origen y tratemos de reunir, para abarcarla desde un solo punto de vista, la lenta sucesión de hechos y conocimientos en su orden más natural... *El primer sentimiento del hombre fue el de su existencia; su primer cuidado el de su conservación...* Los productos de la tierra lo proveían de todos los recursos necesarios, y su instinto lo llevó a servirse de ellos. El hambre y otros apetitos hiciéronle experimentar alternativamente diversas maneras de vivir, entre las cuales hubo una que lo condujo a perpetuar su especie; mas esta ciega inclinación, desprovista de todo sentimiento digno, no constituía en él más que un acto puramente animal, pues, satisfecha la necesidad, los dos sexos no se reconocían y el hijo mismo no era nada a la madre tan pronto como podía pasarse sin ella... *Tal fue la condición del hombre primitivo; la vida de un animal...*
>
> (Rousseau, 1992: 130.)

Gradualmente comenzaron a remontar, con sucesivas incorporaciones (de la que ciertos procesos de obtención de alimentos no son ajenos) hasta alcanzar el estado actual.[7] Así aparecerán los primeros indicios de lo que serán luego situaciones bien delimitadas: la caza y la pesca, la domesticación de animales y la agricultura como procesos de obtención de la subsistencia sucesivos.

> *Pero pronto* se presentaron dificultades que fue preciso aprender a vencer [...] *En las orillas del mar* [...] *se hicieron pescadores* [...] *En las selvas construyéronse arcos y flechas y se convirtieron en cazadores y guerreros.*
>
> (Rousseau, 1992: 130.)

7. A nuestro propósito, no interesan las valorizaciones que de cada una de estos pasos haga el autor, hecho que lo puede diferenciar de algunos de sus pares, sino la forma que es extensible a todos, sea cual fuere el signo que se le atribuya.

Indicios del primer paso, el de los cazadores y pescadores, que representarán sin lugar a dudas el primer movimiento de despegue del estado prácticamente animal, primer paso específicamente humano. Hasta que

> ... los nuevos conocimientos que adquirió en este desenvolvimiento aumentaron, haciéndosele conocer su superioridad sobre los otros animales [...] convirtióse con el tiempo en dueño de los [animales] que podían servirle...
>
> (Rousseau, 1992: 130-31.)

Indicios del segundo paso, al que se llega por medio del conocimiento y la observación, y que le permitirá al hombre dominar sobre los animales de una manera muy particular: adueñándoselos por medio de la domesticación, para finalmente alcanzar la agricultura como proceso de obtención de medios de subsistencia:

> ... han permanecido en estado de barbarie, mientras han practicado una de éstas [la metalurgia y la agricultura] sin otra.
>
> (Rousseau, 1992: 135.)

Indicios del tercer paso que refleja el último escalón hacia la civilización, su antesala.

Si bien en el *Discurso...* la progresión gradual no presenta aún estadios con un basamento monolítico en los procesos de subsistencia, los párrafos precedentes los insinúan, particularmente en sus extremos: con la caza se origina el movimiento, despegue del estado natural; con la agricultura culmina el primitivismo.[8]

Sin embargo, habrá que recurrir al *Ensayo...* para que estas insinuaciones se terminen de plasmar.[9]

> Los primeros hombres fueron cazadores o pastores y no labradores; los primeros bienes fueron rebaños y no campos.
>
> (Rousseau, 1980: 61.)

> La industria humana se extiende con las necesidades que la hacen nacer. De las tres maneras posibles de vivir del hombre, a saber: la caza, el cuidado de los rebaños y la agricultura.
>
> (Rousseau, 1980: 66.)

---

8. Si bien los tres pasos están insinuados en el *Discurso...*, considerarlos claves es forzar el texto, violentar la importancia que el autor da a los cambios. Sin embargo, es indudable la significación que ya le da a los puntos inicial (caza) y final (agro más metal). La más débil es nuestra pretensión de detectar la situación 2 en el *Discurso...* Sin embargo, luego de un período en que el pastoreo fue un estadio, perderá en las ciencias sociales esta cualidad, dada su no universalidad.

9. Y coinciden con la cita de Kames que antes hiciéramos (véase p. 46).

A la precedente división se refieren los tres estados del hombre considerado en relación con la sociedad. El salvaje es cazador, el bárbaro es pastor, el hombre civilizado es labrador.

(Rousseau, 1980: 67.)

Movimiento que va tener dos particularidades respecto del antecedente dual de los estados: es mucho más denso y gradual que las insinuaciones en Locke, y tal densidad y gradualidad se dan en el plano de los procesos de subsistencia. El uso insistente de largos progresos, sucesión, grado de elevación, desarrollo, gradualismo, desenvolvimiento, revolución por parte de Rousseau, ya dan inicios de una progresividad a la que la presencia de los estadios le ofrecen el contenido.

Mientras que con el estado natural se discute la hominidad en su naturaleza, con los estadios intermedios se advierte el marco procesual a la actualidad. En aquel se insertará la tradicional búsqueda del eslabón perdido, la duda sobre animalidad-hominidad, la instauración del límite humano, en fin, el mito de origen del tiempo moderno. Éste dará cuadro y orden a la gradualidad del cambio, a la aparición de las adquisiciones, a la progresividad, a las clasificaciones de retraso, de nuevo y de viejo, a la idea de devenir.

Es por ello que para aquél se apelará a los ejemplos más fuertes del límite: hotentotes, caribeños y niños salvajes, que se acercan a los extremos confusos de la clasificación de homínidos, al punto de que algunos desprevenidos pueden confundirlos con los animales. Y es por ello que, paulatinamente, la hominidad en los estadios no estará en discusión sino el grado de adquisición de las artes.

MODOS DE SUBSISTENCIA

En el apartado anterior afirmamos que "el primer sentimiento del hombre fue el de su existencia; su primer cuidado el de su conservación...", aseveración que parece la paráfrasis del cógito cartesiano "pienso, existo": "Comen, sobreviven".

Se podrá discutir la existencia o no de sociedad desde el comienzo, de lenguaje, de gobierno, de propiedad, de lo que sea, pero nadie renuncia a considerar que se debe comer, y, por tanto, debe haber un proceso de obtención de alimentos. El proceso de subsistencia es el más natural (el único que se equipara es el de apareamiento). Es posible tener infinidad de faltas pero nunca sin formas de obtener comida.

Despojando este ser así constituido de todos los dones sobrenaturales que haya podido recibir y de todas las facultades artificiales que no ha podido adquirir sino mediante largos progresos... tal cual ha debido salir de las manos de la naturaleza, veo en él un animal [...] *lo veo saciar su hambre* bajo una encina, su sed en el arroyo más cercano, durmiendo bajo el árbol mismo que le proporcionó su sustento, y de esta suerte satisfacer todas sus necesidades.

(Rousseau, 1992: 111.)

Así puede pintarse un hombre de necesidades meramente animales, con una naturaleza que lo abastece casi sin que medie actividad:

La tierra nutre a los hombres...

(Rousseau, 1980: 69.)

... La tierra [...] ofrece a cada paso alimento [a los] hombres, diseminados entre ellos...

(Rousseau, 1992: 111.)

Pero hay algo más. En este estado inicial, cuando indudablemente el hombre come, prácticamente su única actividad es comer. Una vez saciada su hambre concluyen sus necesidades y por tanto sus esfuerzos, y sobreviene su "indolencia natural..." (Rousseau, 1980: 68).

... Resulta inconcebible hasta qué punto es el hombre perezoso por naturaleza. Se diría que no vive más que para dormir, vegetar, permanecer inmóvil; a duras penas se resuelve a hacer los movimientos necesarios para no dejarse morir de hambre.

(Rousseau, 1980: 68.)

El hombre salvaje, cuando ha comido, hállase en paz con la naturaleza y es amigo de todos sus semejantes.

(Rousseau, 1992: 156.)

Solo, ocioso y siempre rodeado de peligros, al hombre salvaje debe haber gustado dormir y tener el sueño ligero, como los animales que, pensando poco, duermen, por decirlo así, todo el tiempo que no piensan.

(Rousseau, 1992: 115.)

Tal es el estado animal en general y tal es también, según los relatos de los viajeros, el de la mayor parte de los pueblos salvajes.

(Rousseau, 1992: 115.)

Entregado por la naturaleza el hombre salvaje al solo instinto [...] comenzará, pues, por las funciones puramente animales...

(Rousseau, 1992: 116.)

... el hombre salvaje, privado de toda luz, no siente otras pasiones que las de esta última especie, es decir: las naturales. Sus deseos se reducen a la satisfacción de sus necesidades físicas [...] hombre salvaje

[...] Su imaginación no le pinta nada; su corazón nada le pide. Sus escasas necesidades puede satisfacerlas tan fácilmente [...] ni previsión ni curiosidad [...] saber observar una vez lo que ha visto todos los días [...] sin ninguna idea del porvenir, por próximo que pueda estar, y sus proyectos, limitados como sus conocimientos, extiéndense apenas hasta el fin de la jornada...

(Rousseau, 1992: 117.)

Sea, pues, que se busque el origen de las artes, sea que se observe en las primeras costumbres, se ve que todo se refiere en su principio a los medios de subvenir a la subsistencia...

(Rousseau, 1980: 67.)

Excepto la sola necesidad física que la misma naturaleza impone, todas las demás son engendradas por la costumbre.

(Rousseau, 1992: 165.)

La necesidad de comer no sólo está desde un comienzo sino que el comer será la única actividad que estará siempre. Ésta será la base sobre la que harán pie las incorporaciones que se realizarán gradualmente. El proceso de obtención de la subsistencia, "modo de vida", actividad casi excluyente en el estado de animalidad primario, es el predilecto para sustentar los cambios, hasta alcanzar la situación actual, aun cuando el alejamiento del estado originario implica que esta necesidad no sea excluyente.

De la misma manera que la geología ofrece los niveles estratigráficos para establecer un ordenamiento cronológico de los restos, los modos de subsistencia se ofrecen como niveles que aseguran la pertenencia a un estadio determinado. Sobre esta determinación se moverán los problemas de interés específico; garantizando los niveles el orden de sucesión.

En el estado de naturaleza, la misma animalidad del proceso de obtención condiciona el resto de las artes, o más precisamente la ausencia de éstas. A partir de ahí comenzará el progresivo camino hacia un cambio de carácter y una paulatina incorporación de artes, bienes y males.

La industria humana se extiende con las necesidades que la hacen nacer. De las tres maneras posibles de vivir del hombre, a saber: *la caza, el cuidado de los rebaños y la agricultura*, la primera ejercita el cuerpo para la fuerza, para la agilidad, para la carrera; el alma para el valor, para la astucia, endurece al hombre y lo hace feroz. El país de los cazadores no es mucho tiempo el de la caza (el oficio de cazador no es favorable a la población. Esta observación, que se hizo cuando las islas de Santo Domingo y de la Tortuga estaban habitadas por bucaneros, se confirma por el estado de América septentrional. No se ve que los antepasados de ninguna nación numerosa hayan sido cazadores de estado; todos han sido agricultores o pastores. La caza debe, pues, ser considerada aquí menos como recurso de subsistencia que como un accesorio del estado pastoril.) Hay que perseguir lejos la presa, de ahí la equitación. Hay que alcanzar la misma presa que huye: de ahí las armas ligeras, la honda, la flecha, la jabalina. El arte pastoril, padre del reposo y las pasiones ociosas, es el que más se basta a sí mismo. Proporciona al hombre casi sin esfuerzo la vida y el vestido; le proporciona incluso su morada: las tiendas de los primeros pastores estaban hechas de pieles de bestias; el techo del arca y del tabernáculo de Moisés no eran de otra clase. En comparación con la agricultura, más lenta en nacer, atañe a todas las artes: *introduce la propiedad, el gobierno, las leyes y, gradualmente, la miseria y los crímenes, inseparables para nuestra especie de la ciencia, del bien y del mal.*

(Rousseau, 1980: 66-67.)

Si bien la subsistencia sirvió como sustrato de cada estadio, lo que de hecho debía explicarse era el resto: gobierno, moral, propiedad, ciencia. En esto se sigue la lógica que ya viéramos en el capítulo anterior: si bien lo actual era lo que debía explicarse, el estado de naturaleza sirvió como base; si bien las ideas debían explicarse, su punto de partida era el hombre en estado puro de naturaleza. Y, si reparamos en que la remisión es en estos casos a algo natural, advertiremos una nueva coincidencia con estos procedimientos dado que la subsistencia es la actividad humana más natural, la más animal (dejamos de lado el acoplamiento, porque Rousseau lo pone en un segundo plano). De tal manera que siempre el hecho explicable, sea lo moral, lo actual, las ideas o todos ellos, el instrumento sustentador partirá de lo natural.

Así se arriba al hombre actual antitético del natural en todos sus puntos, producto de una serie de adquisiciones (excepto una, que está desde el principio: la subsistencia), en pleno uso de la razón y en progresiva anulación del instinto.

... todos los progresos llevados a cabo por la especie humana la alejan sin cesar de su estado primitivo.

(Rousseau, 1992: 106.)

Un espectro primitivo, construido lógicamente desde la más evidente actualidad, es la cara limpia de la naturaleza, libre de todo lo incorporado: por deducción, lo dado.

... sin el estudio serio del hombre, de sus facultades naturales y de sus desarrollos sucesivos, no se llegará jamás a hacer estas distinciones, ni a descartar, en la actual constitución de las cosas, lo que es obra de la voluntad divina de lo que el arte humano ha pretendido hacer.

(Rousseau, 1992: 109.)

Esta elaboración deductiva en la que las incorporaciones serán un presupuesto de lo actual para poder acudir a lo natural, será luego una reconstrucción histórica, a través de los sucesivos estadios hacia el actual.

Siendo el camino del más natural de los procesos humanos y, quizá por eso, el más necesario. Naturalidad y necesidad serán las dos manos que guiarán la ruta, en esta vuelta a lo propio.

La subsistencia en el mundo natural se irá convirtiendo en "subsistencias". La necesidad de alcanzar lógica y progresivamente lo actual desde el origen obliga a esta apertura. La subsistencia en ese mundo originario se constituye por oposición y en proyecto respecto del mundo actual, pero en un tiempo primario, anterior, lógica y temporalmente, de manera tal —desde una perspectiva histórica— que los modos de vida primitivos dan cuenta de los posteriores.

Pero, ¿qué implica un modo de subsistencia? Como hemos visto en el capítulo anterior, el hombre ante la naturaleza es el modelo básico de la subsistencia e implica varias partes: necesidades, una acción para obtener la satisfacción, satisfactores y, finalmente, la satisfacción misma. Sin embargo, ahora el proceso de obtención no es uno sino varios.

	Estadio cazador	Estadio pastor	Estadio agricultor
Necesidades	hambre	hambre	hambre
Procesos	caza/pesca	pastoreo	agricultura
Satisfactores	animales	animales y productos animales	vegetales
Satisfacción	comer	comer	comer

Mientras las necesidades y la satisfacción se mantienen constantes a través de los tres estadios, son los procesos y el medio de satisfacción los que varían y, por tanto, definen la presencia del estadio respectivo.

Si bien el parámetro fuerte y constante será la necesidad-hambre, paulatinamente van apareciendo otras necesidades y otros procesos de satisfacción. Sin embargo, en toda la instancia primitiva se sostiene la determinación del proceso de satisfacción-hambre.[10]

Sobre la base de que la necesidad-hambre marca la naturalidad, con la variación en las artes para lograr su satisfacción se irán incorporando, paulatinamente, "nuevas" necesidades.

> La tierra nutre a los hombres, pero cuando las primeras necesidades los han dispersado, otras necesidades los reúnen y sólo entonces es cuando hablan y hacen hablar de ellos.
>
> (Rousseau, 1980: 69.)

10. Una diferencia interesante con Locke, más allá de la lenta progresividad que en este autor casi no aparece (por lo menos en la instancia de la subsistencia), es que Rousseau está planteando procesos de trabajos distintos: caza, pastoreo, agro, mientras Locke insinuaba formas distintas de intercambio: regalo, trueque y cambio (dinero). Véase, al efecto, el apéndice del capítulo anterior.

Necesidades adquiridas, no dadas por naturaleza, y que alejan al hombre de los bajos requerimientos instintivos. Estas adquisiciones, montadas sobre el proceso más natural serán progresivamente preponderantes.

Desde la desnudez del salvaje se agregan una serie de incorporaciones que lo alejan del instinto y lo acercan a la razón. Desde el hombre natural al actual y desde las actividades naturalmente necesarias hasta las que satisfacen las necesidades provocadas, la explicación se sustenta en una doble naturalidad. La secularización alcanza su clímax gracias a la comprensión del hombre civilizado por medio del salvaje, y a la determinación de los otros signos sociales por el más natural y universal: la subsistencia.

Basado en tales parámetros de subsistencia se ha constituido un panorama total de la especie desde sus orígenes hasta la actualidad, de tal manera que cada estadio presentará una serie de características particulares que pueden sintetizarse así:

	Hoy	Agro	Pastor	Caza / pesca	Estado natural
NECESIDAD					
Subsistencia	sí	sí	sí	sí	si
Importancia de otras no fisicas[11]	8	4	2	1	0
POBLACIÓN					
mucha o poca	mucha	mucha	más o menos	poca	poca
MOVILIDAD					
sedentarios o nómadas	sed.	sed.	sed./nóm.	nóm.	nóm.
CARÁCTER					
razon /instinto	r	r	i/r	i	i
activo /indolente	a	a	i/a	i	i
frío /sensitivo	f	f	s/f	s	s
previsor /atolondrado	p	p	a	a	
PROPIEDAD					
con/sin	tierra	tierra	rebaño	sin	sin
LENGUAJE					
complejidad	sí	sí		no	sin
SOCIEDAD					
complejidad	sí	sí		no	sin
división del trabajo	sí	sí	más o menos	no	no
GOBIERNO					
complejidad	sí	sí		no	sin

11. Le hemos dado progresión geométrica por la aseveración de Rousseau: "La educa-

Desde el hombre más animalizado, el natural, al hombre más socializado, el civilizado. Esta terciarización, intermedia entre un estado natural y el actual, da muestras de gradación.

La conformación en estadios y no en dos estados da lugar a un modelo en el que se pueden presentar los pasos de complejización desde el origen hasta la actualidad: de la propiedad, del lenguaje, del gobierno, de la sociedad, de las artes, del pensamiento. Tales pasos irán implicando una progresión comprensiva del estado vigente, según como este estado reconozca sus atributos o partes, situaciones lógicas y graduales que se tornan "pasos sucesivos hacia...". Es verdad que cada estadio —y las modificaciones implicadas— no está presentado como un continuo, sino como escalón, pero (a diferencia de los dos estados) ahora cada uno puede percibirse gradualmente.

LA PERVIVENCIA DE LA DUALIDAD

A pesar de la sucesividad, o más allá de ella, quedan dibujados dos opuestos que representan situaciones instintivas puras y de razón, también puras: primitivas y civilizadas, respectivamente, que son los extremos del modelo, inicio y final.

> Tenía con el solo instinto todo lo que le bastaba para vivir en el *estado natural*, como tiene con una razón cultivada lo suficiente para vivir *en sociedad*.
>
> (Rousseau, 1992: 122.)
>
> La imaginación que tantos estragos hace entre *nosotros*, no afecta en nada a los corazones *salvajes*; cada cual espera apaciblemente el impulso de la naturaleza, se entrega a él sin escoger, con más placer que furor, y, una vez la necesidad satisfecha, todo deseo se extingue.
>
> (Rousseau, 1992: 126.)
>
> Lo que la reflexión nos enseña, la observación nos la confirma perfectamente: el *hombre salvaje* y el *hombre civilizado* difieren tanto... El primero no aspira más que al reposo y la libertad; desea sólo vivir y permanecer ocioso, sin que la misma ataraxia del estoico pueda igualarse a su profunda indiferencia por todo. Por el contrario, *el ciudadano* siempre activo suda, se agita, se atormenta sin cesar en busca de ocupaciones más laboriosas siempre...
>
> (Rousseau, 1992: 148.)

---

ción no solamente establece la diferencia entre las inteligencias cultivadas y las que no lo están, sino que la aumenta entre las primeras en proporción de la cultura: pues si un gigante y un enano caminan en la misma dirección, cada paso que dé aquél será una nueva ventaja que adquirirá sobre éste" (Rousseau, 1992: 128.)

Nada mantiene tanto a *los salvajes* en el amor de su estado como esta deliciosa indolencia. Las pasiones, que vuelven al hombre inquieto, previsor, activo, no nacen más que *en la sociedad*. No hacer nada es la primera y más fuerte pasión del hombre, tras la de conservarse.

(Rousseau, 1980: 68.)

Ahora bien, en principio, el estado natural es sólo atribuible a los hotentotes y los caribes, incluso a los esquimales, mientras que el estado de razón se vincula fundamentalmente a "nosotros". Asimismo, el calificativo utilizado por Rousseau para los sujetos de aquel estado es el de "salvaje" (véase la primera parte del *Discurso...*) mientras que la contrapartida será la civilización, la vida en sociedad, el ciudadano. Sin embargo, el calificativo de "salvaje" tiende a confundirse después, en la segunda parte, cuando Rousseau comienza a relatar los pasos sucesivos hacia la civilización. Mientras el término "salvaje" parecía aplicarse al estado natural exclusivamente, ahora resulta mucho más extenso y alcanza a casi todos los pueblos de América, aun cuando no estuviesen cerca del estado natural:

He aquí precisamente el grado a que se habían elevado la mayor parte de los pueblos salvajes que nos son conocidos, y que [...] cuán distantes estaban ya del estado natural...

(Rousseau, 1992: 133.)

Aquí hace referencia a un estado intermedio entre "la estupidez de los brutos" y "los conocimientos del hombre civilizado" (Rousseau, 1992: 134).

El ejemplo de los *salvajes* que se han encontrado casi todos en este estado...

(Rousseau, 1992: 134.)

Si tenemos en cuenta que cuando citamos la oposición binaria entre civilizado y natural gran parte de las asignaciones al concepto de no civilizado se consideraban salvajes, comprenderemos el hecho de por qué, siempre que se contraste a un civilizado contemporáneo con cualquier estadio primitivo, el referente ordinal será el de "más naturales", o la denominación más clásica de la época; salvajes.

Sin embargo, el cazador retendrá el prototipo *naturaleza* por su cercanía a tal estado y, en consecuencia, si se busca el "natural" cardinal, se hallará en el cazador, sin lugar a dudas (con la única excepción del contraste con el estado natural de recolección).

Tan desconocidas eran ambas artes [agricultura y metalurgia] a los salvaje de América que a causa de ello continúan siéndolo todavía; los otros pueblos parece también que han permanecido en estado de barbarie, mientras han practicado una de éstas sin otra

(Rousseau, 1992: 134-135.)

Al estadio agrícola le queda algo de asimilación a la barbarie y, por su cercanía a lo actual, cierto tinte de civilización.[12] Sin embargo, basta que se presente lo civilizado más típico, el actual, para que esta barbarie del *Discurso...* sea su contraste:

> Así el hombre bárbaro no doblega jamás la cerviz al yugo que el civilizado soporta sin murmurar.
>
> (Rousseau, 1992: 141.)

De esta manera notamos que, cuando los estadios se abren en su heterogeneidad, el cazador será la no civilización y la agricultura puede representar lo civilizado, pero cuando se enfrenta el mundo primitivo con el actual, cualquiera de sus estadios será no civilizado. Al punto de que tal oposición se extiende hasta las mismas calles de la ciudad, aun cuando se pretenda ejemplificar aspectos del estado más natural:

> El hombre salvaje no posee este admirable talento, y falto de sabiduría y de razón, se lo ve siempre entregarse atolondradamente al primer sentimiento de humanidad. En los tumultos, en las querellas en las calles, el populacho se aglomera, el hombre prudente se aleja.
>
> (Rousseau, 1992: 125.)

La dualidad de los estados sobrevive en la terciarización de los estadios. Podemos pensar en la agricultura como cercana a la civilización (e incluso como la civilización misma) pero, enfrentados al mundo civilizado, el primitivismo en su conjunto es su antítesis.

Naturaleza	Cultura
Estado natural	Estado actual
cazador	Estado actual
agricultor	Estado actual
Estado natural	agricultor
cazador	agricultor
Estado natural	cazador

Una lógica en que el opuesto marca la atribución.

COHERENCIA DEL MODELO

La elaboración de un estado límite, lindante con la naturaleza animal,

---

12. Es en el *Ensayo...* donde Rousseu produce una traslación de la civilización al labrador: "El hombre civilizado es labrador", pero es allí donde también queda definitivamente asignado el concepto de salvaje al cazador: "El salvaje es cazador".

opuesto al propio mundo, no es más que un recurso que permite plantear dos extremos, el físico y el de la razón, y, a partir de aquél (sucesiva e incluso progresivamente) alcanzar a éste. La naturaleza sobrevivirá en dos significantes: la ausencia de artes y la presencia de la subsistencia; mientras que civilización no será otra cosa que la denominación del gobierno de las artes por encima de la subsistencia. Lo físico y lo moral serán dos extremos, sólo que en uno es lo físico sin lo moral, y en el otro lo moral sobre lo físico.

La incorporación de situaciones intermedias, donde la aparición de nuevas artes de subsistencia corona los escalones, permite graduar el pasaje de la oposición ausencia-presencia inicial, da sentido a la sucesión y, fundamentalmente, da realidad.

Se constituye así un mundo primitivo diferenciado desde lo más animal hasta lo más cercano a la humanidad civilizada. Mundo extenso, paulatino, que, como aquel dual de Locke, precede al estado de guerra, verdadera antesala de la convención civil. El estado primitivo, estado de guerra y sociedad civil, se sostiene a través de una extensión descriptiva del estado primitivo en sucesivas presentaciones: natural, caza, pastoreo y agricultura.

En síntesis, y con relación al cuadro siguiente

1. Rousseau intenta explicar el origen de las desigualdades contemporáneas.
   Atributos: 1111.
2. Se remite a un estado natural, originario, en el que las desigualdades son sólo físicas (cercanas al animal) y que se caracteriza por la ausencia de los atributos.
   No atributos: 0000.
3. En su segunda parte comienza a remontar ese estado originario con sucesivas incorporaciones hasta alcanzar el estado actual.
   Atributos crecientes a través de los estadios: 1000,1100,1110.

Recolección Natural	0000	Necesidad física (animalidad)
Agro	1110	
Pastor	1100	Proceso adquisitivo
Caza	1000	
Actual	1111	Necesidad física + cultural (civilización)

Que podemos graficar de la siguiente manera:

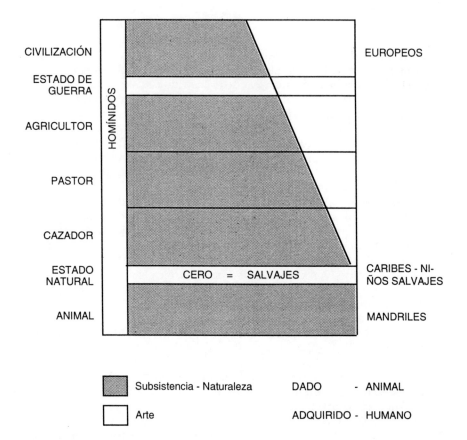

APÉNDICE

A continuación transcribimos las citas de varios autores del siglo XVIII que suscribieron la teoría de los tres estadios primitivos. Fueron recopiladas por Meek (1981). Hemos reordenado las citas en función de cuatro parámetros: definición en tres estadios, cómo es cada uno de ellos, a qué se debe el paso de uno a otro y el uso de ejemplos.

Tres estadios

TURGOT (1750-1751)

Por consiguiente, las diferentes lenguas surgieron según los pueblos fueran cazadores, pastores o agricultores (p. 69).

Los cambios sucesivos en el modo de vida de los hombres y el orden en que se han sucedido pueblos que son pastores, cazadores, agricultores (p. 72).

KAMES (1758)

Las ocupaciones originales del hombre fueron la caza y la pesca, con vistas al sustento. A continuación vino la vida pastoril; y el siguiente estadio fue el de la agricultura (p. 103).

ROUSSEAU (1760)

Los tres estados del hombre considerado en relación con la sociedad están referidos a la división precedente. El salvaje es cazador, el bárbaro es pastor, el hombre civilizado (*l'homme civil*) es labrador (p. 89).

Cómo son

CAZADORES

ROUSSEAU (1760)

Ya se busque el origen de las artes o se observen las primeras costumbres, es evidente que todo se relaciona en su principio (*tout se raporte dans son principe*) con los medios de subvenir a las necesidades (p. 85).

Estos tiempos de barbarie eran el siglo de oro no porque los hombres estuviesen unidos, sino porque estaban separados. Se dice que cada uno se creía el amo de todo, lo cual puede ser cierto, pero sólo conocían o deseaban aquello que estaba a su alcance. Sus necesidades, lejos de acercarlo a sus semejantes, lo apartaban. En cada encuentro, los hombres se atacaban, pero se encontraban raramente. Por todas partes reinaba el estado de guerra, y toda la tierra estaba en paz (p. 86).

De las tres maneras de vivir posibles para el hombre, es decir, la caza, el cuidado del ganado y la agricultura, la primera ejercita al cuerpo para la fuerza, para la destreza, la competición; el alma para el coraje, para la astucia; endurece al hombre y lo vuelve feroz. El país de los cazadores no es durante mucho tiempo el de la caza. Es preciso seguir muy lejos a la presa; así surge la equitación (p. 88).

TURGOT (1750-1751)

El cazador tendría pocas palabras, muy gráficas, inconexas, y el progreso sería lento (p. 69).

GOUGUET (1758)

En las sociedades recién desarrolladas el sustento será el objetivo primero y más importante de los pueblos; pero los medios de asegurarlo serán más o menos perfeccionados, según el clima y el genio de los distintos pueblos. En algunos países habrán comenzado por perfeccionar el arte de la caza y de la pesca. En la mayoría de los pueblos de la antigüedad, la caza era sobre todo la ocupación principal de los primeros hombres. Se dedicaban a ella tanto por la obligación de asegurar su sustento como por la necesidad de defender sus vidas de los ataques de las bestias feroces. En los primeros siglos, y durante mucho tiempo después, la mayoría de los pueblos obtuvieron su sustento solamente de los rebaños y manadas. Conocemos varias naciones poderosas y muy extensas que todavía llevan la misma forma de vida. Sus rebaños y manadas satisfacen todas sus necesidades. Mientras los pueblos no conocieron otros medios de subsistencia que la caza, la pesca y el cuidado de los rebaños y manadas, no progresaron en las artes. Este modo de vida los obligaba a cambiar continuamente de domicilio, y además no los impelía a utilizar todos los recursos de que es capaz la industria humana. Las naciones que no practican la agricultura sólo tienen un conocimiento mediocre de las artes y las ciencias. Pero el cultivo de la tierra ha obligado a los pueblos que se dedicaban a él a establecerse en una zona e inventar gran cantidad de artes necesarias para llevarlo a cabo (pp. 94-95).

DAREYMPLE (1757)

El primer estado de la sociedad es el de los cazadores y pescadores; entre estos pueblos la idea de propiedad estará limitada a unos pocos, muy pocos, bienes muebles, y los bienes inmuebles serán comunes. En los relatos sobre muchas tribus americanas leemos que recorren de ochocientos a mil kilómetros desde su lugar de residencia habitual, recogiendo frutos, acabando con la caza y pescando los peces de todos los campos y ríos vecinos a las tribus por las que pasan, sin tener ni idea de que sean propiedad de los miembros de esas tribus ni de que infrinjan los derechos de los otros cuando actúan así (pp. 100-101).

KAMES (1758)

La vida de un cazador o un pescador es contraria a toda sociedad excepto con los miembros de la familia.

Allí, en el primer estado del hombre, es decir, el de la caza y la pesca, no hay evidentemente lugar para el gobierno, excepto el que los cabezas de familia ejercen sobre los niños y domésticos.

En los dos primeros estadios de la vida social, cuando los hombres eran cazadores o pastores, difícilmente podía haber idea alguna de propiedad de la tierra. Al ser los hombres ajenos a la agricultura y también al arte de la construcción, a no ser de cabañas que podían ser levantadas o demolidas en un momento, no tenían viviendas fijas, sino que deambulaban en hordas o clanes con el objeto de encontrar pastos para su ganado. Con esta vida errante los hombres apenas tenían más conexión con la tierra que con el aire o el agua. Se podía considerar que un campo de hierba pertenecía a la horda o clan mientras lo ocuparan [...] pero en el momento en que se iban a otra parte ya no existía ninguna conexión entre ellos y el terreno que abandonaban. Quedaba disponible para los próximos ocupantes, que tenían los mismos derechos, como si antes no hubiera estado ocupado (pp. 104-105.)

PASTORES

ROUSSEAU (1760)

El arte pastoril, padre del reposo y de las pasiones ociosas, es el que más se basta a sí mismo. Proporciona al hombre, sin mayores esfuerzos, la subsistencia y el abrigo, así como también su morada (p. 88).

TURGOT (1750-1751)

El pastor, debido a su vida pacífica, construiría un lenguaje más suave y refinado (p. 69).

DAREYMPLE (1757)

El siguiente estado de la sociedad comienza cuando los inconvenientes y los peligros de esa vida llevan al hombre al descubrimiento del pastoreo. Durante este período, en cuanto un rebaño ha pastado en un trozo de tierra sus propietarios lo trasladan a otro y el lugar que han dejado pasa al siguiente que quiera tomar posesión más allá de lo que dure el acto de posesión. Las palabras de Abraham a Lot son: "¿No tienes ante ti toda la región? Sepárate, pues, de mí, te lo ruego; sí, tú a la izquierda, yo a la derecha; si tú a la derecha, yo a la izquierda". Y se nos dice que la razón de esta separación fue la cantidad de rebaños y manadas y tiendas que tenía cada uno de ellos y que la tierra era incapaz de soportar; lord Stairs, observa sabiamente que en las Escrituras se habla de las partes de la tierra que utilizaron los patriarcas como de sus posesiones (pp. 100-101).

KAMES (1758)

La vida del pastor favorece sociedades mayores, si es que se les puede llamar sociedades, que apenas sí tienen una conexión local.

[...] La vida pastoril en la que se forman las sociedades mediante la unión de familias para defenderse mutuamente requiere cierto tipo de gobierno insignificante, en realidad con relación a la insignificancia del vínculo mutuo.

De aquí concluyo que mientras los hombres llevaron una vida de pastores no hubo ninguna relación entre ellos y la tierra, al menos lo bastante clara como para que recibiera el nombre de "propiedad" (pp. 104-105).

Agricultores

ROUSSEAU (1760)

La agricultura, más lenta en nacer, está relacionada con todas las artes; introduce la propiedad, el gobierno, las leyes y progresivamente la miseria y los crímenes (p. 88).

TURGOT (1750-1751)

El [lenguaje] del agricultor sería más frío y coherente (p. 69).

DAREYMPLE (1757)

Surge un tercer estado de sociedad cuando los hombres se hacen tan numerosos que la carne y la leche de su ganado son insuficientes para su sustento y cuando sus relaciones más intensas los llevan a idear nuevas formas de vida y, concretamente, el arte de la agricultura. Este arte, que lleva a los hombres a dedicar más consideración y trabajo a la tierra, aumenta su relación con una parte de ella; esta relación produce, a la larga, un afecto, y éste, a la larga, junto con otros, produce la idea de propiedad (pp. 100-101).

KAMES (1758)

Pero el auténtico espíritu social, que consiste en el mutuo beneficio y en hacer que la industria de los individuos sea provechosa para ellos mismos y para los demás, no se conoció hasta la invención de la agricultura. La agricultura requiere la ayuda de otras muchas artes. El carpintero, el herrero, el albañil y otros artesanos contribuyen a ella. Esta circunstancia une a los individuos en una íntima sociedad de mutuo apoyo, que a su vez los condensa en un reducido espacio.

[...] Fue la agricultura, sin embargo, la que creó en primer término un sistema regular de gobierno. La unión íntima entre multitud de indivuos, originada por la agricultura, descubrió cantidad de deberes sociales que anteriormente eran desconocidos. Éstos tenían que ser establecidos por leyes cuyo cumplimiento debía ser impuesto mediante el castigo. Esas operaciones no podían ser realizadas más que dejando el poder en manos de una o más personas que controlaran las resoluciones y aplicaran la fuerza a toda la sociedad. Resumiendo, se puede afirmar como máxima universal que en toda sociedad los avances del gobierno hacia la perfección son estrictamente proporcionales a los avances que realiza la sociedad hacia la intimidad de su unión.

[...] La agricultura, que constituye el tercer estadio de la vida social originó la relación de la propiedad de la tierra. Un hombre que ha dedicado su trabajo a preparar un campo para la siembra, y que lo ha mejorado gracias a un hábil cultivo, crea dentro de sí un vínculo muy íntimo con él. Poco a poco siente un singular afecto por un lugar que, en cierto modo, es obra de sus propias manos. Decide vivir allí y depositar allí sus huesos. Es un objeto que llena su mente y nunca se aleja de su pensamiento, ya esté en su hogar o fuera de él. Tras una expedición estival, o quizá tras años de guerra en el extranjero, vuelve con ansiedad a su casa y a su tierra para pasar allí el resto de sus días con tranquilidad y desahogo. Al constituirse poco a poco la relación de propiedad debido a estos procesos, se disocia de la posesión, y a esta disociación contribuye principalmente la vivida percepción de la propiedad de un objeto tan importante (pp. 104-105).

Cuadro resumen

	Agrícola	**Pastoreo**	**Caza/pesca**
Necesidad	subsistencia encima de lo necesario más artes		subsistencia poca necesidad
Población	numerosos	más numerosos	pocos
Movilidad	sedentarios	nómadas en general	nómada
Carácter		pacífico poco esfuerzo	fuerza/coraje
Propiedad	propiedad tierra división propiedad división trabajo	propiedad rebaño sin propiedad de la tierra	poca propiedad
Lenguaje	más frío más coherente	lenguaje más refinado	pocas palabras
Sociedad	Mayor vínculo	sociedades mayores	poca sociedad, separados
Gobierno	gobierno leyes	poco gobierno	poco gobierno

Este cuadro esquematiza las cualidades más significativas de las citas precedentes.

Por qué se pasa de un estadio a otro

ROUSSEAU (1760)

La industria humana crece simultáneamente con las necesidades que la originan (p. 88).

HELVETIUS (1758)

Después de haber acabado en parte con los animales, cuando los pueblos ya no puedan vivir de la caza, la escasez de comida les enseñará el arte de criar rebaños. Estos rebaños satisfarán sus necesidades, y los pueblos de cazadores pasarán a ser pueblos de pastores. Unos siglos después, cuando estos últimos hayan crecido enormemente, y una determinada superficie de tierra no pueda procurar sustento al mayor número de habitantes sin hacerla fértil mediante el trabajo humano, desaparecerán los pueblos de pastores y surgirán los pueblos de agricultores. Las necesidades del hambre, al revelarles el arte de la agricultura, les enseñarán poco después el arte de medir y dividir la tierra. Cuando se haya realizado esta división, habrá que asegurar la propiedad de cada hombre: es entonces cuando surgen multitud de ciencias y leyes. Dado que las distintas parcelas de tierra producen variados frutos debido a las diferencias de naturaleza y cultivo, los hombres harán intercambios entre sí; apreciarán las ventajas que supondría ponerse de acuerdo en un medio de cambio general (un échange général) que pueda sustituir todas las mercancías; y elegirán a tal fin ciertas conchas o ciertos metales. Cuando las sociedades hayan alcanzado este grado de perfección se hará añicos toda igualdad entre los hombres (p. 93).

GOUGUET (1758)

Pero los pueblos industriosos no tardaron en observar que entre este enorme número de animales dispersos por la superficie de la tierra había especies que se reunían y vivían en comunidad por propia iniciativa. También se constató que estas especies eran por naturaleza menos violentas que las otras. Buscaron los medios de domarlas, encerrarlas en cercados y hacer que se multiplicaran de modo que siempre pudieran tener cierta cantidad a su disposición.

Por último, los hombres se aplicaron a examinar los diferentes productos de la naturaleza y a encontrar la manera de aprovecharlos.

La tierra ofrece gran cantidad de plantas y frutos que, incluso sin cultivarlos, proporcionan al hombre comida sustanciosa y grata. Comenzaron escogiendo las mejores especies y, sobre todo, las que duraban mucho tiempo después de haber sido cogidas: pensaban hacer provisión de ellas. Luego aprendieron el arte de hacerlas crecer e incluso de aumentar su calidad y cantidad mediante el cultivo. Gracias a este descubrimiento poseemos hoy esa prodigiosa cantidad de artes y ciencias (pp. 94-95).

DAREYMPLE (1757)

El siguiente estado de la sociedad comienza cuando los inconvenientes y los peligros de esa vida llevan al hombre al descubrimiento del pastoreo (p. 100).

Surge un tercer estado de sociedad cuando los hombres se hacen tan numerosos que la carne y la leche de su ganado son insuficientes para su sustento y cuando sus relaciones más intensas le llevan a idear nuevas formas de vida y, concretamente, el arte de la agricultura (p. 101).

KAMES (1758)

Se pueden rastrear estos cambios progresivos, en el orden ahora mencionado, en todas las naciones, siempre que tengamos vestigios de su historia original (p. 103).

Comentario

¿Cómo se produce el pasaje de un estadio al otro? ¿Cuáles son las razones? El paso de un estadio a otro tiene una cierta lógica sustentada en este orden:

1. incremento de la población;
2. por consiguiente, incremento de las necesidades;
3. conminación a lograr más recursos; y
4. descubrimiento de nuevo modo de vida.

Las variaciones poblacionales juegan y jugarán un papel protagónico como motores del cambio en función de la variación en el quántum de necesidades.

Se hará viva la idea de que, a medida que el cuerpo social crece, las necesidades también lo harán y, por ello, las necesidades de recursos presionarán sobre los modos de subsistencia provocando los pasajes de los que menos frutos generan a los que más.

Los ejemplos

ROUSSEAU (1760)

Los pueblos que no se asientan no saben cultivar la tierra, como ocurrió con los nómadas [...] y todavía en la actualidad con [...] los salvajes de América (p. 87).

TURGOT (1750-1751)

El modo de vida de los pueblos cazadores se mantiene en las partes de América en que no hay estas especies (p. 74).

GOUGUET (1758)

Todavía hay hoy en día gran cantidad de naciones en los dos continentes que se ocupan sólo de la caza y de la pesca (pp. 94-95).

... los informes sobre América me han sido de gran utilidad a este respecto. Podemos hacernos una idea de las condiciones que reinaban en el viejo mundo poco después del Diluvio por las que todavía existían en gran parte del Nuevo Mundo en el momento de su descubrimiento. Al comparar lo que nos dicen de América los primeros viajeros con la información que nos ha transmitido la antigüedad sobre el modo de vida de todos los pueblos de nuestro continente en las épocas consideradas como las primeras del mundo, percibimos una correspondencia muy notable y una relación muy pronunciada (p. 96).

CAPÍTULO III

CLASIFICACIÓN Y VISIÓN EN LOS LÍMITES
(Rousseau)

LOS NUEVOS HÉRCULES, AGUDOS OBSERVADORES

La división bipartita que hemos discutido en los capítulos anteriores ha señalado de tal manera a Occidente que una especialidad de la investigación será creada e instaurada para que dé cuenta de esa parte lejana, extraña a nuestras miradas y costumbres, incomprensible para nuestras mentes, para nuestra razón, y que tiene la particularidad de mostrarnos los aspectos más cercanos a la naturaleza, que son nuestra propia naturaleza.

Después de haber definido hipotéticamente el estado natural en que el hombre salvaje supuestamente se entrega sólo al instinto, comenzando *"por las funciones puramente animales"* (Rousseau,1992: 116), Rousseau hace una llamada a la observación, en una vuelta más hacia lo real. Su etnográfica nota "j" del *Discurso...* (extenso comentario acerca de la necesidad de una observación precisa de los salvajes) se basa en una inquietud clasificadora, advirtiéndonos sobre los casos extremos en que nuestros salvajes se asimilan a las bestias, al punto de que las semejanzas hacen dudar de las observaciones y sus conclusiones.

> Todas estas observaciones [...] hácenme dudar si ciertos animales parecidos al hombre, tomados por los viajeros por bestias, sin detenido examen, o a causa de algunas diferencias notables en la conformación exterior, o únicamente porque estos animales no hablaran, no serían en realidad verdaderos hombres salvajes cuya raza dispersada antiguamente en los bosques no había tenido ocasión de desarrollar ninguna de sus facultades virtuales ni adquirir ningún grado de perfección, encontrándose todavía en un estado primitivo.
> (Rousseau,1992: 161 y 162.)

> Háblase además de estas especies de animales antropomorfos en el tomo tercero de la misma *Historia de viajes*, bajo el nombre de beggos y de mandrills; pero ateniéndonos a las relaciones precedentes,

encuéntrase en la descripción de estos pretendidos monstruos semejanzas asombrosas con la especie humana y diferencias más pequeñas que las que podrían señalarse de hombre a hombre. No se ven en estos pasajes las razones en las cuales sus autores se fundan para negar a los animales en cuestión el nombre de hombres salvajes...

(Rousseau, 1992: 162.)

Ese límite clasificatorio con el animal, que a su vez tiene un orden diacrónico, situado en los comienzos, parecería ser algo bien establecido en el plano de la discusión lógica pero mal observado por la ignorancia de los viajeros:

Después de trescientos o cuatrocientos años que los habitantes de Europa inundan las otras partes del mundo, publicando sin cesar nuevos relatos de viajes o colección de narraciones, estoy persuadido de que *no conocemos otros hombres que los europeos.* Diríase que, debido a *los ridículos prejuicios* no extinguidos aún ni entre los mismos sabios, cada cual no hace más, bajo el pomposo título de estudio del hombre, que el estudio de los hombres de su país.

(Rousseau,1992: 163-164.)

Observación deficiente y prejuiciosa que es una mera proyección en donde el observador recrea simplemente lo conocido, o un primitivo a su medida:

Los individuos pueden ir y venir, *pero parece que la filosofía no viaja*; así, la de cada pueblo es poco propia para ser seguida por otro. La causa de esto es manifiesta, al menos en los países lejanos.

(Rousseau,1992: 164.)

No se abre un libro de viajes en el cual no se encuentren descripciones de caracteres y costumbres, sin que quede uno admirado al ver que estas gentes que describen tantas *cosas no digan más de lo que cada uno sabía ya,* y de que *no han sabido percibir,* al otro extremo del mundo, de lo que, sólo con haber observado con alguna atención, habrían adquirido sin salir de su propia calle.

Y es que los verdaderos rasgos que distinguen a las naciones y que hieren la vista de los que han nacido para ver, *se han siempre escapado a sus miradas*

(Rousseau, 1992: 164.)

Ésta es una proyección resultado de intereses no cognitivos sino militares, comerciales o religiosos; en todo caso, de cierta falta de talento.

No hay, puede decirse, más que cuatro clases de hombres que realicen viajes de larga duración: los marinos, los comerciantes, los soldados y los misioneros. *No debe esperarse que de las tres primeras clases salgan buenos observadores*, y, en cuanto a la cuarta, llevados de la sublime vocación que los aguijonea, aun cuando no estuviesen sujetos a los prejuicios inherentes a su condición, como todos los demás hombres, debe suponerse que no se entregarían tampoco de buena gana a investigaciones que aparecen a primera vista de mera curiosidad y que los distraería de los trabajos más importantes a que se dedican. Por otra parte, para predicar con utilidad el Evangelio, no es preciso más que celo, Dios proporciona lo demás; en tanto que para estudiar a los hombres, es necesario poseer talentos que Dios se empeña en no conceder a nadie, a veces ni aun a los mismos santos.

(Rousseau, 1992: 164.)

Y no es que hayan faltado curiosos, incluso exitosos. Gracias a excelentes recolectores, el hombre se ha ido haciendo una idea clara de la naturaleza, ese medio, esa fuente de útiles frutos, ese hábitat del humano; sin embargo, esa idea se vuelve turbia y la humanidad se vuelve deudora cuando hablamos del conocimiento de los naturales, los nativos.

Se admira la magnificencia de algunos curiosos que han hecho o mandado hacer, mediante grandes gastos, viajes a Oriente en compañía de sabios y pintores para dibujar escombros y descifrar o copiar inscripciones; pero cuéstame trabajo concebir cómo, en un siglo que se jacta de poseer hermosos conocimientos, no se encuentren dos hombres bien unidos, ricos, uno en dinero y otro en genio, los dos amantes de la gloria y de la inmortalidad, que sacrifiquen veinte mil escudos de su fortuna, el primero, y diez años de su vida el segundo, en un célebre viaje alrededor del mundo para estudiar, no sólo las piedras y las plantas, sino por una vez a los hombres y las costumbres, y quienes, después de tantos siglos empleados en medir y en considerar la casa, se decidieran al fin a querer conocer a los habitantes.

(Rousseau, 1992: 164.)

Exceptuando estas relaciones, no conocemos los pueblos de las Indias Orientales, frecuentados únicamente por europeos más ávidos de llenar sus bolsas que sus cabezas. El África entera y sus numerosos habitantes, tan singulares por sus caracteres como por su color, están todavía por examinar.

(Rousseau, 1992: 165.)

Si enviáramos a observadores más agudos, la solución estaría al alcance de la mano:

Supongamos un Montesquieu, un Buffon, un Diderot, un Duclos, un D'Alembert, un Condillac, u hombres de este temple, viajando para instruir a sus compatriotas, *observando y descubriendo, como ellos saben hacerlo*, la Turquía, el Egipto, la Berbería, el imperio de Marruecos, la Guinea, el país de los cafres, el interior del África y sus costas orientales, las malabares, el Mogol, las riberas del Ganges, los reinos de Siam, de Birmania y de Ava, la China, la Tartaria, y sobre todo, el Japón; después, en el otro hemisferio, México, Perú, Chile, las tierras magallánicas, sin olvidar los patagones, verdaderos o falsos, el Tucumán, el Paraguay, si fuese posible, el Brasil, en fin, los caribes, la Florida y todas las comarcas salvajes... (Rousseau, 1992: 165.)

Y podríamos, como es lógico, conociendo a los otros, partícipes de la hominidad, conocernos mejor a nosotros mismos:

Supongamos a estos nuevos Hércules, de regreso de sus memorables jornadas escribiendo holgadamente la historia natural, moral y política de lo que hubieran visto: contemplaríamos surgir un nuevo mundo de sus plumas, *aprendiendo así a conocer el nuestro.*

(Rousseau, 1992: 165.)

Reconocer a nuestros semejantes más distantes es reconocer nuestra naturaleza; ordenar la especie en sus límites es conocernos en los límites; es por ello necesario conocer a quien clasifique de manera idónea:

... *tal animal es un hombre y tal otro una bestia,* habría que creerles; pero sería una gran tontería fiarse igualmente de lo que dijesen viajeros ignorantes, sobre quienes se siente uno a veces tentado de proponer la misma cuestión que ellos pretenden resolver al tratarse de otros animales.

(Rousseau, 1992: 165.)

Convoquemos, en consecuencia, a un nuevo Linneo, que se remita a clasificar al hombre o, en otros términos, que sin perder de vista la clasificación de las especies, clasifique "la especie". Distinción interespecie para la cual el hombre, en un estado tan cercano a la animalidad en la que es más fácil confundirlo que distinguirlo de ésta, sería lo ideal. Estado que persiste aún en los confines descubiertos y, en consecuencia, puede ser observado. Distinción intraespecie, para la cual el conocimiento de toda la humanidad, su universo, sería lo ideal. Conocimiento posible por medio de un periplo talentoso alrededor del planeta. Desde el límite de lo humano hasta los estadios primitivos, no sólo son necesarios fenómenos de observación sino que éstos son reales. América y sus símiles sobreviven para ello. De esta manera, innumerables pueblos serán una pintura de nuestros tiempos primarios, cercanos a nuestros instintos, a nuestra animalidad. Todo está ahí, listo para observarse, gracias al producto del descubrimiento del Nuevo Mundo: el hallazgo de los perdidos en la naturaleza.

Sin embargo, ni cualquier observador está capacitado, ni nuestra pintura permanecerá *in aeternum* para su observación. Hombres reflexivos, y pronto, se requieren. Una mirada avispada, aguda y profunda, capaz de ver la naturaleza en estos restos que Dios ofrece a nuestros ojos, será necesaria. Despojarlos de esa suave mugre civilizadora que los ha contaminado será la tarea primera, y una descripción minuciosa, la labor central. Que viajen grandes y experimentados pensadores, que los poseedores del dinero inviertan en esta empresa, y que se logre recolectar de estos habitantes de la naturaleza el secreto de nuestros orígenes, de nuestros fundamentos. Superemos a esos ignorantes viajeros que han hechos lamentables descripciones en las que sus ojos vendados sólo han repetido lo que la chusma dice por nuestras tierras; nada nuevo, mera proyección. Incapaces de distinguir un hotentote de un orangután, nunca podremos estar seguros de sus dichos. Enviemos a quien nos sepa decir "éste es un hombre", "éste un animal", y podamos confiar en sus conclusiones sin dudar. Convoquemos a estos personajes, estos investigadores, antes de que sea tarde; el mundo primitivo no espera. De esta manera, el estudio de los estadios primitivos ya demanda especialistas: aparece el etnógrafo. Él será el recolector paciente de datos de ese mundo que corre el riesgo de desaparecer o transformarse, sea por extinción física o por aculturación. En ambos casos se corre el riesgo de perder la oportunidad de estudiar ese estado natural. Tempranamente nos advertía Diderot a propósito de los americanos: "... la imagen de la naturaleza bruta y salvaje está ya desfigurada [...] hay que apresurarse a reunir los rasgos semiborrados".[1] La urgente, paciente e idónea convocatoria etnográfica queda así establecida y nuevos Hércules, cuya mayor virtud será la buena observación, responderán al llamado. ¿No es ésta la convocatoria rousseauneana?

ETNÓGRAFOS Y ETNÓLOGOS

Rousseau, cansado de hurgar en relatos de viajeros de dudosa credibilidad, y decididamente insatisfecho de la pura deducción lógica de un estado de naturaleza imaginario, convoca a eminentes pensadores a viajar hacia lejanos lugares para que su relato nos proporcione datos fieles sobre lo visto. Formación y viaje establecerán la dupla de una disciplina que se internará en el oráculo de los orígenes y se erigirá en su legisladora. La sapiencia y la visita serán dos componentes de su credibilidad. Lo lógico (que merecía un análisis meramente proposicional de sustentación) vuélvese definitivamente espacio-temporal, y requiere pruebas de observación.

Nunca escasearon los ejemplos. Hemos visto que permanentemente el rol de América y sus semejantes fue creciendo, y lo simplemente lógico obtenía títulos de realidad. Mas, ¿por qué esta compulsión a recabar datos sistemáticamente si sólo nos encontrábamos en el plano de una deducción lógica?

Nunca faltaron viajes. Las crónicas, particularmente a partir del siglo XVI, son innumerables. Sin embargo se propone adicionar a aquellas visitas talento, sabiduría, en fin, capacidad comprobada de distinción. Pero ¿la precisión en la observación es la única condición para alcanzar este conocimiento veraz?

---

1. Citado por Duchet (1975: 87).

Ambos interrogantes, sin pretender respuesta, serán pretexto para plantear algunas discusiones claves de la antropología en los próximos apartados. Comencemos por el primero de ellos.

LA NECESIDAD DE DAR CUENTA DE LOS PRIMITIVOS

De hipotético a real

La explicación es un acto de persuasión y, por tanto, su objetivo se cumple al persuadir, al superar aspectos que pretendan contradecirla. Una consideración decisiva, que oportunamente eliminó objeciones para seguir adelante en la argumentación, fue el presupuesto hipotético del razonamiento, particularmente en lo relacionado con el estado natural. Nadie pudo en ese momento apelar a esta objeción: pero ¿alguna vez algún hombre vivió en ese estado? Nuestro autor y sus pares de época nos respondían sin dudar: "¡Es hipotético!".

Sin embargo, y como ya hemos visto, ante una propuesta meramente lógica inmediatamente se comenzaba a ejemplificar con pueblos vivientes, en general, transatlánticos, sean hotentotes o caribes. Un rápido descargo podía ser: tales ejemplos son meramente aclarativos, o son situaciones que valen para entender aun cuando no fuesen exactas, o meras aproximaciones para que el lector comprenda o, aun más, meras distracciones sin sustento lógico. Pero incluso adhiriendo a esas respuestas tangenciales, tal accidentalidad o instrumento comunicativo se desvanece, no sólo ante la excesiva abundancia de ejemplificaciones con pueblos contemporáneos pero lejanos, sino con la aparición ahora de una convocatoria explícita a una precisa y empírica detección y descripción como medio más que importante para el esclarecimiento y, por tanto, para el sustento de la argumentación misma. El estudio de los estadios primitivos se torna no sólo un desafío sino un imperativo, su seriedad es una condición, y el viaje junto a la capacidad de observación los únicos medios posibles.

Si bien el mundo natural había nacido como una necesidad lógico-argumental del mundo actual, y en tal nivel no se requería de referencias empíricas, la convocatoria a una mejor observación de "algo" para conocer mejor aquel "mundo natural", que como consecuencia de su construcción implica un mejor entendimiento de "nosotros" mismos, nos obliga a revalorizar la importancia de lo empírico en la lógica argumental, especialmente, en su poder persuasivo.

No caben dudas de que el ejemplo concreto suele ser un paso hacia la credibilidad de la argumentación, y así ocurrió a lo largo del desarrollo argumental. A su vez, la extensión de la ejemplificación a través de continentes específicos (léase América) le agregaba a lo concreto el atributo de la generalidad, resultado también logrado por la terminología "salvajes". Concreticidad que acerca a lo real, y generalidad que permite que cada caso involucre a los demás, potenciándolos. Pero, ahora, la asignación de una específica e intencional observación de tales ejemplificaciones *in situ* aumenta considerablemente el poder de realidad del caso al darle una identidad e, incluso, una independización más que significativas. El ejemplo, que aproximadamente daba cuenta de una situación hipotética, fuente exclusiva de argumentación, y que se vio oportunamente extendido y asimilado a múltiples ejemplos de quienes hablaban y quienes hablaban de él, se vuelve finalmente un fenómeno observado que puede agregar conocimientos. Esta transformación conmina a su visita. El ejemplo ya no será calificado de adecuado o inadecuado, aceptable o desechable, sino que adquirirá otro status: verdadero o falso o, más precisamente, bien descripto o mal descripto. La visita idónea será el camino de verificación.

Estado natural o los indios. Precedencias

Sin embargo, sería simplista considerarlo como un mero hecho posterior de persuasión. Cuando se escribe sobre el estado natural se piensa automáticamente en los americanos, y cuando se piensa en los americanos se piensa en la naturaleza, y en los tiempos que tratamos, en el estado natural. El hilo comunicante no es otro que el confuso mundo del concepto "naturaleza" y la generaliazación del concepto "salvaje".

La asimilación de los americanos a la naturaleza aparece desde los primeros contactos:

Colón sólo habla de los hombres que ve porque, después de todo, ellos también forman parte del paisaje. Sus menciones de los habitantes de las islas siempre aparecen entre anotaciones sobre la naturaleza, en algún lugar entre los pájaros y los árboles.

(Todorov, 1991: 41.)

Mimetización con el paisaje, que indudablemente tiene que ver con el descubridor, tendencia a la indiferenciación de lo no reconocido, pero también con la imagen de lo descubierto, su desnudez: "Luego vieron gente desnuda..." (Colón: 12 de octubre de 1492), y la asociación de tal hecho que, para Occidente, implica la ausencia de uno de los atributos visuales más significativos de la hominidad.

Sin embargo, una cosa es decir sin ropas, y otra asimilar este hombre desnudo al paisaje, lo que implica diferenciarlo de la hominidad, acercarlo a la animalidad, y que lleva al plano de las discusiones sobre la hominidad del indígena y, finalmente, algo más complejo, el ponerlo en los orígenes, como ejemplo del estado natural. Los cronistas sin distinción habían afirmado: Sin..., sin..., sin... como acto casi instantáneo ante el extraño del nuevo mundo. El verlo y esta forma de atribución es un hecho, que sin fisuras convoca al sin... Pero el asignarle un contenido al sin..., sea de naturaleza o de estado natural, es un paso adicional, analíticamente diferente.

Si bien la imaginación del estado natural no es un hecho absolutamente ajeno al dato, la naturalización del dato permitió esta conexión. El iusnaturalismo, antecedente inmediato de nuestro concepto de estado natural, dio lugar a un derecho natural diferente del positivo, cuya particularidad consistía en la universalidad de aquellos derechos para todos los hombres, inherente a todos los hombres y, por tanto, con autoridad para hablar del derecho de los indígenas.[2] El estado natural en estos primeros signos parciales es casi contemporáneo del descubrimiento de América. Ambos convergieron para producir el resultado.

Asimismo, y como resultado de un descubrimiento como el de la lectura de lo extraño, todos los "estadonaturalistas" del siglo XVIII fueron lectores de relatos de viajes, y es a éstos a los que apelan para aquel o aquellos estadios como el revés o antecedente indubitable del estado positivo. La imagen del americano fue una imagen convocante para ejemplificar la lógica argumental, y seguramente ésta se consolidó gracias a aquella imagen.

No pretendemos dar aquí una respuesta al interrogante: "¿Los americanos han dado lugar a imaginar un estado de naturaleza o éste ha dado lugar a identificar como tales a los americanos?". Es una opción que desconocemos. Pero, sin embargo, creemos poder sostener, sin forzar, que desde la naturalización originaria, que ya era una "clasificación", quedó la marca que permitió, aunque no las explique totalmente, las formas de las relaciones futuras. El polisémico concepto de naturaleza (véase cap. I) junto al homogeneizado concepto de primitivo permitió fortalecer estas conexiones. La naturaleza y el natural, aun cuando la realidad histórica nos superara en este razonamiento, están actualmente mutuamente implicados.

Lo que particulariza las interpretaciones posteriores es que a los atributos ya asignados a los nativos por viajeros y lectores como signos de naturaleza, se agrega una significación implícita ahora en ésta: el de antecedencia. El hombre "animalado", antecedente del hombre civilizado, y el hombre civilizado como resultado de un proceso de adquisiciones. Lo originario, opuesto a lo convenido y anterior a la convención, ocupa un lugar central en esta construcción. Es la naturaleza que antecede a la cultura.

El nativo es una figura real, tangible, y se ordena con las cualidades especificadas por lo imaginario, y éste es el caso de Colón. El estado natural es una figura imaginaria, intangible, pero se hace más creíble gracias a las cualidades indígenas, y éste es el caso de Rousseau. La imagen, explícita o implícita, parcial, encuentra algún o algunos elementos significativos en el indígena y envuelve la totalidad del fenómeno. El estado natural es una imagen explícita, y se autorreferencia, pero inmediatamente encuentra puntos de contactos entre algunos de sus elementos y otros del

---

2. En el siglo XVI Francisco de Vitoria será su incipiente exponente, y la discusión Las Casas-Sepúlveda se hará desde esta novedad (véase Chatelet, 1981, y Pérez Luño, 1992).

indígena y mimetiza ambos fenómenos: uno asumido como ideal, y el otro considerado real.

La persuasión de la construcción hipotética recaía en entender la condición física inevitable (lo fisiológico), eso dado que es universal a todo ser animal, de lo cual derivaba el papel decisivo asignado a la subsistencia. La persuasión del ejemplo reside en la oferta real de una condición natural, un caso en estado natural. Así se pudo pasar de la persuasión lógica (lo natural) a la persuasión empírica (los naturales). Lo físico (hombre-medio) será el prototipo de aquella y el salvaje (desnudo) el de ésta.

Mientras el desarrollo del discurso sostuvo un orden (el estado de naturaleza de hipotético pasa a ser real; el estado de naturaleza fue real en el origen y es real hoy; se convoca a observar a los reales de hoy; se convoca a observar a los reales de hoy para clasificarlos) el efecto resultante de esta elaboración ha sido tal que, cualquiera sea el orden histórico de aparición o de lectura, el estado natural terminó siendo el estado originario real del hombre, y los americanos son los exponentes vivientes. El conocimiento de relatos de viajeros y de la propia sociedad, las inquietudes acerca de ésta, la explicación de lo actual que apela a un imaginario-real antecedente originario y que rescata ejemplos de tal en los relatos de viajeros, terminan soldando una sociedad entre naturaleza-indígena que perdurará hasta nuestros días. La naturaleza será el marco donde se recibirá a los americanos, y éstos serán, a su tiempo, los ejemplares demostrativos de la marcación. Una vez desatada esta relación, una y otra se convocan.

La construcción en dos mundos, en donde uno es el "natural", es del orden lógico, y ese es y será el marco, el espacio, el límite. Los datos empíricos serán sus habitantes. Quien diga aún que es una mera construcción hipotética se equivoca, pero quien le asigne el signo contrario, meramente empírica, también lo hace. Lo hipotético y lo empírico confluyen en la explicación, y sobre todo en la persuasión; sólo que uno lo hace con pretensiones formales, y el otro meramente reales, sin que ninguno logre exclusividad.

LA CAUSA DE LA DEFICIENCIA DE LA INVESTIGACIÓN
(Y TAMBIÉN DE SUS EFECTOS)

Definida la concreticidad, generalización y especificidad del mundo primitivo, cabe la siguiente pregunta: el mal conocimiento de lo primitivo, y en ello se incluyen los prejuicios sobre él, ¿es producto de una mala observación[3] o producto de la construcción del campo?

Los prejuicios y una mala observación son las causas de un mal resultado. Sin embargo, la pauta de clasificación (no importa si explícita o

---

3. La respuesta a este punto será denominada más adelante "síndrome etnográfico".

implícita) es previa a la observación. La observación es el uso de la clasificación.

— la pauta de clasificación es una condición necesaria para clasificar;
— el acto de clasificar es la condición suficiente.

La pauta de clasificación resulta ser siempre una condición para clasificar: sólo distingo un animal y un hombre si antes especifico su o sus particularidades, su o sus diferencias. El metro es anterior a la medición. Lo mismo ocurre si identifico un parámetro "naturaleza". Sólo teniendo la tabla clasificadora es posible ser más hábil o menos hábil con su uso, recién aquí pesa tal habilidad. El buen uso del metro, la habilidad de medir, son importantes para el resultado. Con el metro es posible medir, sin el acto correcto de medir no hay medición correcta.

El acto de medición siempre es una comparación de una cosa con el metro. Paralelamente el acto etnográfico siempre es la comparación de un indio con nosotros. Por tanto, comienzo a hablar de mí antes de viajar, en la pauta de clasificación, en la constitución del metro. Y esto porque el mundo primitivo es una variable dependiente del mundo actual y, al comienzo, casi exclusivamente función (F) del mundo actual

$$\text{Otros} \ = \ F \ (\text{Nosotros})^4$$

Esta condición, aunque no absoluta, se debe tener en cuenta siempre, a efectos de considerar el origen del mundo antropológico y sus límites. Es común atribuir al aspecto técnico de observación aquello que es atribuible a los presupuestos. Gran cantidad de problemas (muchas veces los mayores en importancia) no son errores de relevamiento ni falta de formación técnica, sino condición de la constitución misma del campo. La propensión al ejemplo, la necesidad de credibilidad y realidad del mundo antropológico, hipertrofian el relevamiento por no considerar el hecho de tratarse, ante todo, de una división del mundo imaginaria (no por ello inválida).

El acto antropológico, como veremos más adelante, no se agota en esta relación funcional inicial en donde la construcción de los "otros" es casi exclusiva en función del "nosotros", pero esta relación se establece en todo primer acercamiento (que incluye los acercamientos reiterados). Lo actual, que fue y es una de las razones mayores de convocatoria al primitivismo y a su conocimiento, no dejará de condicionar. No hay dudas de que es imposible hablar del primitivo sin hablar del mundo actual, será su marca de nacimiento[5] (lo cual no implica afirmar que no pueda hablarse además de algo más que meramente el mundo actual).

---

4.   (-A, -B,...., -Z) = F (A, B,...., Z); los atributos negativos están en función de los positivos en que A, B,...., Z son los signos del "nosotros".
5.   "Los otros son nosotros", ante todo.

De esta manera la simple observación no es el único ni el primer problema. La observación es precedida por la clasificación, por el cosmos del observador. Es por ello que habrá cosas relacionadas con las pautas de clasificación que se descubren sin viajar así como otras, tanto de las pautas de clasificación como del acto de clasificar, que se descubren gracias al viaje. Esto lleva implícito dos tipos de problemas: los implicados en la lógica de la elaboración del campo y los implicados en el trabajo sobre ese campo. Es por ello clave distinguir entre la elaboración de la pauta de clasificación (de nosotros) y el viaje (a los otros).

LOS NUEVOS HÉRCULES: AGUDOS CLASIFICADORES Y OBSERVADORES

Reveamos ahora, basados en estas consideraciones, algunas afirmaciones de Rousseau vistas al comienzo de este capítulo, que deberían ser desbrozadas en sus aspectos lógico-antropológicos (constitución del campo) de los aspectos grafo-antropológicos (de observación).

No conocemos otros hombres que los europeos

Uno puede no conocer otros hombres que a uno mismo por varias razones. Pueden existir razones de hecho (como el que nunca se vio a otros), o de defecto (porque se los vio pero no lo suficiente, o se los vio mal). Pero existen razones lógico-antropológicas como la particularidad de *que conocer a los otros es siempre conocer a uno mismo.*

La coincidiencia absoluta de los otros con el nosotros (o la antítesis absoluta) es:

$$\text{Otros (lógicos)} \ = \ F \text{ (Nosotros)}$$

Este fenómeno no es superable por el solo acto de la observación aguda, sino por la comprensión del limitante cognitivo de esta primera e ineludible aproximación. La discusión de la posibilidad real de conocimiento de los otros (discusión que por ahora diferimos) no nos impide poder afirmar la precondición de la dependencia original de uno de los conceptos, los "otros".

Aprendiendo así a conocer el nuestro

Sin embargo, esa dependencia meramente especular no implica la imposibilidad de algún movimiento. No hay dudas de que el contacto cognitivo con los otros permite aprender lo nuestro debido a la interdependencia nosotros-otros y gracias a que un movimiento significativo en la relación o en los otros produce necesariamente un movimiento en el nosotros.

$$\text{Nosotros} = F \text{ (otros reales)}$$

Así, el descubrimiento de los americanos provocó una conmoción a los europeos. Respuestas ontológicas decisivas, condiciones esenciales e imágenes originales fueron trastocadas por los movimientos reales de los otros (y, por supuesto, gracias a la ubicación de los otros en el nosotros).

A nosotros el acto de contacto, hoy, nos permite saber lo que el observador tenía latente. Éste es un conocimiento de lo nuestro. Observar la reacción de Colón permite ver manifestaciones inexistentes sin ese contacto. La aparición de un muerto ofrece la oportunidad de la manifestación de pautas de conducta ante el terror. Esta conmoción se extiende al investigador, quien no es una excepción.

El papel que jugará el primitivo será definitivo: es el eslabón de origen, es la completud del universo. Uno de los efectos de la circunvalación del mundo (incluso antes, con el mero recorrido de América) permitió un saber especial: saber que recorrí todo los casos da la idea de universal. Recorrer todo el mundo garantiza lo universal. América cierra el mundo.

Y este papel universalizador o particularizador quedará atado a lo primitivo. La naturaleza, universalización de algo, permitió distinguir la convención, su particularización. Algo que aparece en el otro se univerzaliza. Algo ausente se particulariza.[6]

— *los ridículos prejuicios;*
— *no han sabido percibir;*
— *se han escapado siempre a sus miradas;*
— *no debe esperarse que de las tres primeras clases salgan buenos observadores;*
— *observando y descubriendo, como ellos saben hacerlo.*

Si bien es cierto que los pre-juicios hacen percibir de una manera determinada, o hacen no percibir algo, no por ello los prejuicios son necesariamente ridículos. Los pre-juicios son un límite para el conocimiento de los otros, pero son una condición para lograr tal conocimiento. Visto como límite es trágico; visto como condición y posibilidad se lo pone en el centro, se lo investiga y se le presta atención. Este hecho aumenta sus posibilidades y cambia los límites, aunque nunca los anula y no necesariamente los extiende.

Aseverado aquello, que es del plano lógico-antropológico, recién podemos acordar que una observación deficiente imposibilita conocer al otro o algo de él. No por la existencia de pre-juicios necesariamente, hecho que siempre acaece, sino por la deficiencia de la técnica observacional. La deficiencia es grafo-antropológica.

---

6. Síndrome que discutiremos más adelante, que abreva en la tradición de las disciplinas de lo nuestro y que comparten innumerables autores, entre los que Locke, Rousseau, Smith, Marx, Freud y Knight son sólo algunos de los innumerables ejemplos, y que consiste en la apelación a lo primitivo y con ello al límite, a lo natural, a lo universal, a todos los casos...

Parece que la filosofía no viaja

Coherente con las discusiones precedentes podemos decir ahora:

1. *La filosofía siempre viaja aunque, a veces no se lo reconoce.*
Esta situación proviene de la ignorancia de las condiciones etnológicas propias del discurso antropológico. Hoy algunos antropólogos se asemejan al periodista, quien cree hacer una observación desprejuiciada gracias a su atención del fenómeno tal como ocurrió. A éste le sucede como a Colón, cuando lo naturaliza, como si este hecho fuera el fenómeno. La ignorancia de los presupuestos no hace más que confundir lo del campo con los presupuestos de su elaboración.

2. *La filosofía siempre viaja aunque, a veces, lo que no viaja es la tecnología.*
Esta situación proviene de la precariedad de la observación, no totalmente ajena a la desconsideración de los condicionantes previos.
Hacer viajar a la tecnología es un requisito grafo-antropológico. Sin embargo, este hecho no cancela el viaje de la filosofía. *Vis-à-vis*, hacer viajar la filosofía (las concepciones), hecho que ocurre siempre, no garantiza una observación precisa.

No digan más de lo que cada uno sabía ya... (sólo con haber observado con alguna atención, lo habrían sabido sin salir de su propia calle).

Es cierto que, en el plano de la primera aproximación, la especular (una negación y sólo una negación), sólo se afirma lo que uno "presuponía ya" sin más. Pero es uno de los resultados del desconocimiento de los presupuestos lógico-antropológicos, el que suele provocar una reiteración de esta autorreferenciación.

Éste es un riesgo antropológico por dos excesos: sólo uso a los otros como convalidadores de mi afirmación hipotética o niego la afirmación hipotética. En ambos casos, meramente suelo repetir. No hubiera necesitado viajar para lograr el conocimiento.

Hoy algunos antropólogos se asemejan al turista. Éste lee guías, ve fotos, se interioriza de lo que va visitar, y su máximo placer es hallar lo ya anticipado. Muchísimas veces (más de lo conveniente hoy en día), el antropólogo no suele descubrir en el campo más de lo que ya había descubierto en su casa. En este caso el viaje no hace más que tapar la especularidad del argumento. Es el caso de Rousseau, quien convalida en cada "viaje a América" lo construido en París.

Tal animal es un hombre y tal otro una bestia

Este objetivo de Rousseau no puede ser obtenido sólo por una paciente observación, aun cuando ella sea parte del proceso. Es imposible dar satisfacción a esta asignación en el plano empírico si antes no se lo ha hecho en la pauta. Fijada la pauta, resta un segundo paso, el acto de clasificar tal o cual viviente, hecho que sí depende del arte de recolección. La observación disciplinaria es decisiva, pero producto del establecimiento de un límite en el mundo humano. Clasificación previa no sólo esperable en el siglo XVIII sino condición insuperable y particularmente explícita en la antropología (de la prehistoria) de nuestros días.

Diecisiete restos fósiles hallados en Etiopía podrían corresponder, según científicos norteamericanos, etíopes y japoneses, al más antiguo ancestro de la especie humana, una suerte de "eslabón perdido", con que los investigadores explicarían el salto del mono hacia la humanidad [...] *"Representan los restos de una especie tan cercana a las divergencias entre los linajes de los monos africanos y los humanos modernos que su atribución a la línea humana es metafórica y se debe a la membrana de los dientes"*, escribieron los científicos en su artículo publicado ayer por la revista científica británica *Nature*. [...] "Estos restos fósiles representan a los ancestros humanos directos más antiguos, jamás encontrados", dijo el doctor Berhane Asfaw [...] "Necesitamos desesperadamente encontrar los pies. Tenemos dos brazos pero no están las piernas, lo que nos impide saber si los ancestros caminaban en dos o cuatro patas", sostuvo.

(Clarín, 23 de setiembre de 1994, p. 43.)

Posiblemente, si nuestros observadores hubiesen obviado la búsqueda de la membrana de los dientes, o no se interesaran ahora en la búsqueda de los pies, estos seres de cuatro millones de años atrás no serían más que bestias. Esto por un mal uso de la observación. Pero esta posibilidad de juzgar a la observación misma proviene de un acto anterior: la membrana y el caminar en dos patas son signo de hominidad.

La etnografía de Rousseau —que ya pretendía separar bestias de hombres— no está menos condicionada que la antropología del eslabón perdido, tanto por sus viajes al límite como por la necesidad de estar sostenido por alguna pauta. Incursión en planos de difícil ubicación, sólo posible gracias a parámetros bien preestablecidos, que son un fenómeno del lenguaje más que un fenómeno del dato mismo. Seleccionar entre hombres y bestias es un acto de observación que, sin lugar a dudas es el resultado de una comparación con los parámetros establecidos previamente.[7]

ANTROPOLOGÍA: LA RELACIÓN DUPLICADA

En este capítulo, y gracias a las primeras apreciaciones etnográficas de Rousseau, hemos podido insinuar algunas preguntas en los primeros

---

7. Claude Lévi-Strauss (1983: 37 y ss.), quien se ha ocupado del tratamiento de Rousseau como el antecedente más fuerte de la antropología, realiza dos afirmaciones que difieren con nuestro planteo. Primero, hace un planteo originario, "yo soy otro", seguido de un humanístico y solidario "el otro soy yo", omitiendo la necesariedad del paso previo "los otros son nosotros". Esta misma posibilidad que se permite, la del reconocimiento

dolores de parto de la antropología y reafirmar la particularidad de la convocatoria ingenua al antropólogo, su dedicación a la observación de los estadios primitivos y sólo a ellos. Sin embargo, este mandato requiere, como hemos visto, de una comprensión de origen para evitar que el mero empirismo y la división del trabajo de las disciplinas sociales lo lleven a un tratamiento desantropologizado de su fenómeno.

Hemos querido separar los aspectos epistemológico-antropológicos de los técnico-antropológicos, para resaltar los concernientes a la particular construcción del campo antropológico y al particular viaje del antropólogo. Ambos exceden la mera relación (y sus problemas) sujeto-objeto en un desdoble sujeto-nosotros/objeto-otros.

El solo tratamiento sujeto-objeto arrastra a quienes pecan de hiperformales y también a los empiristas ingenuos. El empirismo del etnógrafo es bueno para particularizar las afirmaciones del primero pero insuficiente para detectar su falla. Tal empirismo acerca al etnógrafo a discusiones epistemológicas y sobre el etnocentrismo ingenuo, pero le impide detectar la particularidad de la estructura antropológica. Es necesaria la consideración nosotros-otros, y allí insertar la relación clásica sujeto-objeto. La relación científica (-) se duplica en la relación antropológica (/). La antropología investigará necesariamente la relación nosotros-otros, aun cuando su asignación primordial sea la de los otros.

Este hecho marcará a la antropología como ciencia de un mundo particular, un corte vertical de la humanidad en dos, a diferencia de las otras ciencias sociales cuyos cortes son transversales. Sólo la relación duplicada (/), la elaboración clasificadora y el acto de cotejar en el marco de dos mundos humanos posibilita una comprensión no esterilizada.

---

del otro inicial, lo lleva (o es compatible) a un segundo error: tratar a Rousseau con su propia "piedad", idealizándolo al punto de que su intimación cognitiva: "¡Díganme si eso es una bestia o un hombre!" pasa a ser, en boca de Lévi-Strauss, una gentileza para evitar que un hombre sea considerado bestia. Como si la decisión de nuestros científicos sobre el eslabón perdido fueran más santificables por considerar los restos hallados humanos. El problema de Lévi-Strauss es que considera a la clasificación un acto prejuicioso, ante el cual mejor es ser bondadoso. Y, en segundo lugar, comparte la clasificación naturaleza-cultura de Rousseau. Ni éste es un acierto de Rousseau (sólo una clasificación) ni el acto de clasificación debe considerarse en sí malo como para necesitar una bendición beatificadora. Confundir una clasificación con la "verdadera clasificación" es fatal para un antropólogo. Creer que ante la duda hay que ser bueno es muy encomiable pero poco científico. No es este valor el que decide. En el ejemplo reciente, es algo más promiscuo, la membrana de los dientes.

Vale la pena aclarar, por si esto ha jugado una mala pasada al estructuralista francés, que para Rousseau el "buen salvaje" no es precisamente aquel del límite humano-animal. El poder generalizador del concepto "salvaje" suele distraer permanentemente.

CAPÍTULO IV

ECONOMÍA POLÍTICA CLÁSICA. NATURALEZA DEL FENÓMENO
(Smith - Ricardo - Marx - Mill)

Los científicos sociales han partido, particularmente en la época que tratamos, de la consideración de un fenómeno llamativo del que han querido dar explicación, iniciando el tortuoso camino hacia su naturaleza.[1] Naturaleza que remite a los orígenes, tanto al tiempo de la humanidad retrotrayéndose a los primeros grupos,[2] como al tiempo específico del fenómeno, comenzando, desde los inicios de su generación, el acto de producción. Esta segunda remisión, específica del fenómeno, será el tema de este capítulo.

EL FENÓMENO DE LA ECONOMÍA POLÍTICA (CLÁSICA)

El fenómeno más característico y llamativo que nace con, y da lugar a, la economía política es el intercambio monetarizado. Sobre este cambio mercantil se asentará la economía política clásica,[3] ordenando su interés

---

1. *Investigación sobre la naturaleza y causas de la riqueza de las naciones* es el título de clásica obra de Adam Smith.
2. Que trataremos en el próximo capítulo.
3. Consideramos como punto de partida de la economía política clásica la obra de Adam Smith de 1776, su clímax al Ricardo de 1821 y como sus últimos exponentes a las obras de John Stuart Mill de 1848 y de Karl Marx de 1859. Comenzar con la economía clásica es una decisión arbitraria que coincide meramente con la oficialización de la disciplina económica, hecho que ocurre a partir de Smith. Pero, de hecho, mucho tiempo antes, el discurso económico (economía política) había iniciado un camino certero y progresivamente independiente en discusiones como las de los mercantilistas (Mun), los preclásicos (Petty, Cantillon o Locke) o los fisiócratas (Turgot y Quesnay). Teniendo en cuenta que nuestro objetivo no es la historia del pensamiento económico ni mucho menos, el abordaje de los economistas tiene dos finalidades apropiadas para la antropología económica: *caracterizar algunos fenómenos que serán reconocidos más adelante por la antropología y percibir el uso de la antropología por los economistas*. Para esto, los clásicos, o alguno de ellos, pueden sernos más que útiles. Este uso de los clásicos nos

en la producción (generación de riqueza), la distribución (apropiación de riqueza) y presuponiendo el consumo (el uso de esa riqueza). Objetos intercambiados por doquier y formas, cada vez más generalizadas, de acceso exclusivo a esos objetos por medio de la adquisición, bajo la necesidad de tener algo para intercambiar, es el mundo en que explota el discurso económico con nombre propio. Discurso que quedará consolidado e instituido en plena revolución industrial.

De todas las economías imaginables,[4] los economistas nacen con la economía comercial, y sólo a ella dedicarán sus esfuerzos. La economía como ciencia se origina, de esta manera, como economía política, esto es, como economía de intercambio, y, más precisamente, del intercambio monetarizado, al que tratará a través de un "circuito" que se cierra en sí mismo desde la generación hasta la extinción de riquezas. Es este fenómeno actual el que convoca a la existencia de la disciplina, y su tratamiento específico le dará su particularidad dentro de esa actualidad. La ciencia económica se apropia así de un fenómeno contemporáneo y tendrá una manera especial de abordarlo, un estilo particular de considerarlo.

El intento explicativo clásico es el de dar cuenta del proceso de generación de la riqueza y su distribución en el nivel de los conjuntos sociales, como lo aseveran cuatro conspicuos exponentes en los primeros párrafos de sus célebres obras:

> El trabajo anual de cada nación es el fondo que en principio provee de todas las cosas necesarias y convenientes para la vida, y que anualmente consume el país.
>
> (Smith, 1958: 3.)

> El producto de la tierra, todo lo que se obtiene de su superficie mediante la aplicación aunada del trabajo, de la maquinaria y del capital, se reparte entre tres clases de la comunidad, a saber: el propietario de la tierra, el dueño del capital necesario para su cultivo, y los trabajadores por cuya actividad se cultiva.
>
> (Ricardo, 1959: 5.)

> Quienes escriben sobre economía política declaran enseñar, o investigar, la naturaleza de la riqueza y las leyes de su producción y distribución, incluyendo, directamente o en forma remota, la actuación de todas las causas por las que la situación de la humanidad, o de cualquier sociedad de seres humanos, prospera o decae respecto de ese objetivo universal de los deseos humanos.
>
> (S. Mill, 1943: 29.)

---

obliga a advertir, aunque sea reiterado, que no se hallará aquí un desarrollo del pensamiento clásico, para lo cual remitimos a los historiadores del tema (Roll, 1942); (Dobb,1975) y (Blaug, 1985) etc., sino a ciertos aspectos que invaden el clasicismo y que marcarán el discurso económico y antropológico-económico.

4.   Monástica, feudal, comunitaria, doméstica, etcétera.

La riqueza *de las sociedades* en que impera el régimen capitalista de producción...

(Marx, 1959, I: 3.).

Basados en tres tipos de propiedades (los propietarios de la fuerza de trabajo, los de la tierra y los de los medios de producción) y en tres tipos de retribuciones (las formas de distribución típicamente capitalistas, como el salario, la renta o el beneficio), los clásicos organizan sus discursos cronológicamente en relación con el proceso de generación o producción y en función de la participación en el producto o distribución.

NACIÓN	
CLASES DE PROPIETARIOS	RETRIBUCIONES
de la tierra	renta
de los medios	beneficio
de la actividad (o no propietarios)	salario

Todos adherirán a esta división socio-económica de la nación, y sobre tales partes (y entre tales partes) jugarán sus disidencias.

... en la economía política esas tres clases forman la comunidad entera.

(S. Mill, 1943: 223.)

Queda así plasmado un interés clásico definidamente colectivo por estar referido a una forma de organización de la producción que se caracteriza por la participación de múltiples clases. Proceso colectivo de producción que obliga necesariamente a hablar de un proceso de distribución. Cuando imaginamos un individuo proveyéndose de su medio de vida directamente no es necesario incorporar la idea de distribución. Pero el solo hecho de que el acceso a los medios de vida se concrete colectivamente implica la necesariedad de una distribución.[5]

Sin embargo, la característica de la distribución, en la forma de organización que observaban los clásicos, no era por medio del simple reparto sino por medio de la compra y venta de mercancías y en función de las respectivas propiedades aportadas. Todas las "propiedades" a que hacíamos referencia (la tierra y sus frutos, la fuerza humana y los medios para la producción), así como el producto final obtenido, tenían valor de cambio, que permitía intercambiar cualquier mercancía con cualquier mercancía. Todos los objetos mercantiles con valor de cambio son absolutamente intercambiables. Es así como el reparto, la distribución del objeto

---

5. Producción: la obtención del producto entre varios individuos. Distribución: reparto del producto.

producido, se realiza por medio de las ventas de cada propietario, a través de las cuales percibirán el valor de cambio de sus productos. Por tanto, las tres partes convergen en la producción del objeto final, y el valor de cambio obtenido por el objeto final se distribuye, adquiriendo tal distribución las formas denominadas *rentas*, *beneficios* y *salarios* que, insistamos, son formas monetarizadas de intercambios de mercancías, pagos obtenidos por la venta de una mercancía.

La generación colectiva del producto y su distribución de determinada manera han atraído la discusión clásica, más o menos implícitamente, hacia una pregunta en particular: el hecho de que el resultado de la venta del producto se distribuya de una manera ¿significa que se lo ha hecho de acuerdo con las contribuciones que a su valor han aportado los receptores de tales retribuciones? La contribución histórica al producto coincide con su partición? Estas preguntas conducen por sí mismas a la indagación sobre la generación del objeto, con tal fuerza que el "¿qué contribuye al valor del objeto?" fue el interrogante más fuerte, y "el proceso de producción", de carácter colectivo, el aspecto de indagación priorizado. El proceso de producción es el que encierra la génesis del objeto producido, y es allí donde debe buscarse la razón de su valor y sus contribuyentes. Los clásicos suscribirían sin dudarlo esta afirmación.

La sociedad vivida y vista por los clásicos es una sociedad de capitalistas, terratenientes y trabajadores, donde cada uno se define por sus propiedades, por lo que disponen para intercambiar o, mejor dicho, lo que disponen para poner en producción por medio del intercambio. De manera que los capitalistas cuentan con los medios para la producción, los terratenientes con las fuentes naturales (los objetos de producción) y, finalmente, los trabajadores libres con una única disposición, la fuerza de trabajo. Estas entregas pretenden —y lo consiguen— retribuciones específicas que sólo se obtienen gracias al acto de haber entregado algo a cambio. Así, el dueño de la tierra percibirá la renta; el dueño de los medios, el beneficio, y el vendedor de su fuerza de trabajo el salario. Los resultados de la conjunción de estos tres elementos, vendidos en el mercado, se reparten por medio de tres items (renta, beneficio, salario) a tres clases (terratenientes, capitalistas, trabajadores). Se denomina al proceso de aportes o generación "producción", y al de las retribuciones, "distribución".

No obstante, el punto de partida analítico clásico no será esta globalidad sino los intercambios de mercancías, en sus formas más simples (sean reales o lógicas), y con la mira en las formas más comunes, manifiestas y complejas, de la época, a través de lo cual pretenderán detectar o descubrir las fuentes de la generación de riqueza o valor.[6] La forma mercantil es a tal punto la manera general de circulación de la producción en los tiempos que corren que la riqueza:

---

6.   Para una diferenciación de estos dos términos véase Ricardo (1959: 205 y ss.). A los efectos de este capítulo, tal distinción es irrelevante.

... se nos aparece como un "inmenso arsenal de mercancías" y la mercancía como su forma elemental. Por eso, nuestra investigación arranca del análisis de la mercancía.

(Marx, 1959, I: 3.)

Si bien la generación de riqueza de la sociedad como un sistema total y la distribución de sus productos por medio de las formas modernas de intercambio hasta alcanzar su destino de satisfacción son los ejes cronológicos del objeto de la economía clásica, no duda en partir de la manifestación más evidente, el intercambio mercantil en su forma más simple, a la que indaga en su trastienda. Forma que es parte —el aspecto circulatorio manifiesto— de un sistema total cuyo orden es:

necesidad - PRODUCCIÓN - DISTRIBUCIÓN - consumo,

subrayándose los aspectos centrales de la preocupación clásica (producción y distribución), en la que los extremos (en minúscula) son condiciones pero no discusiones. La trastienda de la mercancía como manifestación de este proceso, como el fenómeno más evidente, atraerá, sin excepción, la primera mirada indagatoria.

LA FORMA MERCANCÍA

La forma simple, mercancía por mercancía, punto de partida de todos los clásicos[7] cuenta con una serie de condiciones o presupuestos que veremos a continuación, y que se mueven entre dos preguntas: ¿por qué se cambia? ¿por qué se cambia como se lo hace? Se insertan dentro de las respuestas dos conceptos que, sin agotarlas, serán parte de sus sostenes: el valor de uso y el valor de cambio.

Valor de uso y valor de cambio

Preguntarse por qué las cosas se cambian como se cambian implica en el clasicismo avanzar sobre un concepto más amplio: ¿por qué algo vale?, que se desdoblará para responder en dos diferentes conceptos discriminados en función de sus finalidades: valer para el uso o valer para el cambio. El tratamiento del valor escindido en dos,[8] en que toda mercancía tiene un valor para el uso y un valor para el cambio, es una de las características más fuerte del clasicismo económico, que sin dudas dejará su impronta en toda la economía.

---

7.   Quizá podemos exceptuar a Stuart Mill por el hecho de que trata primero el ordenamiento producción-distribución y recién después los problemas de la fórmula simple.
8.   Cuyo antecedente ya se encuentra en Aristóteles (1941).

... la palabra *valor* tiene dos significados diferentes, pues a veces expresa la utilidad de un objeto particular, y otras, la capacidad de comprar otros bienes [...] Al primero lo podemos llamar "valor de uso", y al segundo "valor de cambio".

(Smith, 1958: 30.)

... Cada mercancía se presenta bajo el doble aspecto de valor de uso y de valor de cambio.

(Marx, 1970, I:15.)

Ambos valores (que en el pensamiento económico no serán nunca independientes entre sí) son sin embargo claramente diferentes, particularmente en el pensamiento clásico. Éstos, sosteniendo el valor de uso como condición, pretenden dar cuenta del valor de cambio, del valor que los objetos manifiestan en el cambio, es decir, del valor para el cambio que puedan tener tales objetos. Pero, comúnmente, pasaron apresuradamente la primera condición, íntimamente relacionada con los extremos minúsculos (necesidad-consumo), no por creerla poco importante sino por considerar casi evidente su respuesta, y tendieron a centrarse en sus primeros pasos sobre la segunda. En nuestro caso insistiremos sobre ambas, puesto que, en la misma lógica clásica, una desempeña el papel de la condición necesaria y la otra, la segunda, la de condición suficiente. Es que, aunque la preocupación de los clásicos se centrará en el valor de cambio, todos ellos darán por supuesto que tiene como condición el valor de uso,[9] para el uso de un tercero.

... la utilidad no es la medida del valor de cambio, aunque es absolutamente esencial para éste.

(Ricardo, 1959: 9.)

Nada podría tener valor de cambio sin que tenga valor de uso (aunque sí algo podría tener valor de uso sin que por ello debiera necesariamente que tener valor de cambio, servir para el cambio). De tal manera que, aunque ambos están presentes en el intercambio de mercancías, tienen atribuciones o roles sustancialmente diferentes: mientras el valor de uso es condición necesaria (sustancia) pero insuficiente, el valor de cambio da la particularidad, representa la condición suficiente. Todo objeto de intercambio debe ser útil; dada esta circunstancia imprescindible, la relación particular, específica y efectiva del cambio está establecida por su valor de cambio. No serán los componentes de uso los que explicarán esta relación sino los componentes específicos para el cambio. Asimismo, mientras el tratamiento del valor de uso es definitivamente cualitativo, el valor de cambio tiene la particularidad de ser una magnitud, cuantificado. La cantidad se impone con el valor de cambio e invadirá el lenguaje, el tono del discurso económico.

9.   Véase Quirós y Tiscornia, 1988.

Los dos factores de la mercancía: valor de uso y valor (sustancia y magnitud de valor).

(Marx, 1959, I: 3.)

La característica del valor de cambio es la de ser un valor de uso para otro, es decir que implica el uso externo del producto, fuera de la unidad que lo produce, y es una cantidad. La relación tradicional, originaria y aislacionista, hombre-naturaleza, se desdobla en una relación que es necesariamente social y definitivamente cuantitativa.

¿POR QUÉ SE CAMBIA?

Estamos ahora en condiciones de comenzar a responder la primera pregunta. En el sistema mercantil generalizado se encuentra que los bienes circulan entre personas por medio del intercambio permanente (comúnmente de dinero por mercancías)[10] y sólo se produce una entrega contra la recepción de una contrapartida. Para ello, existe un criterio de libre disposición de los bienes por parte de sus poseedores (legítimos propietarios y libre circulación).[11] Se presume, entonces, que quienes cambian deciden hacerlo para satisfacer una necesidad: el bien que el otro entregue satisfará una necesidad o deseo propio.

Este camino desde el fenómeno hacia sus presupuestos lleva a ordenar la lógica de generación de la siguiente manera: se necesitan bienes para subsistir; algunos están en poder de unos, otros en poder de otros; la única forma de hacerme de los bienes que tiene el otro es darle algo mío; si el otro está dispuesto a darme lo que yo necesito, yo le daré lo que él desea. Como resultado se produce el cambio. Comencemos con el primer paso.

NECESIDAD

El hombre, junto al resto del reino vivo, está preso de la necesidad de alimentarse. Existe así la necesidad inevitable de una provisión, si de sostener la vida se trata, aun en su mínima expresión.

... los hombres [...] tienen el derecho de salvaguardar su existencia, y por consiguiente, el de comer y beber, y el de disponer de otras cosas que la naturaleza otorga para la subsistencia...

(Locke, 1983: 38.)

10. Por ahora, el problema "dinero" es mencionado sin discutirlo.
11. La condición de adquisición pacífica (atributo enfatizado por Weber) es una condición significativa ya enunciada en los clásicos.

La figura que oportunamente discutiéramos del "hombre ante la naturaleza" (véase el cap. I) no tenía otro sentido que el de dar cuenta de esta necesidad insoslayable:

... para vivir hace falta comer, beber, alojarse bajo un techo, vestirse y algunas cosas más.

(Marx y Engels, 1970: 28.)

Y para representar tales imperiosas necesidades no se duda en elegir dos satisfactores imprescindibles:

El agua y el aire son sumamente útiles; son, además, indispensables para la vida...

(Ricardo, 1959: 9.)

Ningún sentido común dudaría en suscribir las afirmaciones precedentes, ni en considerar tales requerimientos como universales, inherentes a la condición humana, a su sobrevivencia y, por tanto, como condición universal la necesidad de su provisión, sea ésta más pasiva (respiración) o más activa (caza de una presa). Independientemente de esta facilidad o no, automaticidad o no, del acceso o provisión, todos los objetos que satisfacen estas necesidades, sin excepción, son objetos útiles en términos clásicos, y, por tanto, tienen valor para el uso del hombre, valor de uso.

Los valores de uso forman el contenido material de la riqueza, cualquiera que sea la forma social de ésta.

(Marx, 1959, I: 4.)

Carácter universal de este atributo, más allá de la existencia o no de cambio. Sin embargo, y aunque su alcance sea mayor, será este valor condición *sine qua non*, "*absolutamente esencial*" (Ricardo, 1959: 9), para el cambio:

En el tipo de sociedad que nos proponemos estudiar, los valores de uso son, además, el soporte material del valor de cambio.

(Marx 1959, I: 4.)

La necesidad es la llave, es el punto de partida, es el detonante, es el sentido. Detrás de todo cambio estarán

... todas las cosas necesarias y convenientes para la vida...

(Smith, 1958: 3.)

Pero, como ya mencionáramos, si bien hablamos de un mundo de valores de uso que satisfacen necesidades y que están detrás de los intercambios, no todo valor de uso implica cambio. Podría un objeto tener valor de uso sin que por ello poseyera necesariamente valor de cambio, servir para el cambio. Por tanto, y dado que la economía política sólo referirá a los intercambios, no hablará de todos los valores de uso, aun cuando nunca dejará de hacerlo sobre alguno de ellos.

TRABAJO

Alguna de las necesidades más que indispensables para la sobrevivencia de un individuo no requiere de una preocupación por su provisión. Éste es el caso del aire, por ejemplo, de cuya inevitabilidad no cabe la menor duda, pero sí del requerimiento activo de su provisión. O más precisamente: no hay dudas de su necesidad, pero sí del carácter de la actividad para su provisión. Sólo los valores de uso que requieren una esfuerzo serán de interés, nos dirán los clásicos. Las mercancías, para serlo, deben tener algo más que su utilidad.

> ... tiene que haber también alguna dificultad en obtenerla.
> (S. Mill, 1943: 390.)

> ... todas las cosas útiles o agradables excepto aquellas que pueden obtenerse, en la cantidad deseada,[12] sin trabajo o sacrificio alguno.
> (S. Mill, 1943: 35.)

Para que el valor de uso sea de interés para la mirada económica debe implicar la necesidad de su procuración. Un esfuerzo o actividad de procuración. El hombre *debe* proveerse de estos imprescindibles y lo hará por medio de un esfuerzo, denominado *trabajo* o *producción.*

> El trabajo [...] que en principio provee de todas las cosas necesarias y convenientes para la vida...
> (Smith, 1958: 3.)

> El primer hecho histórico es [...] la producción de los medios indispensables para la satisfacción de estas necesidades, es decir, la producción de la vida material misma...
> (Marx y Engels, 1970: 28.)

Sólo los valores de uso productos de la procuración activa[13] son objeto de la economía política.

> Como creador de valores de uso, es decir como trabajo útil, el trabajo es, por tanto, condición de vida del hombre, y condición independiente de todas las formas de sociedad, una necesidad perenne y

12. La cantidad está relacionada con el concepto de escasez que por ahora dejamos de lado. Esta cuestión se verá más adelante.
13. Existen excepciones menores, según Ricardo.

natural sin la que no se concebiría el intercambio orgánico entre el hombre y la naturaleza ni, por consiguiente, la vida humana.

(Marx, 1959: 10.)

Aunque, una vez más, no lo son todos. De hecho, la autoprocuración no lo es. En este sentido no lo es la procuración de aquel sujeto aislado del imaginario estado de naturaleza, quien se autoabastecía. A pesar de que para su subsistencia realizaba un esfuerzo de procuración con el fin de transformar la naturaleza en útiles objetos para su uso, no existía intercambio, era un valor de uso para sí.

Es por ello que el intercambio económico va más allá de la mera presencia de la satisfacción de las necesidades y de la existencia de trabajo. Si bien ambos son condiciones necesarias, aún son insuficientes. Ambos pueden existir fuera de la forma intercambio, aunque esta forma no pueda existir sin ellos.

DIVISIÓN DEL TRABAJO

Mientras el hombre se provee por sí mismo de sus necesidades, estamos ante una situación de autoconsumo. Sin embargo,

...tan pronto como se hubo establecido la división del trabajo sólo una pequeña parte de las necesidades de cada hombre se pudo satisfacer con el producto de su propia labor.

(Smith, 1958: 24.)

Que alguien se provea por sí mismo de algunos objetos necesarios (o de algunas tareas sobre objetos necesarios) pero no de todos, y otro, por sí mismo, de otros (o de algunas otras tareas sobre objetos necesarios), pero no de todos, puede implicar una división de tareas o división del trabajo, cuyo producto necesita luego algún tipo de distribución. Sin embargo, esta distribución puede ser de diferentes formas y no necesariamente por medio del cambio. Lo cierto es que el señor feudal y el siervo, el hilandero y el tejedor en la línea de elaboración de telas, la mujer y el hombre en el grupo familiar, implican divisiones de tareas sin que sus productos sean distribuidos por medio del intercambio mercantil.

Es así como el intercambio mercantil implica una división del trabajo, aunque ésta no supone necesariamente el intercambio mercantil. Aquella división es una condición de este intercambio, pero la existencia de la división no trae siempre como consecuencia el intercambio. ¿Son el siervo, el operario, la mujer, propietarios particulares, privados, de sus productos?

PROPIETARIOS

La propiedad privada es condición de las partes en el intercambio o. mejor dicho, para que la forma resolutiva de circulación con división del trabajo sea el intercambio mercantil.

> Es necesario, por consiguiente, que ambas personas se reconozcan como propietarios privados.
>
> (Marx, 1959, I: 48.)

La propiedad, desde su idea más simple,

> ... el reconocimiento, a cada persona, del derecho a disponer...
>
> (S. Mill, 1943: 206.)

se hace presente en el intercambio mercantil, siendo una condición onto-lógica de esta situación. Para que haya intercambio mercantil, los intervi-nientes en la transacción deben ser propietarios.

Sin embargo, ser propietario del producto no significa que el producto sea intercambiado. Por ejemplo, el producto puede ser consumido por el propio productor. La propiedad no es garantía de intercambio, pero el in-tercambio implica sí o sí propiedad privada.

Por qué cambiar

La necesidad de procurarme la satisfacción por medio de un objeto que es propiedad de otro podría resolverse de diversas maneras: alguna regla que estipule el intercambio, por un principio que diera el bien a quien lo necesite, por status, por donación, etc. Sin embargo, el principio más cercano que rige la conducta del intercambio mercantil es:

> Dame lo que necesito y tendrás lo que deseas...
>
> (Smith, 1958: 17.)

Para proveerme del objeto que necesito debo entregar un objeto a cam-bio.

> El poseedor de mercancías sólo se aviene a desprenderse de las suyas a cambio de otras cuyo valor de uso satisfaga sus necesidades.
>
> (Marx, 1959, I: 49.)

> Para que estas cosas se relacionen las unas con las otras como mercancías es necesario que sus guardianes se relacionen entre sí como personas cuyas voluntades moran en aquellos objetos, de tal modo que cada poseedor de una mercancía sólo pueda apoderarse de la de otro por voluntad de éste y desprendiéndose de la suya propia; es decir, por medio de un acto de voluntad común a ambos.
>
> (Marx, 1959, I: 48.)

Para subsistir, conminado por mis necesidades, debo procurarme bienes que, si bien no satisfarán mis necesidades, tendrán valor de uso para otros (valor de cambio para mí), a los que entregaré estos bienes que me he procurado (son míos), a cambio de los cuales yo necesito que él posee. El hombre del cuarto estadio se moverá sólo por su propio interés, el interés por el objeto necesitado o deseado.[14]

Hasta aquí hemos enunciado los aspectos mínimos necesarios que caracterizaron la existencia de intercambio mercantil según la perspectiva clásica. La necesidad, la procuración de la satisfacción, la división del trabajo, la libre disposición de lo propio y la norma "te doy si me das" o "dame y te daré" (con la condición de que es la única forma con que ambos intervinientes pueden satisfacer sus necesidades) son la condición necesaria para la existencia del acto de cambio.

¿POR QUÉ SE CAMBIA COMO SE CAMBIA?

En el sistema mercantil generalizado se encuentra que los bienes circulan entre personas por medio del intercambio permanente (comúnmente de dinero por mercancías), y se realiza en relaciones cuantitativas determinadas. Se presume, entonces, que quienes cambian lo hacen naturalmente por sus equivalentes (excepto que haya alguna presión en contrario). Esos valores de cambio equivalentes tienen su razón de ser en la cualidad común, comparable, que es el trabajo utilizado para obtener el objeto.[15] Esta cantidad de trabajo se cuantifica por medio del tiempo que insume su realización.

Este camino desde el fenómeno hacia sus presupuestos lleva a ordenar la lógica de generación de la siguiente manera: la lógica de los cambios no es entre cualidades sino entre cantidades de bienes; la producción de un producto insume una cantidad de tiempo de trabajo,[16] que obviamente se tendrá en cuenta cuando se canjee por otro producto equivalente.

La pregunta clásica es sobre el valor. ¿Qué es lo que da valor a las cosas? pero, específicamente, ¿por que las cosas se cambian como se cambian (en las relaciones en que se lo hace)? ¿Qué es lo que hace que las cosas se cambien en las relaciones en que se cambian ? Sencillamente, ¿por qué un bushel de cereales vale el equivalente a dos bushels de hortalizas? O, en términos monetarios, ¿por qué aquel bushel vale dos libras y éste sólo uno? O, más ordinalmente, ¿por qué aquel producto vale más que éste? En definitiva, cuál es la fuente del valor es la pregunta filosófica más antigua y generalizada de la economía política clásica, o, en términos más amplios, cuál es la fuente de la riqueza.

¿Qué contribuye a que una cosa valga lo que vale en un mundo donde el proceso de generación de la cosa no coincide con el proceso de su extin-

---

14. Es un fin para sí mismo. El vicio de que nos habla Mandeville (vicios privados, virtudes públicas), y la utilidad según Bentham (mayor placer con menor displacer) en economía son equiparables al maquiavelismo en política.

15. O lo que insume para obtener el objeto: materiales, instrumentos, actividad.

16. O cantidad de insumos en general.

ción? O, en términos más concretos, la unidad en la que se genera no coincide con la unidad que lo usa. La generación no es para sí sino para otro. Dos unidades mínimas que se relacionan por medio de objetos y sólo por medio de objetos. Esta linealidad, generación-uso (con implicancias cronológicas: la generación precede al uso), tiene, sin embargo, una doble dirección, ya que, en la forma intercambio implica que la unidad que hará uso debe necesariamente generar otro objeto para el uso de la otra unidad. La única forma de acceder al primer objeto es por medio de la entrega de uno o varios objetos equivalentes: la entrega de un valor igual. Esta forma, que estrictamente es un trueque, se vuelve mercantil en la modernidad, cuando surge la mediación de un objeto común de cambio, la moneda: un referente, una unidad común, de todos los objetos.

Esta estructura mínima tiene algunas presunciones básicas. Las primeras condicionan la existencia misma del cambio; son las que enunciamos en el apartado anterior. Las otras son las presunciones de que los objetos intercambiados son equivalentes y la existencia de un común denominador que permite que cualquier objeto puede ser cambiado por otro u otros equivalentes.

A genera (x a)   =   B genera (y b)
(y entrega)   (y entrega)

en que x es la cantidad de a, e y es la cantidad de b, de tal manera que permita el intercambio equi-valente (=). A, adquiere $y.b$ por medio de la entrega de $x.a$ y B adquiere $x.a$ por medio de la entrega de $y.b$.

Un ida y vuelta de objetos, mercancías, que se estima entre equivalentes, y por tanto cotejables cuantitativamente. La pregunta a partir de esta práctica es: ¿qué hay detrás de estas cosas para que sea posible su comparación, su cotejo, su permuta?

EQUIVALENCIA

Un sujeto propietario del bien a, y otro sujeto propietario del bien b. A necesita b, y B necesita a. A ha generado a, y B ha generado b. El signo "=" en la ecuación, resultado de una serie real de intercambios sociales, implica reconocer en algún punto que el hecho de intercambio ocurrido en el campo social es una igualdad de valor. Si xa son cambiadas por yb, significa que ambos cambios son equivalentes.

En su forma pura, el cambio de mercancías es siempre un cambio de equivalentes y, por tanto, no da pie para lucrar obteniendo más valor.

(Marx, 1959, I: 113.)

Este hecho, que implica en principio una aceptación de la igualdad de valores, es el presupuesto en que quedará fijada la economía política, al punto de que cualquier puesta en cuestión de esta equiparación desplaza la discusión a otro campo disciplinario cuyo antecedente está en la discusión moral escolástica sobre el precio justo.

Valor por el proceso de producción (trabajo)

Todos los clásicos, sin excepción, atribuirán como fuente del valor de cambio al proceso de procuración, y dentro de él al trabajo,[17] aunque algunos de ellos no le asignen exclusividad. Lo interesante es que, sea cual fuere la elección, la mirada clásica asienta la respuesta sobre el valor de cambio en el proceso de producción, es decir, en la historia del objeto, en los items que contribuyen a su resultado.

> ... si prescindimos del valor de uso de las mercancías éstas sólo conservan una cualidad: la de ser productos del trabajo.
>
> (Marx, 1959, I: 5.)

En todo caso se discutirá, según los autores, si es sólo el trabajo o el trabajo más otros componentes, pero todos se remontan al proceso de generación. Incluso quienes promueven la existencia de más de un factor sustentarán la existencia valorativa, detrás de tales factores, del trabajo anterior.

> ... el valor de cambio de los bienes producidos sería proporcional al trabajo empleado en su producción: no sólo en su producción inmediata, sino en todos aquellos implementos o máquinas requeridos para llevar a cabo el trabajo particular al que fueron aplicados.
>
> (Ricardo, 1959: 19.)

> El trabajo no puede llevarse a cabo sin materiales y maquinaria, ni sin un acervo de cosas necesarias provistas por adelantado para sostener a los trabajadores durante su producción. Todas estas cosas son el fruto del trabajo anterior.
>
> (S. Mill, 1943: 207.)

La remisión a la historia del objeto y en ella, particularmente, al trabajo como fuente de valor, para dar cuenta del valor, es el elemento clásico que permite alcanzar un común denominador de las mercancías.

De esta manera, con las consideraciones hechas hasta aquí, quedan

---

17. "Lejos de seguir siendo motivo de desprecio, señal de inferioridad, el trabajo se convierte en mérito. El esfuerzo hecho justifica no solamente el ejercicio de un oficio, sino la ganancia que reporta" (Le Goff, 1983: 94).

constituidas las condiciones y la regla clásica que permiten detectar la presencia o ausencia del valor de cambio. Son las presunciones que permiten dar respuesta a las preguntas del tipo: "¿es posible tener valor de uso sin valor de cambio?", "¿es posible incorporar trabajo y que no haya valor de cambio?", "¿es posible tener valor de cambio sin valor de uso?", "¿es posible el valor de cambio sin trabajo?".

	Valor de uso	Trabajo	Valor de cambio	ejemplo[18]
I	sí	no	no	aire
II	no	sí	no	hacer hoyo en la arena
III	no	no	no	hormigas
IV	sí	sí	sí	trigo

Que se sustenta en la fórmula:

$$Valor\ de\ cambio\ =\ Valor\ de\ uso\ +\ trabajo$$

Que es la adición de un elemento cualitativo (el valor de uso) y otro cualicuantitativo (el trabajo). Por ello la magnitud la dará este último. La relación específica del cambio será determinada por el quántum de trabajo.

Sin embargo, y antes de entrar en el tema de la cantidad, debemos aclarar una vez más que se podría considerar la posibilidad de existencia de valor de uso y de trabajo sin que exista cambio. El cambio (véanse los presupuestos ya señalados) es una condición del valor de cambio.

	VU	Trabajo	VC	ejemplo
V (sin cambio)	sí	sí	no	autoconsumo

Sin esta manifestación que es el intercambio no es posible hablar de valor de cambio. Requerimiento que, como ya sabemos, no se exige al valor de uso.

MEDIDA

La medición del fenómeno generador del valor se torna un objetivo de los clásicos. Y, como toda medición, la dimensión resulta imprescindible.

---

18. Los ejemplos valen en el marco de la concepción de uso intrínseco de los clásicos, remitidos fuertemente a la necesidad imperiosa de subsistencia, y son expuestos al solo efecto de que el lector pueda reflexionar sobre ellos.

Cualidad abstracta común a los objetos medidos. La mercancía no se valorará en función de su longitud, de su peso o su volumen, cualidades que pesan de manera diferencial en cada una en cuanto al valor. Las mercancías encontrarán su común medidor en el trabajo gracias a que todas son el producto de tal actividad.

> Parece, pues, evidente, que el trabajo es la medida universal y más exacta del valor, la única regla que nos permite comparar los valores de las diferentes mercancías en distintos tiempos y lugares.
>
> (Smith, 1958: 37.)

> ... si con relación al valor de uso el trabajo representado por la mercancía sólo interesa cualitativamente, con relación a la magnitud del valor interesa sólo en su aspecto cuantitativo, una vez reducido a la mitad de trabajo humano puro y simple. En el primer caso, lo que interesa es la clase y calidad del trabajo. en el segundo caso, su cantidad, su duración.
>
> (Marx, 1959: 12-13.)

Aun cuando los desarrollos hacia la precisión de la medición o, mejor dicho, hacia el precio lleven a considerar otros aspectos además del trabajo.

El tiempo

La longitud tiene sus formas de medición, el peso la suya y el volumen la propia, sustentadas en el espacio lineal, la gravedad o el espacio tridimensional, a través de sus respectivas unidades, metro, kilo o litro. El trabajo también contará con su forma de medición y su respectiva unidad.

¿Cuál es la unidad que cuantifica el trabajo y que se refleja en las cantidades relativas de los valores de cambio?

> ... la cantidad de trabajo que encierra se mide por el tiempo de su duración...
>
> (Marx, 1959: 6.)

El tiempo y su respectiva métrica, la hora, serán sus instrumentos. Y como lo hicieran aquellas mediciones, desechando las cualidades, el trabajo debe ser homogeneizado, igualado.

Hasta aquí, los aspectos que explican la modalidad del intercambio mercantil según el espíritu clásico. El intercambio entre equivalentes, que hace presuponer algún aspecto común a los objetos intercambiados y que se resuelve en el trabajo incorporado como fuente de valor y como medida de valor. Medida que, requiriendo de alguna unidad, la encuentra en el tiempo. Quedan así planteados los presupuestos mínimos sobre los que se asientan los dos interrogantes del comienzo: por qué se cambia y cómo se lo hace.

La economía política clásica, interesada homogéneamente por la fuente y distribución de la riqueza en la sociedad capitalista, no dudó partir, también unánimemente, de este fenómeno típico y notorio de su tiempo: el intercambio de mercancías, del que quiso dar cuenta con el fin de que, a partir de las respuestas obtenidas, se pudiera alcanzar la codiciada explicación global. Para afrontar esta tarea partió sin dudarlo de la escisión de la mercancía en dos valores, el de uso y el de cambio, en que el primero fue remitido a una relación necesidad-satisfacción cuyo prototipo es el hombre ante la naturaleza, y el segundo, al proceso de generación del objeto, preeminentemente, al trabajo. De esta manera la necesidad y el trabajo, la cualidad y la cantidad, la distribución y la producción, el valor y la propiedad junto a un tipo particular de conducta, ocuparon el centro de la escena clásica mucho antes de que las categorías globales de la época tomaran la palabra.

RESPUESTAS	INTERROGANTES
Necesidad (Valor de uso) Trabajo (procuración) División del trabajo Propiedad privada norma: "algo mío"	POR QUÉ
Norma de cambio "recibo si doy" (cualitativa) Norma de equivalencia (cuantitativa) "igual valor"	
Trabajo (valor) Medida (cantidad de trabajo) Tiempo	CÓMO

Un porqué asentado en los aspectos cualitativos y un cómo que camina por los cuantitativos. Un porqué que será remitido al plano de su condición y un cómo que será la razón del discurso económico. Una doble pregunta y una forma de respuesta tan particular que merece continuar en su indagación.

LAS PREMISAS DEL MODELO Y SUS DEDUCCIONES

NECESIDAD

Necesito comer (imperativo natural)

La necesidad es definitivamente en los clásicos una condición inicial sustancial pero tan poco cuestionada como la naturaleza. El modelo simple de Locke es absolutamente atribuible a cualquier clásico, y remite en este plano a las necesidades más evidentes y naturales. En este sentido, el valor de uso clásico es un valor muy atado a lo intrínseco del objeto, estando tras de sí la imagen de que "la naturaleza debe su existencia a un fin: servir para el uso del hombre". El hombre necesita y por medio de su esfuerzo accede a la naturaleza, fuente de cosas útiles. Ésta es la primera premisa.

PROPIEDAD

Poner algo mío (derecho del satisfactor)

La segunda premisa, clave para el desarrollo de los derechos sobre el objeto, es la que atribuye al hombre la posesión de su cuerpo. El hombre es dueño de sí, de su cuerpo y mente, y por tanto de sus capacidades y fuerzas.

La tercera premisa es que el hombre pone en la naturaleza virgen su esfuerzo. La cosa pasa a tener algo de ese sujeto.

La cuarta premisa es que la cosa es valiosa por el esfuerzo puesto en ella por el sujeto y sólo valiosa por ello. El valor de la cosa es equiparable al valor del esfuerzo.

Deducción: Partiendo del presupuesto de que lo mío es mío, si la cosa vale por mi esfuerzo y solamente por mi esfuerzo, la cosa me pertenece. El haber puesto algo mío da derecho de propiedad sobre la cosa. Es la misma propiedad que al comienzo, sólo que cristalizada en una cosa. Si el sujeto es libre de disponer de su cuerpo (lícitamente), también lo es de disponer de su esfuerzo y de disponer de los productos de su esfuerzo. Tiene derecho a disponer de la cosa propia.

NORMA DE CONDUCTA

Recibo si doy (imperiosidad del cambio)

La situación anterior no requiere de ninguna distribución del producto. La necesidad y la propiedad pueden coincidir en el mismo sujeto. Por tanto, incorporaremos ahora una quinta premisa: la división del trabajo, que implica la necesariedad de alguna forma de distribución del producto.

La sexta premisa es que estamos ante un individuo que busca su propio interés, como las abejas de Mandeville, y lo hace buscando la mayor satisfacción, como el sujeto de Bentham.

La séptima premisa es que la única forma de satisfacer la condición inicial es a través del cambio: entregando un bien a cambio puedo recibir el que yo necesito. Recibo sólo si doy.

EQUIVALENCIA

Recibo lo mismo que doy (justicia en el cambio)

Sin embargo, no puedo recibir cualquier cosa ni dar cualquier otra. O, más precisamente, lo que recibo debe tener alguna relación con lo que doy.

La octava premisa es que las cosas intercambiadas son de igual valor, deben ser equivalentes. El intercambio es entre equivalentes. El valor de lo dado determina lo que recibiré: un valor similar. No importa cuáles sean los valores de uso del intercambio, pero sí sus valores de cambio.

La novena premisa es que los valores de cambio tienen la cualidad de ser cuantitativos. Se relacionan ambos objetos cuantitativamente, en función de un común denominador. Como sabemos por la cuarta premisa, el valor de la cosa es comparable al esfuerzo o trabajo. Por tanto, el valor está en función del esfuerzo incorporado. El valor es la cantidad de esfuerzo incorporado.

TIEMPO

La hora (metro de la economía)

La décima premisa es que la medida del esfuerzo no es ni la energía, ni la velocidad, ni el resultado sino el tiempo. La cantidad de esfuerzo se mide por el tiempo de dedicación o de esfuerzo.

Quedan así delineadas las premisas fundamentales detrás de los manifiestos intercambios de mercancías.

SÍNTESIS

NECESIDAD

       Necesito comer.
1. Necesito esfuerzo para procurarme los satisfactores.

PROPIEDAD

2. Es mi esfuerzo.
3. Pongo esfuerzo en el satisfactor.
4. El satisfactor vale por el esfuerzo puesto por mí
     El único valor del satisfactor es el mío.
     Deducción
     Por tanto me pertenece todo el valor del satisfactor.
     Me pertenece el satisfactor.

NORMA (¿de la justa distribución del valor?)

5. La división del trabajo implica distribución.
6. El sujeto es egoísta.
7. Recibe si da

EQUIVALENCIA

8. Si da algo de igual valor.
9. El valor de cambio es cuantitativo.
     Deducción
     El valor es el trabajo (premisa 5).

TIEMPO

10. La cantidad de trabajo se mide por el tiempo.

El complejo esquema de la contemporaneidad de los clásicos, propio de una economía capitalista en pleno despegue, encontró la punta del hilo, el punto de partida, en la forma mercancía, y, más precisamente, partiendo del intercambio de tales mercancías adentrándose en su historia, la de su generación, su producción. Para ello, una imagen sencilla quedará involucrada y dará sentido a un proceso complejo: un hombre en estado de necesidad, con la mínima posesión de sus músculos para hacer útiles innumerables ofertas de la naturaleza que satisfarán sus requerimientos. Esta límpida imagen dará sentido a la necesidad, al esfuerzo o trabajo como procuración, al trabajo como productor de valor y, consecuentemente, al trabajo como fuente de propiedad. En el modelo simple de Locke, nos encontrábamos originariamente entre una situación de necesidad y su satisfacción por medio del esfuerzo. El hombre ante la naturaleza actuaba sobre ella y transformaba un objeto virgen en un objeto útil, capaz de satisfacer la necesidad detonante.

A esta simple imagen se le incorporará, oportunamente, un nuevo atributo: la división de tareas, que permitirá ahora comprender la necesidad de distribución toda vez que el cuerpo productor es colectivo. Avanzando un paso más, se fantaseará con dos intercambiadores, que sólo contarán con sus producciones y sólo con ellas para acceder a la satisfacción y, de esta manera, descubrir la norma "recibo si doy". La apropiación independiente de los productos, sumado al criterio "recibo lo que necesito si doy algo a cambio", nos lleva a que la distribución se materialice a través de la forma intercambio. Pero ello también nos permite avanzar sobre la equivalencia de los intercambios, cuya consecuencia es que agrega tal atributo a la norma de cambio: "Recibo lo que necesito si doy algo —igual— a cambio". Un igual sustentado en el trabajo que se halla tras él, particularmente, un trabajo cuantificado, medido en su tiempo de duración.

Sin apelar aún ni a un solo rentista, ni a un solo capitalista ni a un solo asalariado, el modelo de acople recibirá la mayor parte de sus sentidos de estas sencillas imágenes. Sentidos que permitirán a los pensadores clásicos hacernos comprender oportunamente las lógicas que rigen a rentistas, capitalistas y asalariados y entender y juzgar tanto sus producciones como, particularmente, sus distribuciones.

CAPÍTULO V

ECONOMÍA POLÍTICA CLÁSICA.
APELACIÓN A LA ANTROPOLOGÍA
(Smith - Ricardo - Marx - Mill)

Decíamos, al comienzo del capítulo anterior, que la búsqueda clásica de "la naturaleza de la riqueza" remitía, partiendo del fenómeno, a su trastienda, la generación del fenómeno. Pero también mencionamos que hacía referencia a los primeros tiempos de la humanidad, a los exponentes del primitivismo. Y ello, como en aquel caso, mucho antes de incursionar en la complejidad de la dinámica de las tres clases del capitalismo.

Habiendo expuesto algunos aspectos claves de la economía política clásica, no hemos hecho, hasta ahora, ninguna consideración de algo antropológico, a pesar de que sus exponentes apelaron intensamente a ello justamente en el núcleo de los presupuestos más fuertes. Mientras que en la base de la argumentación del valor no se apelaba ni a un rentista, ni a un capitalista ni a un asalariado, lo cierto es que sí se refirió profusamente a los primitivos. El primitivo tomó insistentemente el centro de la escena en el momento de ejemplificar, de persuadir, de aclarar, de hacer alguna explicación evidente y, algo muy decisivo, de definir si un fenómeno es particular o universal.

Como ya hemos visto en los primeros capítulos, el mundo primitivo solía constituirse como una imaginaria naturaleza de los fenómenos sociales contemporáneos. La economía, que no fue una excepción, se remontó a esa naturaleza para dar cuenta de la condición ontológica de necesidad humana y de las formas lógicas de valuación y justas de apropiación. El imperativo fisiológico de la alimentación y el acto social distributivo permitieron apelar a su tiempo "al uso económico" primitivo. La lógica de la mercancía y de su circulación se sostuvo, no excepcionalmente, con algún primitivo adecuado a la ocasión.

Tal como ocurriera con otros intereses contemporáneos, sean las desigualdades morales, el lenguaje o la sociedad civil (por nombrar sólo algunos ejemplos) cualquier intento que pretendiese algún grado de seriedad debía apelar a las formas más naturales para dar cuenta de las formas más culturales. La preocupación por la riqueza en la sociedad del capitalismo incipiente seguirá extensamente este camino. En 1776, un contemporáneo a Rousseau, Adam Smith, precursor oficial de la economía política,[1] escribe su clásica obra preocupado por hallar las raíces de la creación de riqueza o valor, y apelando para su explicación a estados primigenios. Si bien pocos como él insistieron tanto en este uso, los demás clásicos no le fueron a la zaga.

El mundo primitivo, que ya por esos tiempos había hallado su base más primaria de sustentación en las necesidades, se movía al ritmo de los cambios en los procesos de subsistencia, y reiteradamente moría o desaparecía cuando formas más complejas, como el dinero y la propiedad privada, hicieron su aparición y se consolidaron. En gran medida el cambio monetario anunciaba el fin del primitivismo y el comienzo de la civilización. Este cuadro de necesidades a través de estadios diferentes dio sentido, coherencia y, en consecuencia, cuenta del primitivismo en su totalidad.

```
Primitivo............................................subsistencia

Civilización............  ........................dinero
```

El mismo Smith, en sus clases de 1762 a 1763 —anteriores a su obra clásica—, reconoce los estadios de caza, pastoreo y agricultura, a los que agrega sin solución de continuidad el cuarto estadio, el de comercio (véase Apéndice II). Estadio que deja progresivamente atrás las viejas formas primitivas, aun las más avanzadas, y se asienta en las formas contemporáneas o su antesala:

> Desde la caída del Imperio Romano la política de Europa ha favorecido más las artes, las manufacturas y el comercio, actividades económicas propias de las ciudades, que la agricultura, actividad económica rural.
>
> (Smith, 1958: 5.)

Tiempos de manufacturas y comercios en los que se basará la preocupación de la ciencia económica, el fenómeno de la economía política,

> ... la economía política, que no aparece como verdadera ciencia hasta el período de la manufactura...
>
> (Marx, 1959, I: 297.)

Ciencia nueva que justamente aparece cuando el primitivismo, como

---

1.   Smith es a la economía lo que Morgan a la antropología: el reconocido punto de partida. Ello no impide que se hagan remisiones a antecedentes muy valiosos como los mercantilistas y los fisiócratas. Esto también ocurre en cualquier historia de la antropología, en general, bajo denominaciones como precursores, antecedentes, adelantados...

forma generalizada, ha fenecido. Aquella actividad económica rural, pro-totípica del *oikos*, autorreferenciada, antítesis de la economía comercial, se vuelve hacia afuera, política, por medio del comercio, en su forma cada vez más generalizada. Aun buscando en los predecesores de Smith, mer-cantilistas y fisiócratas, el fenómeno es un fenómeno de mercado.

Una sociedad en la que la propiedad privada, la mercantilización de la mano de obra, el dinero como medio de cambio, la fuerza de la tecnología como componente del proceso productivo y el intercambio de mercancías como forma de acceso a los bienes se expanden de forma tal que comien-zan a hegemoneizar las formas de organización de la producción. Pero una sociedad que también convive con una forma muy particular de encontrar sus sentidos: que ha perdido los referentes tracionales divinizados y los ha sustituido por otros nuevos, asentados en alguna forma de naturaleza. Una sociedad que prefiere hallar sus antecedentes en otras formas de so-ciedad, particularmente en las más originales, más primigenias, más simples.

Y es así como la ciencia económica —que no nace contemporánea-mente al fenómeno de la caza, el pastoreo o la agricultura, sino que es producto del comercio— y su fenómeno más llamativo: el intercambio de valores, razona como su época obliga a razonar. Las fundamentaciones requieren remontarse a un momento en que el atributo observado, justa-mente, resulta negado. Así como la desigualdad moral era un fenómeno de la época (véase cap. II), así como la sociedad civil era una preocupación reciente (véase cap. I), así también el cambio monetarizado como fenóme-no de amplia difusión es una preocupación reciente. Pero, de igual manera que en los casos ya ejemplificados, esta preocupación se remontará a tiempos en que aún no había surgido,se remitirá a estados en que reinaba por su ausencia, para dar cuenta de sí. La economía política, eminente-mente mercantil, extenderá las ramas de su árbol genealógico hasta los confines más remotos en que si hay algo por asegurar es la ausencia del intercambio mercantil. Una lógica en que lo humano presente surge del humano cuasi animal. A Rousseau le interesaban el origen de las des-igualdades morales, a Locke los orígenes de la sociedad civil, mientras que a Smith le atraería la búsqueda de la causa de la producción de riqueza en la Europa contemporánea y, como aquellos, apeló sin dudarlo a un ante-cedente modélico primitivo. Ahora la preocupación es por el cambio mo-netarizado, por este intercambio generalizado de cosas útiles, y, para dar cuenta de él, nuestros primitivos volverán a estar al alcance de la mano.

Unos primitivos que tendrán una imagen condicionada que posible-mente podamos sospechar. Teniendo a la vista la estructura antropológi-ca primaria, nosotros-otros (en que los etnógrafos son convocados a la observación de los otros, y donde la economía surge como una más de las disciplinas que se ocuparán del nosotros, un nosotros que nunca dejará de requerir al mundo de los otros) seguramente nos será de utilidad re-cordar, a efectos de inferir por dónde caminarán las apelaciones antropo-lógicas de los clásicos, nuestro cuadro del primer capítulo:

	ECONOMÍA	ANTROPOLOGÍA
POLÍTICO-ECONÓMICO	apropiación privada de la tierra apropiación por convención y trabajo	propiedad común de la tierra apropiación por trabajo
ECONÓMICO	valor por convención y trabajo escasez de tierras mucha población dinero acumulación comercio	valor intrínseco valor por trabajo abundancia de tierras poca población sin dinero trabajo para subsistir autoconsumo-regalo-trueque
ECONÓMICO CULTURAL	laboriosidad ambición pan vino vestimenta ropas	poca laboriosidad lo necesario bellotas agua desnudez hojas

En este cuadro, la apropiación, el valor, el dinero, la acumulación y la forma prototípica del comercio ya se perfilaban como el centro de la economía política clásica, reconociendo antesalas explicativas en las fuentes intrínsecas del valor, en las fuentes del valor agregado por el trabajo, en las situaciones del trueque y en la necesidad de la subsistencia. Los atributos de la economía política incipiente ya hallaban sus fundamentos más incontrastables en los atributos de la antropología.

Ahora el foco de nuestra atención estará en el valor de uso, la división del trabajo, la propiedad sustentada en el valor trabajo y el valor trabajo detrás de las relaciones equivalentes por medio del cual se medían, y, como entonces, todos estos conceptos convocarán primitivos a medida. Es éste el momento de presentarlos.

NECESIDAD Y NATURALEZA

La fórmula más fuerte y mínima de la necesidad y los medios de sus satisfacción es, como ya vimos, la que enfrenta al hombre ante la naturaleza. La necesidad aparecerá bajo su formula más evidente y persuasiva: "... para vivir hace falta comer, beber..." (Marx y Engels, 1970: 28) y el satisfactor en su referente más natural: "La tierra es su despensa primitiva..." (Marx, 1959, I: 132).

HOMBRE ....NATURALEZA
(necesidad)   (despensa de satisfactores)

Despensa bien representada en algo tan indispensable como el agua:

> No hay nada más útil que el agua...
>
> (Smith, 1958: 30.)
>
> El agua y el aire son sumamente útiles; son, además, indispensables para la vida...
>
> (Ricardo, 1959: 9.)

y de acceso muy fácil,[2] particularmente en situaciones de baja necesidad y de abundancia en el medio.[3] Necesidades inevitables, naturales a la animalidad, imperativos a satisfacer para sobrevivir, por un lado, y, sus satisfactores, también naturales, dados por la naturaleza, por otro, facilitados por ella. Dualidad que en los tiempos primitivos no sólo es necesaria sino que es prácticamente suficiente:

> El hombre se encuentra, sin que él intervenga para nada en ello, con la tierra (concepto que incluye también económicamente, el del agua), tal *y como en tiempos primitivos surte al hombre de provisiones y de medios de vida aptos para ser consumidos directamente...*
>
> (Marx, 1959, I: 131.)

dejando la sensación de una dación que no necesita mayor transformación:

> Los productos naturales de la tierra, pocos y totalmente independientes del hombre, son como una concesión de la naturaleza que podría compararse a esa pequeña suma de dinero que suele darse a los jóvenes para que trabajen y prueben su suerte.
>
> (James Stewart, *Principles of Political Economy*, Dublín, 1770, t. I, p. 116, citado en Marx, 1959, I: 131.)

La referencia a la utilidad más desnuda se halla en el satisfactor de la necesidad más imperiosa, o de las más imperiosas y —para verla con mayor pureza— allí donde no se mezcla aún con la mediación de algún esfuerzo intencionado. Así como el agua es un ejemplo evidente de la utilidad, los tiempos más primitivos lo serán de la ausencia de un esfuerzo racional para su obtención. Una primera instancia, una especie de preestado, cuasi prehumano, nuestro grado cero, en el que prácticamente la actividad es nula, o tan precariamente instintiva que ni merece llamarse ocupación:

> ... *las primeras formas de trabajo*, formas instintivas y de tipo animal [...] fondo prehistórico, la fase en que el trabajo humano no se ha desprendido aún de *su primera forma instintiva.*
>
> (Marx, 1959, I: 130-131.)

2.   Evidenciado por el bajo valor de cambio: poco esfuerzo en su obtención.
3.   Recordemos el estado de naturaleza.

Límite en que los bienes se hallan servidos casi naturalmente, casi sin actividad preconcebida. Situación difícil de encontrar hoy en día:

Tal vez no exista hoy en día ningún pueblo o comunidad que viva exclusivamente *del producto espontáneo de la vegetación.*
(S. Mill, 1943: 36.)

Pero sí en los inicios de la humanidad:

... salvo en los mismos comienzos de la sociedad humana.
(S. Mill, 1943: 47).[4]

Servicio de la naturaleza que en sus comienzos sólo requiere ser arrancado. Un esfuerzo que, sin embargo, no merece ser llamado trabajo.

Difícilmente se puede llamar empleo a arrancar frutos silvestres.
(Smith, cit. en Meek, 1981: 118.)

El hombre ante la naturaleza, casi sin esfuerzo (o por lo menos sin algo denominable seriamente trabajo), es un hombre en un estado inicial cuasi animal, y es la mejor figura de la simple dualidad necesidad-satisfacción, de carácter "natural". La transformación ronda el límite entre un bajo esfuerzo, meramente extractivo, y un esfuerzo mayor de conversión productiva.

NECESIDAD, TRABAJO Y NATURALEZA

Pero la presentación especular hombre-naturaleza obliga rápidamente a un mediador que nunca será abandonado: el esfuerzo humano intencionado y transformador. Para obtener las cosas útiles, necesarias para la vida, el hombre debe actuar sobre la naturaleza:

... en un principio, el proceso de trabajo se entablaba solamente entre el hombre y la tierra, es decir, entre el hombre y algo que existía sin su cooperación.

(Marx, 1959, I: 136.)

Algo al servicio de las necesidades, dado, ofrecido pero que requerirá, excepto en aquellos primarios tiempos de la cuasi animalidad, de una acción intencional con el objeto de lograr la satisfacción:

El proceso de trabajo [...] en sus elementos simples y abstractos, es la actividad racional encaminada a la producción de valores de uso,

---

4. Excepción hecha por S. Mill a la generalización *"los objetos suministrados por la naturaleza no sirven para satisfacer necesidades humanas sino después de sufrir alguna transformación mediante el esfuerzo humano"* (S.Mill, 1943: 47).

la asimilación de las materias naturales al servicio de las necesidades humanas, la condición general del intercambio de materias entre la naturaleza y el hombre, *la condición natural eterna de la vida humana*, y, por tanto, independiente de las formas y modalidades de esta vida y común a todas las formas sociales por igual.

(Marx, 1959, I: 136.)

La fórmula más simple hombre-esfuerzo-naturaleza, bajo la denominación hombre-trabajo-naturaleza, significa que aquel esfuerzo implica intencionalidad y transformación. Fórmula que en el mundo humano es una "condición natural", al punto que es suficiente para mostrar esta instancia:

Por eso, para exponerla, *no hemos tenido necesidad de presentar al trabajador en relación con otros. Nos bastaba con presentar al hombre y su trabajo de una parte, y de otra la naturaleza y sus materias.* Del mismo modo que el sabor del pan no nos dice quién ha cultivado el trigo, este proceso no nos revela tampoco las condiciones bajo las cuales se ejecutó, no nos descubre si se ha desarrollado bajo el látigo brutal del capataz de esclavos o bajo la mirada medrosa del capitalista, si ha sido Cincinato quien lo ha ejecutado, labrando su par de jugera, o ha sido *el salvaje el que derriba una bestia de una pedrada.*

(Marx, 1959, I: 136.)

Justamente la instancia producción, proceso de trabajo, que es la que queda instaurada, se construye en sus componentes indispensables sin ninguna necesidad de un tercero. En gran medida condice con la fórmula que permitía en los comienzos del siglo XVIII hallar aisladas las premisas de la producción y la satisfacción. Y, como en aquel entonces, el mundo primitivo juega aquí sus papeles. Primero, la simplicidad del primitivo permite dar cuenta de un estado en que esta relación más que abstracta es real. La imagen concreta de un tiempo originario en que la situación simple se ha dado otorga a cualquier abstracción una realidad más que interesante. Éste es el caso de "en un principio" a que se hace referencia en una de las citas precedentes. El segundo papel es el de completar las ejemplificaciones y dar cuenta de un hecho más allá de la particularidad social, universal. Todos los casos son garantizados por los dos extremos: desde "la mirada medrosa del capitalista", como actualidad, hasta el caso de "el salvaje que derriba una bestia de una pedrada", como cierre inicial. Lo real y la universalidad, dos aspectos de apelación al primitivo en las entrañas de lo económico que se suman a la referencia en el apartado anterior de una situación límite donde aún el trabajo, el trabajo humano, intencional, está ausente, y se halla un mero esfuerzo instintivo.

Volvamos a nuestra fórmula de trabajo humano más simple.

El trabajo es, en primer término, un proceso entre la naturaleza y el hombre, proceso en que éste realiza, regula y controla mediante su propia acción su intercambio de materias con la naturaleza. En este proceso, el hombre se enfrenta como un poder natural con la materia de la naturaleza. Pone en acción las fuerzas naturales que forman su corporeidad, los brazos y las piernas, la cabeza y la mano, para de ese modo asimilarse, bajo una forma útil para su propia vida, las materias que la naturaleza le brinda.

(Marx, 1959, I: 130.)

Forma que requiere de una intencionalidad y que si bien estuvo precedida por una fase preintencional (natural = hombre, naturaleza) que podríamos considerar condición, no será la que ahora nos ocupe.

Aquí no vamos a ocuparnos, pues no nos interesan, de las *primeras formas de trabajo, formas instintivas y de tipo animal.* Detrás de la fase en que el obrero se presenta en el mercado de mercancías como vendedor de su propia fuerza de trabajo, aparece, en un fondo prehistórico, la fase en que el trabajo humano no se ha desprendido aún de su primera forma instintiva. *Aquí, partimos del supuesto del trabajo plasmado ya bajo una forma en la que pertenece exclusivamente al hombre.*

(Marx, 1959, I: 130.)

Esta nueva fase, en la que el trabajo humano aparece en sus cualidades distintivas, es el trabajo racional, elemento que desde nuestros primeros autores distingue el "movimiento animal al satisfactor" de un "movimiento humano al satisfactor".

Una araña ejecuta operaciones que semejan las manipulaciones del tejedor, y la construcción de los panales de las abejas podría avergonzar, por su perfección, a más de un maestro de obras. Pero hay algo en que el peor maestro de obras aventaja, desde luego, a la mejor abeja, y es el hecho de que, antes de ejecutar la construcción, la proyecta en su cerebro. Al final del proceso de trabajo, brota un resultado que antes de comenzar el proceso existía ya en la mente del obrero; es decir, un resultado que tenía ya existencia ideal.

(Marx, 1959, I: 130-131.)

Esta estructura entre "necesidad-trabajo-naturaleza" ha servido para discutir la existencia del segundo como transformador de lo natural, potencialmente utilizable, en realmente útil para el hombre (tal como observamos, por el absurdo, en el apartado anterior, al considerar la mera acción de extracción sin transformación) y para discutir la cualidad específicamente humana del trabajo frente a la acción similar en el animal (distinción aportada por la racionalidad). Dos características del trabajo, transformación e intencionalidad, a las que se suma ahora la de ser desagradable:

Los requisitos de la producción son dos: trabajo y objetos naturales apropiados.

El trabajo es corporal o mental, o, expresando la distinción en forma más comprensiva, muscular o nervioso; y es necesario incluir en la idea, no sólo el esfuerzo en sí, sino todas las sensaciones de naturaleza desagradable, todas las incomodidades corporales o molestias mentales, relacionadas con el empleo de nuestros pensamientos o de nuestros músculos, o de ambos, en determinada ocupación. En cuanto al otro requisito —objetos naturales apropiados— se ha de observar que existen o crecen espontáneamente algunos objetos de naturaleza apropiada para satisfacer las necesidades humanas. *Hay cuevas y árboles huecos que pueden servir de refugio; frutos, raíces, miel silvestre y otros productos naturales que pueden servir para sustentar la vida humana*; pero aun en estos casos se requiere una cantidad considerable de trabajo, no para crear los productos, sino para encontrarlos y apropiárselos.

(S. Mill, 1943: 47.)

Transformación racional sacrificada que completa el concepto de trabajo y permite distinguirlo de algunas otras acciones como las extractivas (no transformadoras), las instintivas (no intencionales) y las placenteras (no desagradables). El trabajo quedará así asociado a tres componentes: dar utilidad real al objeto potencialmente útil, no por instinto sino por un acto de la voluntad que implica una acción sacrificada. Para los clásicos, la utilidad, la razón y el costo serán premisas básicas del trabajo:

En todos los casos, excepto en los que hemos citado *(salvo en los mismos comienzos de la sociedad humana)* y que carecen de importancia, los objetos suministrados por la naturaleza no sirven para satisfacer necesidades humanas sino después de sufrir alguna transformación mediante el esfuerzo humano. *Hasta* los animales salvajes de la selva y del mar, de los que derivan su subsistencia *las tribus cazadoras y pescadoras* —aun cuando el trabajo que requieren es principalmente el necesario para apropiárselos— han de ser previamente muertos, divididos en fragmentos, y en casi todos los casos sometidos a algún proceso culinario para poder usarlos como alimento; operaciones que requieren cierto grado de trabajo humano.

(S. Mill, 1943: 47.)

Excepto en aquellos comienzos ya mencionados, en los que está ausente el acto intencional esforzado hacia un potencial satisfactor, merece el nombre de trabajo la tarea humana de acceso a la despensa ofrecida por la naturaleza pero cuyos frutos no han sido terminados de elaborar por ella (los productos naturales son preelaborados). El trabajo es un acto sobre tales "objetos naturales apropiados". Un acto de puesta en servicio que es lo que el trabajo humano logra:

El trabajo vivo tiene que hacerse cargo de estas cosas,[5] resucitarlas de entre los muertos, convertirlas de valores de uso potenciales en valores de uso reales y activos. Lamidos por el fuego del trabajo, devorados por éste como cuerpos suyos, fecundados en el proceso de trabajo con arreglo a sus funciones profesionales y a su destino, estos valores de uso son absorbidos, pero absorbidos de un modo provechoso y racional, como elementos de creación de nuevos valores de uso, de nuevos productos, aptos para ser absorbidos a su vez como medios de vida por el consumo individual o por otro proceso de trabajo, si se trata de medios de producción.

(Marx, 1959, I: 135.)

Los requisitos prototípicos de la producción, necesidad, trabajo y naturaleza, se ensamblan así en una estructura mínima, en la que el primitivismo ha cumplido su rol protagónico: desde límite en que aún no existe algo denominable apropiadamente trabajo hasta la universalidad humana del trabajo (casi una tautología), para lo cual no se requiere de ningún otro ser, sólo de dos elementos más que universales, naturales, como la necesidad y la naturaleza. Y sobre estas naturalidades, en que el hambre y la alimentación son los más seguros exponentes, se extenderá un puente, el trabajo, cuyo objeto será unir a ambas, y lograr la satisfacción. Es sobre esta base como se constituirá una larga historia económica de los procesos para la subsistencia.

Es sobre esta estructura que los estadios reaparecerán desde el primer exponente clásico (Smith) hasta en los últimos (S. Mill)[6] (véase Apén-

---

5. Si bien Marx en esta cita se refiere específicamente a "cosas" con trabajo anterior, se puede extender el concepto sin alterar su sentido a la oferta virgen de la naturaleza porque el énfasis está en el papel activador del trabajo vivo.

6. Es interesante mencionar que en Marx también se encuentra rondando la idea de los estadios. El de recolección ya lo hemos visto en las descripciones acerca de la relación hombre-naturaleza. Pero los demás estadios no le son ajenos, según lo atestigua la cita siguiente: "... la primera forma de producción de toda sociedad, que ha llegado a cierta estabilidad: a *la agricultura*. Pero nada sería más erróneo que ello. En todas las formas de sociedad, una producción determinada y las relaciones engendradas por ella asignan su rango y su importancia a todas las otras producciones y a las relaciones engendradas por éstas. Es como una iluminación general en que son bañados todos los colores, y que modifica sus tonalidades particulares. Es como un éter particular que determina el peso específico de todas las formas de existencia que surgen en él. He ahí, por ejemplo, *los pueblos de pastores (los simples pueblos de cazadores y de pescadores están más allá del punto en que comienza el verdadero desarrollo). Entre ellos aparece cierta forma de agricultura*, una forma esporádica. Esto es lo que determina entre ellos la forma de la propiedad de la tierra. Se trata de una propiedad colectiva, y conserva en mayor o menor medida esa forma según dichos pueblos se mantengan más o menos apegados a su tradición: por ejemplo, la propiedad comunal de los eslavos. Entre los pueblos de agricultura sólidamente implantada —y dicha implantación constituye ya una etapa importante—, en los que predomina esa forma de cultura, lo mismo que en las sociedades antiguas y feudales, la propia industria, lo mismo que su organización y las formas de propiedad que le corresponden, tienen más o menos el carácter de la propiedad territorial" (Marx,1970: 219-220). "La comunidad tribal natural [...] actividad de la que viven, actividad como de pastor, cazador, labrador, etc." (Marx, 1984: 85).

dices II y III). Procesos de trabajo atados a particulares ofertas de la naturaleza darán nombre y cuenta de cada uno de tales estadios:

Estadio cero	Recolección	H-N	sin trabajo propiamente dicho
Estadio 1	Caza y pesca	H-T-N	
Estadio 2	Pastoreo	H-T-N	
Estadio 3	Agricultura	H-T-N	

Procesos de obtención de alimentos para que nadie dude de la presencia de la necesidad ni de su perfecto satisfactor, la naturaleza. Una estructura que se asienta sobre la necesidad-satisfacción y sobre el trabajo-satisfactor, cuyos ejemplos son las necesidades más imperiosas (las comunes con los animales), la satisfacción más sencilla (lo ofrecido casi espontáneamente por la naturaleza), el esfuerzo más simple y natural (el corporal instintivo) y los satisfactores más evidentemente compatibles (beber agua). Sobre esta fórmula, sobre estos sentidos, sobre estas abstracciones, aparecen los ejemplos primitivos que concretan los presupuestos otorgándoles referentes históricos, paulatinos y ordenados. Suave y progresivamente, los atributos, detrás del modo comercial, van apareciendo caracterizados por cada estadio y caracterizando a cada estadio.

Estadio cero	Recolección	H-N	sin trabajo propiamente dicho
Estadio 1	Caza y pesca	H-T-N	sin propiedad
Estadio 2	Pastoreo	H-T-N	sin división de trabajo
Estadio 3	Agricultura	H-T-N	¿sin comercio?
Estadio 4	Comercio		con propiedad con división del trabajo con comercio

El primitivo (interesante modelo para ir construyendo, desde la abstracción, explicaciones persuasivas y entendibles para nosotros) no sólo aparece esporádicamente en las argumentaciones sino que se va dibujando (de hecho lo estuvo previamente) como exponente para cada instancia de la discusión. El primitivo ha sido válido pero también ha sido validado gracias a lo precedente y lo posterior. La necesidad encontró su estadio de recolección y la recolección se entendió como el estadio de la necesidad. El concepto de trabajo fue cómodo a partir del estadio de la caza y la pesca, no del de recolección, y la caza y la pesca particularmente se vieron caracterizadas como el primer proceso de trabajo de la humanidad. La propiedad se insinuará sólo en el estadio siguiente, el de pastoreo, y este estadio tendrá sentido sólo a partir de la inclusión de la propiedad en la argumentación. Y la agricultura, ese incipiente proceso de división de trabajo, será modelo al ejemplificar esta división. Regresivos "noes" que van desapareciendo gracias a la aparición de lo negado.

Es sobre tal desarrollo que adviene el cuarto estadio, un estadio de comercio que supone un "proceso de trabajo para satisfacer las necesidades". Para dar cuenta de este cuarto estadio se tienen en cuenta sus antecedentes, los estadios primitivos. Al comercio lo anteceden la caza, el pastoreo y la agricultura. Tres procesos de subsistencia alimentaria, de valor intrínseco, natural, anterior a una forma de intercambio no necesariamente útil intrínsecamente. Procesos primitivos que, para tener su sentido, podían desarrollarse sin más que un hombre ante la naturaleza; un intercambio orgánico, como ya se mencionó antes. Sin embargo, son tres procesos que dan sustento a una forma, la comercial, que sólo puede darse si otro hombre integra la estructura. Mientras los procesos alimentarios se pueden pensar como casi naturales, el proceso de intercambio comercial es imposible. Estos riesgos se ven con claridad en la *Enciclopedia*: Ya D'Alembert, en 1751, clasificaba los procesos de caza, pastoreo y agricultura como "Ciencia de la naturaleza", dentro de la subclasificación "Física". Mientras que al comercio, cuarto estadio, lo ubicaba como "Ciencias del hombre", en la subclasificación "Moral" (D'Alembert, 1984: 134). Una ciencia del hombre, la económica, que definitivamente hará crecer sus raíces en la ciencia de la naturaleza.

Lo primitivo en oposición ofrece así, en su forma naturalizada, la antítesis de lo comercial aunque, en progresividad, brinda la incorporación parcial y paulatina de sus atributos.

NECESIDAD, TRABAJO, NATURALEZA Y DIVISIÓN DEL TRABAJO

Para comprender la relación hombre-trabajo-naturaleza, más allá de sus contenidos, es posible prescindir de cualquier relación con otro hombre, como ya lo vimos: "... no hemos tenido necesidad de presentar al trabajador en relación con otros. Nos bastaba con presentar al hombre y su trabajo, de una parte, y de otra la naturaleza y sus materias" (Marx, 1959, I: 136). Esta fórmula, real o abstracta, cercana a la imagen del estado de naturaleza, real o ideal, no hace más que presentar los componentes mínimos de la trastienda económica.

> Como creador de valores de uso, es decir como trabajo útil, el trabajo es, por tanto, condición de vida del hombre, y condición *independiente de todas las formas de sociedad*, una necesidad perenne y natural sin la que no se concebiría el intercambio orgánico entre el hombre y la naturaleza ni, por consiguiente, la vida humana.
>
> (Marx, 1959, I: 10.)

Las leyes y condiciones que rigen la producción de la riqueza participan del carácter de realidades físicas.

(S. Mill, 1943: 191.)

Pero el intercambio entre el hombre y la naturaleza (proceso que encierra los elementos básicos de la producción) requiere un proceso adicional correlativo a la aparición de la división de trabajo:

Tan pronto como se hubo establecido la división del trabajo sólo una pequeña parte de las necesidades de cada hombre se pudo satisfacer con el producto de su propia labor.

(Smith, 1958: 24.)

A partir de ese momento, todo acto de producción trae aparejada necesariamente alguna forma de distribución del producto obtenido. Y si el intercambio orgánico implicaba una fórmula "independiente de todas las formas de sociedad" —e incluso de toda idea de sociedad— la distribución siempre implica una forma social. La estructura generativa (la de producción hombre-trabajo-naturaleza) era considerada natural por todos los autores. Este concepto se modifica con la distribución, que hace entrar en juego lo social. Distribución social que se debatirá entre los particularistas:

No sucede lo propio con la distribución de la riqueza. Ésta *depende tan sólo de las instituciones humanas.*

(S. Mill, 1943: 191.)

y los universalistas:

... *en distintas formas de sociedad,* las proporciones del producto total de la tierra que serán imputadas a cada una de estas tres clases, bajo los nombres *de renta, utilidad y salarios...*

(Ricardo, 1959: 5.)

En toda sociedad o comarca existe una tasa promedio o constante de *salarios y de beneficios..*

(Smith, 1958: 54.)

Veremos más adelante esta discrepancia entre los autores acerca del alcance de lo social.

Mientras tanto, y siguiendo con los puntos comunes, digamos que todos los clásicos consideran que la división del trabajo tiene y ha tenido una tendencia creciente en la historia de la humanidad.

En una tribu de cazadores o pastores un individuo, pongamos por caso, hace las flechas o los arcos con mayor presteza y habilidad que otros. Con frecuencia los cambia por ganado o por caza con sus compañeros, y encuentra, al fin, que por este procedimiento consigue una mayor cantidad de las dos cosas que si él mismo hubiera salido al campo para su captura. Es así como, siguiendo su propio interés, se dedica casi exclusivamente a hacer arcos y flechas, convirtiéndose en una especie de armero. Otro destaca en la construcción del andamiaje y del techado de sus pobres chozas o tiendas, y así se acostumbra a ser útil a sus vecinos, que lo recompensan igualmente con ganado o caza, hasta que encuentra ventajoso dedicarse por completo a esa ocupación, convirtiéndose en una especie de carpintero constructor. Parejamente otro se hace herrero o calderero, el de más allá curte o trabaja las pieles, indumentaria habitual de los salvajes. De esta suerte, la certidumbre de poder cambiar el exceso del producto de su propio trabajo, después de satisfechas sus necesidades, por la parte del producto ajeno que necesita, induce al hombre a dedicarse a una sola ocupación, cultivando y perfeccionando el talento o el ingenio que posea para cierta especie de labores.

(Smith, 1958: 17-18.)

Dentro de la familia, y más tarde, al desarrollarse ésta, dentro de la tribu, surge una división natural del trabajo, basada en las diferencias de edades y de sexo, es decir, en causas puramente fisiológicas, que, al dilatarse la comunidad, al crecer la población y, sobre todo, al surgir los conflictos entre diversas tribus, con la sumisión de unas a otras, va extendiendo su radio de acción.

(Marx, 1959, I: 286.)

División que sostendrá siempre una tendencia creciente hasta ahora, aun cuando nuestros primitivos alcancen sus últimos estadios, los más avanzados:

La agricultura, por su propia naturaleza, no admite tantas subdivisiones del trabajo, ni hay división tan completa de sus operaciones como en las manufacturas. Es imposible separar tan completamente la ocupación del ganadero y del labrador como se separan los oficios del carpintero y del herrero.

(Smith, 1958: 9.)

Para estudiar el trabajo común, es decir, directamente socializado, no necesitamos remontarnos a *la forma primitiva* del trabajo colectivo que se alza en los umbrales históricos de todos los pueblos civilizados. *La industria rural y patriarcal de una familia campesina* [...] nos brinda un ejemplo mucho más al alcance de la mano.

(Marx, 1959, I: 42-43.).

Lo común es la apelación al primitivismo, sea en las formas más primarias, en las que la división del trabajo casi no existe, sea en las formas primitivas más avanzadas, donde existe pero incipientemente, con el fin de ofrecer en ambos casos la imagen de una división del trabajo menor que la actual. Es un ejemplo más de cómo el último estadio primitivo (casi la civilización) puede implicar el máximo nivel de avance respecto de los primeros pasos del hombre, o puede representar (en oposición al estadio contemporáneo) lo primitivo, al lado de lo primigenio.

Sin embargo, vale resaltar, tal como puede verse en los ejemplos, que aún mantenemos una visión tecnológica o, sino, una natural de la división.

De otra parte, brota, como ya hemos observado, el intercambio de productos en aquellos puntos en que entran en contacto diversas *familias, tribus y comunidades*, pues en los orígenes de la civilización no son los individuos los que tratan,[7] sino *las familias, las tribus*, etc. Diversas comunidades descubren en la naturaleza circundante diferentes medios de producción y medios de sustento. Por tanto, su modo de producir, su modo de vivir y sus productos varían. Estas *diferencias naturales* son las que, al entrar en contacto unas comunidades con otras, determinan el intercambio de los productos respectivos y, por tanto, la gradual transformación de estos productos en mercancías. No es el cambio el que crea la diferencia entre las varias órbitas de producción; lo que hace el cambio es relacionar estas órbitas distintas las unas de las otras, convirtiéndolas así en ramas de una producción global de la sociedad unidas por lazos más o menos estrechos de interdependencia. Aquí, la división social del trabajo surge por el cambio entre órbitas de producción originariamente distintas, pero independientes las unas de las otras. Allí donde la división fisiológica del trabajo sirve de punto de partida, los órganos especiales de una unidad cerrada y coherente se desarticulan los unos de los otros, se faccionan —en un proceso de desintegración impulsado primordialmente por el intercambio de mercancías con otras comunidades— y se independizan hasta un punto en que el cambio de los productos como mercancías sirve de agente mediador de enlace entre los diversos trabajos. Como se ve, en un caso adquiere independencia lo que venía siendo dependiente, mientras que en el otro, órganos hasta entonces independientes pierden su independencia anterior.

(Marx, 1959, I: 286.)

Concepto tecnonatural que permitirá llevar el plano de discusión de la división del trabajo al de la productividad. Hecho sobre el que no nos extenderemos aquí, pero que estará íntimamente relacionado con las ventajas productivas de la división del trabajo, y que fuera insistentemente abordado por Smith apelando a los primitivos y considerando la falta de desarrollo de la división de tareas una importante causa de sus pobrezas y atrasos.[8]

---

7. Esta visión intergrupal vale para Marx. Pero Smith, en sus clases (véase Apéndice II) también insinúa esta idea, que parece diluirse después en los ejemplos de *La riqueza de las naciones*.
8. Si se quiere seguir los argumentos acerca de la pobreza primitiva, véase Smith, 1958: 3, 4, 15, 17, 18 y 23 como ejemplo.

Mencionemos, sin embargo, que gracias a la visión tecnonatural se ha logrado cierto acuerdo en el presupuesto de la división del trabajo. Sería imposible pensar las condiciones que aún debemos recorrer del valor de cambio sin este presupuesto trabajo, con prescindencia de la discusión sobre sus formas.

Hasta ahora nos hemos mantenido al margen de las discusiones entre los clásicos, y ello fue posible gracias a que sus discrepancias notables recién comienzan a partir del concepto de división del trabajo. El último reconocimiento común parece estar en esta noción, y las primeras diferencias a partir de ella. La división del trabajo es el punto de inflexión que instaura una polémica entre los clásicos.

La discrepancia más fuerte entre los clásicos reside en que algunos de ellos (Smith y Ricardo) derivan automáticamente de la división del trabajo el resto de las premisas: propiedad privada y necesariedad del cambio, mientras que otros (S. Mill y Marx) la consideran como condición necesaria pero insuficiente. Esto se verá reforzado por la existencia de dos primitivos antitéticos: los primeros lo imaginarán como un contemporáneo,[9] mientras que los segundos lo adscribirán a un todo institucional previo (sea sobre la base de un modelo fisiológico o arbitrariamente institucional). Estos dos modelos, el que universaliza los comportamientos y el que los particulariza en el ámbito de la distribución, corresponden a los primeros clásicos y a los últimos clásicos, respectivamente.[10] Lo notable es que para sustentar los conceptos *hasta la división del trabajo* no fue necesario introducir esta discusión. Hasta ahí, el individuo aislado era compatible y suficiente. Es *a partir de la división de trabajo* cuando la figura aislada es insuficiente, y es en su fase no meramente productiva sino distributiva donde se establece la discusión.

NECESIDAD, TRABAJO, NATURALEZA, DIVISIÓN DEL TRABAJO Y CAMBIO

Para los primeros clásicos, las premisas que siguen a la división del trabajo llevan automáticamente al valor de cambio, pues están implícitas o son derivadas automáticamente de la propiedad privada, el valor trabajo y la condición "recibo si doy". Para los últimos, estas premisas no son condiciones de la división del trabajo. Es por esto que, para aquéllos —apenas se detecta la división del trabajo—, el primitivo se torna un cambiador de objetos: la propiedad derivada del trabajo y las lógicas de Man-

9. Claramente ejemplificable por la cita que ya hiciéramos en pp. 121-122 (Smith, 1958: 17-18), que muestra a un primitivo con todas las particularidades de un individuo, interesado, propietario, calculador y ambicioso.
10. Como veremos más adelante, las figuras comunitarias originarias se desprenden del espíritu de mediados del siglo xix, y, como ya vimos, las del individuo aislado del espíritu del xviii. Ello no implica que existiesen visiones sociales desde el siglo xviii así como existen visiones individualistas en el xix.

devielle y de Bentham son universalizadas. De ahí que puedan ejemplificar fuertemente con nuestros primitivos los argumentos contemporáneos hasta sus útimas consecuencias.

> El hombre subviene la mayor parte de sus necesidades cambiando el remanente del producto de su esfuerzo, en exceso de lo que consume, por otras porciones del producto ajeno, que él necesita. El hombre vive así, gracias al cambio, convirtiéndose, en cierto modo, en mercader, y la sociedad misma prospera hasta ser lo que realmente es, una sociedad comercial.
>
> (Smith, 1958: 24.)

apelando a la presencia de monedas primitivas como muestras del cambio:

> En las edades primitivas de la sociedad se dice que el ganado fue el instrumento común de comercio...
>
> (Smith, 1958: 25.)

Los últimos clásicos necesitan detectar otras premisas. La apropiación privada y la conducta "recibo si doy" son una posibilidad en el universo de la división del trabajo, no una necesidad:

> ... si bien es cierto que el intercambio privado supone la división del trabajo, es falso decir que la división del trabajo supone el intercambio privado. *Entre los peruanos, por ejemplo, el trabajo estaba profundamente dividido*, aunque no había intercambio privado, intercambio de productos en forma de mercancía.
>
> (Marx, 1970: 51-52.)

Discrepancia que el mismo autor marca críticamente:[11]

> Individuos que producen en sociedad, y por lo tanto una producción de individuos socialmente determinada: tal es, naturalmente, el punto de partida. El cazador y el pescador individuales y aislados, por los cuales comienzan Smith y Ricardo, forman parte de las chatas ficciones del siglo XVIII. Robinsonadas que en modo alguno expresan, como lo imaginan ciertos historiadores de la civilización, una simple reacción contra los excesos de refinamiento y un regreso a un estado natural mal entendido. Del mismo modo, *El contrato social* de Rousseau, que establece, entre sujetos independientes por naturaleza, relaciones y vínculos por medio de un pacto, tampoco se basa en semejante naturalismo.
>
> (Marx, 1970: 193.)

---

11. Aunque para nosotros por ahora sólo tiene el valor de advertir las diferentes construcciones del primitivo.

Antítesis de la visión de quienes imaginan un cambio automático de mercancías a medida que crece la división del trabajo y la de quienes lo consideran sólo una posibilidad a medida que crece tal división.

NECESIDAD, TRABAJO, NATURALEZA, DIVISIÓN DEL TRABAJO, CAMBIO Y PROPIEDAD

Ninguno de los autores duda de que, para que exista la forma cambio, debe existir propiedad sobre los bienes intercambiados. Justamente, la presunción de existencia o inexistencia de tal propiedad lleva a la discrepancia sobre la existencia de cambio entre ellos. Tanto la particularidad como la universalidad necesitan cerrar el universo

> ... *en cualquier estado (social)* excepto el de absoluto aislamiento, no se puede disponer de nada sin el consentimiento de la sociedad [...] Incluso lo que una persona ha producido con su propio trabajo, sin ayuda de nadie, no puede retenerlo si no es con el permiso de la sociedad [...] La distribución de la riqueza depende, por consiguiente, de las leyes y las costumbres de la sociedad. Las reglas que la determinan son el resultado de las opiniones y los sentimientos de la parte gobernante de la comunidad, y varían mucho según las épocas y los países...
>
> (S. Mill, 1943: 192.)

Según esta visión, en todas las épocas la distribución está sujeta a pautas sociales, incluso la obviedad egocéntrica propiedad-trabajo. Es la sociedad la que da lugar tanto a lo común como a lo privado. Esta parte de la afirmación es universal. Pero la forma difiere según las épocas. Esta última es una afirmación particularista. Hecho social y particularismo quedarán asociados indisolublemente.

> *Cuanto más remontamos el curso de la historia,* más aparece el individuo —y por consiguiente también el individuo productor— en un estado de dependencia, como miembro de un conjunto más grande: ese estado se manifiesta, en primer lugar, en forma completamente natural, en la familia, y en la familia ampliada, hasta formar la tribu; luego, en las diferentes formas de comunidad surgidas de la oposición y la fusión de las tribus. Sólo en el siglo XVIII, en la "sociedad burguesa", las distintas formas del conjunto social se presentan al individuo como un simple medio de realizar sus objetivos particulares, como una necesidad exterior. Pero la época que engendra ese punto de vista, el del individuo aislado, es precisamente aquella en que las relaciones sociales (que desde ese punto de vista adquieren un carácter general) alcanzan el máximo desarrollo que hayan conocido. En el sentido más literal, el hombre es un animal político, y no sólo un animal social, sino un animal que sólo puede aislarse en la sociedad. La producción

realizada fuera de la sociedad por el individuo aislado —hecho excepcional, que podría sucederle a un civilizado trasportado por azar a un lugar desierto, y que poseyera ya en potencia las fuerzas propias a la sociedad— es algo tan absurdo como lo sería el desarrollo del lenguaje sin la presencia de indivuos vivos y hablando juntos.

(Marx, 1970: 194.)

En el mundo inicial lo comunal se constituye en la norma; en el actual, lo individual es la pauta. El particularismo no es un relativismo a ultranza sino particularidades de dos mundos:

La historia nos muestra muy pronto, en la propiedad común (por ejemplo, entre los indios, los eslavos, los antiguos celtas, etc.), *la forma primitiva*, que bajo el aspecto de propiedad comunal representará durante mucho tiempo un papel importante.

(Marx, 1970: 198.)

Para estudiar el trabajo común, es decir, directamente socializado, no necesitamos remontarnos a la forma primitiva del trabajo colectivo que se alza en los umbrales históricos de todos los pueblos civilizados.

(Marx, 1959, I: 42.)

Pues bien, esta relación de mutua independencia no se da entre los miembros de las comunidades naturales y primitivas, ya revistan la forma de una familia patriarcal, la de un antiguo municipio indio, la de un estado inca, etc. El intercambio de mercancías comienza allí donde termina la comunidad.

(Marx, 1959, I: 50-51.)

En los estados primitivos de la sociedad rara vez se reconocía validez al legado; prueba evidente, si no existieran otras, de que la propiedad se concebía en una manera completamente distinta a como se concibe hoy.

(S. Mill,1943: 210; cita a Maine.)[12]

... *la última forma de la familia patriarcal* (la familia feudal) desapareció hace mucho tiempo, y la unidad social no es ya la familia [...] sino el individuo [...] Ahora la propiedad es inherente a los individuos, no a las familias...

(S. Mill, 1943: 210.)

Siendo los contemporáneos primitivos también buenos ejemplos para el caso:

---

12. S. Mill asocia herencia con propiedad no individual y legado con propiedad individual, basado en los atributos de disposición condicionada y libre disposición, respectivamente. Con esta aclaración, un ejemplo más de la ausencia de propiedad privada es la siguiente cita: "En las épocas primitivas la propiedad de una persona difunta pasaba a sus herederos..." (S. Mill, 1943: 209).

... todavía hoy los indios nos podrían ofrecer todo un mapa con múltiples muestras de esta forma de propiedad, aunque en estado ruinoso algunas de ellas. Un estudio minucioso de las formas asiáticas, y especialmente de las formas indias de propiedad colectiva, demostraría cómo de las distintas formas de la propiedad colectiva natural se derivan distintas formas de disolución de este régimen. Así, por ejemplo, los diversos tipos originales de propiedad privada romana y germánica tienen su raíz en diversas formas de la propiedad colectiva india.

(Marx 1959, I: 42.)

Los últimos clásicos desechan la universalidad de la propiedad privada y su conducta derivada. Quedan así claramente delimitados, más que innumerables sociedades, dos mundos, y, en ellos, dos imágenes del mundo primitivo: en un caso la propiedad comunal y en otro la propiedad individual. Dos imágenes del primitivo que marcan la particularidad o la universalidad de un fenómeno, pero que también sirven para pensar de dos maneras diferentes al mismo primitivo. Planteados estos antagonismos sobre aquel mundo, el economista político trabajará sólo sobre lo contemporáneo donde, y aquí no hay discrepancia, la propiedad privada es la que rige:

... durante mucho tiempo aún, el economista político se interesará sobre todo en las condiciones de existencia y de progreso inherentes a una sociedad basada en la propiedad privada y en la rivalidad personal...

(S. Mill, 1943: 206.)

Con tal asignación, sólo sería esperable que un economista político se dedicara sólo al *nosotros*, o, en su defecto, sólo podrían tener pretensión de estudiar a los *otros* los que los consideren propietarios individuales. Sólo los primeros clásicos.

... economía política [...] explicar en qué consiste el ingreso regular del conjunto de los moradores de un país o cuál ha sido la naturaleza de aquellos fondos que han venido a satisfacer su consumo anual en diferentes épocas y naciones.

(Smith, 1958: 5-6.)

Pero, en distintas formas de sociedad, las proporciones del producto total de la tierra que serán imputadas a cada una de estas tres clases (el propietario de la tierra, el dueño del capital necesario para su cultivo y los trabajadores por cuya actividad se cultiva) bajo los nombres de renta, utilidad y salarios, serán esencialmente diferentes, dependiendo principalmente de la fertilidad real del suelo, de la acumulación de capital y de población, y de la habilidad, del ingenio y de los instrumentos utilizados en la agricultura.

La determinación de las leyes que rigen esta distribución es el problema primordial de la economía política...

(Ricardo, 1959: 5.)

Excepto que la pertinencia de la economía política excediese a la forma renta, utilidad, salario, y en tal caso aun los últimos clásicos creerían tener algo que decir fuera de su propia sociedad.[13]

NECESIDAD, TRABAJO, NATURALEZA, DIVISIÓN DEL TRABAJO, CAMBIO, PROPIEDAD PRIVADA Y VALOR TRABAJO

A esta altura tenemos dos situaciones:

	Primeros clásicos	**Últimos clásicos**
División primitiva del trabajo	cambio	otras formas
División contemporánea del trabajo	cambio	cambio

Cambio íntimamente relacionado con la apropiación privada o la libre disposición de los bienes. Dos reflejos de lo primitivo pero un común fenómeno contemporáneo, el cambio, y sobre éste una pregunta: *¿cómo se cambia?*

... el examen del valor tiene que ver sólo con la última (con la distribución); y esto únicamente en tanto sea la competencia, y no el uso o la costumbre, el agente distribuidor.

(S. Mill, 1943: 386.)

Si rige el cambio la pregunta sobre el valor de cambio es pertinente; si no rige, la pregunta sobre el valor del cambio no cuenta. De ahí que para los primeros sea posible no remitir su pregunta sólo a su sociedad sino también a la de los primitivos, y de ahí que los últimos sólo se planteen el mismo interrogante con relación a su propio mundo.[14]

El trabajo fue, pues, el precio primitivo, la moneda originaria que sirvió para pagar y comprar todas las cosas.

(Smith, 1958: 31.)

13. Definiciones amplias como las siguientes: "El objeto de este estudio es, antes que nada, la producción material" (Marx, 1970:193). "Las leyes de la producción y la distribución, y algunas consecuencias de carácter práctico que de ellas se deducen, son el objeto del siguiente tratado" (S. Mill, 1943: 45) son de una generalidad que permite pensar en el más allá de la sociedad capitalista. Generalidad no ajena al reconocimiento de los procesos de subsistencia como antecedentes del de comercio.
14. Valga aclarar que de hecho todos se atreven a decir algo al respecto. Todos hablan del primitivo, sí o sí.

En toda época y circunstancia es caro lo que resulta difícil de adquirir o cuesta mucho trabajo obtener, y barato lo que se adquiere con más facilidad y menos trabajo.

(Smith, 1958: 34.)

... cualesquiera que sean las circunstancias de lugar y de tiempo. El trabajo es su precio real y la moneda es, únicamente, el precio nominal.

(Smith, 1958: 34.)

En el estado primitivo y rudo de la sociedad, que precede a la acumulación de capital y a la apropiación de la tierra, la única circunstancia que puede servir de norma para el cambio reciproco de diferentes objetos parece ser la proporción entre las distintas clases de trabajo que se necesitan para adquirirlos.

(Smith, 1958: 47.)

En las etapas iniciales de la sociedad, el valor en cambio de dichos bienes, o la regla que determina qué cantidad de uno debe darse en cambio por otro, depende casi exclusivamente de la cantidad comparativa de trabajo empleada en cada uno.

(Ricardo, 1959: 10.)

Son estos primeros clásicos los que apelan al primitivismo para dar cuenta del valor trabajo, y sólo ellos, al punto de que algunas de las pocas citas de los últimos clásicos son solamente críticas de esta misma apelación.

Al pescador y al cazador primitivos, a quienes [Ricardo] considera poseedores de mercancias, los hace intercambiar inmediatamente pescado y venado en proporción al tiempo de trabajo materializado en esos valores de cambio. Comete asi el anacronismo consistente en suponer que, para evaluar sus instrumentos de trabajo, el pescador y el cazador primitivos tendrían que consultar las tablas de anualidades en curso, en 1817, en la Bolsa de Londres.

(Marx, 1970: 52.)

Cuando en la teoría del valor trabajo se incluye a los primitivos, éstos aparecen mencionados, pero cuando son excluidos, el primitivismo no será la referencia que fundamente este valor. Hecha esta aclaración, los otros componentes de la teoría del valor trabajo (equivalencia, cantidad y tiempo) sólo serán ejemplificados por los primeros clásicos.

Si en una nación de cazadores, por ejemplo, cuesta usualmente doble trabajo matar un castor que un ciervo, el castor, naturalmente, se cambiará por o valdrá dos ciervos. Es natural que una cosa que generalmente es producto del trabajo de dos días o de dos horas valga el doble que la que es consecuencia de un día o de una hora.

Si una clase de trabajo es más penosa que otra, será también natural que se haga una cierta asignación a ese superior esfuerzo, y el producto de una hora de trabajo, en un caso, se cambiará frecuentemente por el producto de dos horas en otro.

(Smith, 1958: 47.)

... el valor de cambio de los bienes producidos sería proporcional al trabajo empleado en su producción: no sólo en su producción inmediata, sino en todos aquellos implementos o máquinas requeridos para llevar a cabo el trabajo particular al que fueron aplicados.

(Ricardo, 1959: 19.)

La diferencia entre ambos clásicos, sin embargo, será lo universal de la explicación del valor de cambio por medio de la teoría del valor trabajo, que es el caso de Ricardo, frente a la particularidad de tal exclusividad en Smith, quien explica el valor de cambio sólo por medio de la teoría del trabajo con referencia a la sociedad primitiva. Para Ricardo el primitivo da el tono universal, mientras que para Smith da el particular, lo previo, antes de la expansión tecnológica.

En toda sociedad, pues, el precio de cualquier mercancía se resuelve en una u otra de esas partes, o en las tres a un tiempo, y en todo pueblo civilizado las tres entran, en mayor o menor grado, en el precio de casi todos los bienes.

(Smith, 1958: 50.)

En un país civilizado son muy pocas las mercancías cuyo valor en cambio se deba únicamente al trabajo...

(Smith, 1958: 53.)

Smith es criticado por Marx por dejar sin tal teoría al capitalismo:

Sin duda, Smith determina el valor de la mercancía por el tiempo de trabajo que contiene, pero para relegar en seguida la realidad de esta determinación del valor a los tiempos anteriores a Adam.

(Marx, 1970: 51.)

Mientras tanto, Ricardo universalizará la valorización trabajo hasta en los más recónditos rincones del planeta, mediante la conceptualización del aporte instrumental como trabajo anterior. Las extensas citas que siguen así lo demuestran:[15]

Aun en aquella etapa inicial a que se refiere Adam Smith, cierto capital, posiblemente logrado o acumulado por el propio cazador, sería necesario para permitirle matar a su presa. Sin arma alguna, ni el

---

15. "El valor de los bienes no sólo resulta afectado por el trabajo que se les aplica de inmediato, sino también por el trabajo que se empleó en los instrumentos, herramientas y edificios con que se complementa el trabajo inmediato" (Ricardo, 1959: 17).

castor ni el venado pueden ser cazados, y por tanto el valor de dichos animales dependerá no solamente del tiempo y del trabajo necesario para su captura, sino también del tiempo y del trabajo indispensables para que el cazador se provea de su capital, del arma, con cuya ayuda efectuó la cacería.

(Ricardo, 1959: 17-18.)

Supongamos que el arma necesaria para matar al castor haya sido confeccionada con mucho más trabajo del que se necesitó para fabricar el arma adecuada para matar al venado, debido a la mayor dificultad que ofrece acercarse convenientemente al primer animal, y a la consiguiente necesidad de disponer de una arma más precisa; un castor tendría naturalmente un valor mayor que dos venados, y precisamente por la razón de que, en general, se requerirá más trabajo para capturarlo. O supongamos que la misma cantidad de trabajo es necesaria para producir ambas armas, pero que la duración de ellas fuera desigual; solamente una pequeña porción del valor del instrumento durable sería transferida al bien, y una mayor porción del valor del instrumento menos duradero sería agregada al valor del bien que contribuyó a producir.

Todos los implementos necesarios para matar al castor y al venado podrían pertenecer a una clase de hombres, y el trabajo empleado para su captura ser suministrado por otra clase; aun así, sus precios comparativos serían proporcionales al trabajo realmente empleado, tanto en la formación del capital como en la captura de los animales.

(Ricardo, 1959: 18.)

Supongamos que en las etapas iniciales de la sociedad, los arcos y flechas del cazador fueron del mismo valor y de la misma duración que la canoa y los implementos del pescador, porque ambos productos eran resultado de una misma cantidad de trabajo. En tales circunstancias, el valor del venado, producto de un día de trabajo del cazador, sería exactamente igual al valor del pescado, producto de un día de trabajo del pescador. El valor comparativo del pescado y de la pieza cazada dependería enteramente de la cantidad producida, o por más altos o más bajos que fueren los salarios y las utilidades generales. Por ejemplo, si la canoa y los implementos del pescador tuvieran un valor de cien libras, y se calculara su duración en unos diez años, y si el pescador empleara diez hombres, cuyo trabajo costase cien libras al año, y pescasen en un día de trabajo veinte salmones; si las armas empleadas por el cazador tuvieran también un valor de cien libras y una duración también de diez años, si el cazador emplease igualmente diez hombres, con un costo anual de cien libras, y en un día de trabajo cazaran diez venados, entonces el precio natural de un venado sería dos salmones, por grande o pequeña que fuese la proporción del producto global empleado en los hombres que lo obtuvieron. La proporción que debería pagarse en concepto de salarios es de importancia máxima en lo que atañe a las utilidades, pues bien se comprende que las utilidades serán altas o bajas, exactamente en proporción a que los salarios sean bajos o altos; en cambio, no puede afectar en lo más mínimo el valor relativo de la pesca y de la caza, dado que los salarios resultarían simultáneamente elevados o reducidos en ambas ocupaciones. Si el cazador se quejase por estar pagando una mayor parte, o el valor de una mayor parte de su caza en concepto de salarios, con el objeto de que el pescador le entregue más pescado a cambio de las piezas cazadas, este último afirmaría estar igualmente afectado por la misma causa; por consiguiente, cualesquiera que fuesen las variaciones de los salarios y de las utilidades, sean cuales fueran los efectos de la acumulación de capital, la tasa natural de cambio sería de un venado por dos salmones, mientras ambos productores continúen obteniendo respectivamente la misma cantidad de peces y la misma cantidad de caza mediante el trabajo de un día.

Si con la misma cantidad de trabajo se obtuviera una menor cantidad de pesca o una mayor cantidad de caza, el valor del pescado aumentaría en comparación con el del venado. Si, al contrario, con la misma cantidad de trabajo se obtuviera una menor cantidad de caza o una mayor cantidad de peces, el venado aumentaría su valor en comparación con el del pescado.

(Ricardo, 1959: 20-21.)

El valor relativo de la caza, de la pesca y del oro seguiría inalterado si dicho móvil actúa con igual fuerza sobre las tres ocupaciones, y si la situación relativa de quienes se dedican a ellas es la misma, antes y después del aumento de salarios.

(Ricardo, 1959: 22.)

Supuestos propios de la construcción de Ricardo, imaginarios que sólo pretenden hacernos comprender hipotéticas situaciones para un mejor seguimiento de su lógica. Sólo que, a diferencia de Robinson, son producto de una novela que se vuelve progresivamente real, al punto de que ahora nos damos el lujo de invertir la situación. El desarrollo lógico se vuelve necesario para comprender al primitivo, ya no hipotético, sino real.

Comprenderemos, así, que en las etapas iniciales de la sociedad, cuando todavía no se empleaba mucha maquinaria ni capital durable, los bienes producidos con capitales iguales tenían casi el mismo valor, y subían y bajaban únicamente unos en relación con otros, según que su producción requiriera más o menos trabajo; pero desde la introducción de esos instrumentos costosos y duraderos los bienes producidos mediante el empleo de capitales iguales tuvieron un valor muy desigual; y aunque seguían subiendo y bajando unos en relación con otros, al necesitarse más o menos trabajo para su producción, estuvieron sujetos a otra variación, aunque menor, ocasionada por el aumento o la disminución de salarios y utilidades.

(Ricardo, 1959: 32.)

Aseveración no compartida ahora por los últimos clásicos, no por la asignación al capitalismo sino por la atribución al primitivismo, exponiendo una visión al respecto tan particularista como la de Smith, sólo que invertida. Smith y Ricardo no le negarían un comportamiento mercantil al primitivo mientras que Mill y Marx le negarían el concepto fuerte de propiedad privada.

NECESIDAD, TRABAJO, NATURALEZA, DIVISIÓN DEL TRABAJO, CAMBIO
Y VALOR, PROPIEDAD, EQUIVALENCIA Y TIEMPO DE TRABAJO

Parece evidente entonces, para los primeros, que el intercambio primitivo es entre equivalentes, y esa misma evidencia contará para el fundamento de tal equivalencia: la misma cantidad de trabajo.

> Parece, pues, evidente, que el trabajo es la *medida universal* y más exacta del valor, la única regla que nos permite comparar los valores de las diferentes *mercancías en distintos tiempos y lugares*.
> (Smith, 1958: 37.)

> En el estado primitivo y rudo de la sociedad, que precede a la acumulación de capital y a la apropiación de la tierra, la única circunstancia que puede servir de norma para el cambio recíproco de diferentes objetos parece ser la proporción entre las distintas clases de trabajo que se necesitan para adquirirlos. Si en una nación de cazadores, por ejemplo, cuesta usualmente doble trabajo matar un castor que un ciervo, el castor, *naturalmente*, se cambiará por o valdrá dos ciervos. *Es natural* que una cosa que generalmente es producto del trabajo de dos días o de dos horas valga el doble que la que es consecuencia de un día o de una hora.
> Si una clase de trabajo es más penosa que otra, será también natural que se haga una cierta asignación a ese superior esfuerzo, y el producto de una hora de trabajo, en un caso, se cambiará frecuentemente por el producto de dos horas en otro.
> (Smith, 1958: 47.)

Medida universal y natural, más allá de cualquier tiempo y lugar, pero particularmente entendible si nos alejamos de aquel estado primitivo de la sociedad. Apelación para la comprensión que no deja de ser comprensión de lo apelado o, más precisamente, aseveración definitiva sobre sus normas de comportamiento.

> *En las etapas iniciales de la sociedad* el valor en cambio de dichos bienes, o la regla que determina qué cantidad de uno debe darse en cambio por otro, depende casi exclusivamente de la cantidad comparativa de trabajo empleada en cada uno.
> (Ricardo, 1959: 10.)

Los economistas que han apelado a los primitivos para hacerse entender dictaminan sobre él y polemizan sobre lo acertado o no del dictamen.

Allí donde no se cambian todavía dos objetos útiles distintos, sino que, como ocurre con frecuencia *en los pueblos salvajes*, se ofrecen como equivalente de un tercer objeto una masa caótica de cosas, el intercambio directo de productos no ha salido aún de su fase preliminar.

(Marx, 1959, I: 50-51.)

Adhiera uno al primitivo que sea (y, así, en esto al autor que sea), ningún economista dice: "Yo no sé sobre el primitivo, no puedo opinar". En todo caso, criticará la fantasía de su oponente. El debate entablado ya no pertenece al ámbito de la economía política, sino al de la antropología.

El tiempo de trabajo será la medida para los primeros clásicos, quienes extienden tal medición a los "estados primitivos". Es más, Smith en particular realiza esta operación. Medida no objetada por Marx, sólo que éste la atribuye exclusivamente al "estado comercial". Esto en cuanto a la pertinencia de la aplicabilidad del valor trabajo y su consecuencia (no automática lógicamente) de su medición por el tiempo de trabajo. Pero, en cuanto a los primitivos, la discusión no es sólo en cuanto sobre si consideran o no el valor trabajo. La negativa funda nuevas aseveraciones. ¿O acaso no es frecuente que los salvajes ofrezcan "*como equivalente de un tercer objeto una masa caótica de cosas*"? Una caracterización caótica del primitivo, alternativa de la visión de los primeros clásicos que, como veremos más adelante, será un atributo insistente del mundo antropológico.[16]

EL ESCAPARATE DE PRIMITIVOS

"Di qué quieres decir de tu mundo y te diré qué primitivo debes llevar."

Del valor de uso y el trabajo

Es interesante tener en cuenta que, mientras nos movimos con los conceptos primarios de necesidad, naturaleza y trabajo e incluso con el de la división del trabajo (en su fase de producción), la imagen del primitivo se mantuvo prácticamente homogénea, gracias a una visión física y natural de estos aspectos que remitía exclusivamente a un sujeto fisiológicamente

16.

	SMITH	RICARDO	MARX
PRIMITIVOS	tiempo T	tiempo T	masa caótica
COMERCIO	tiempo T + otros	tiempo T	tiempo T

necesitado, físicamente dotado, y a una naturaleza bien surtida. Con esto resultaba suficiente y —aspecto que es más interesante aún— resultaba indiscutible, al punto de que era válido para este fin un supuesto Robinson o un cazador aun en los menos propensos[17] a aceptar estas imágenes en otras instancias.

Y ya que la economía política gusta tanto de las "robinsonadas", observemos ante todo a Robinson en su isla. Pese a su innata sobriedad, Robinson tiene forzosamente que satisfacer toda una serie de necesidades que se le presentan, y esto lo obliga a ejecutar diversos trabajos útiles: fabrica herramientas, construye muebles, domestica llamas, pesca, caza, etc. Y no hablamos del rezar y de otras cosas por el estilo, pues nuestro Robinson se divierte con ello y considera esas tareas como un goce. A pesar de toda la diversidad de sus funciones productivas, él sabe que no son más que diversas formas o modalidades del mismo Robinson, es decir, diversas manifestaciones de trabajo humano. El mismo agobio en que vive lo obliga a distribuir minuciosamente el tiempo entre sus diversas funciones. El que unas ocupan más sitio y otras menos dentro de su actividad total depende de las dificultades mayores o menores que tiene que vencer para alcanzar el resultado útil apetecido. La experiencia se lo enseña así, y nuestro Robinson, que ha logrado salvar del naufragio reloj, libro de cuentas, tinta y pluma, se apresura, como buen inglés, a contabilizar su vida. En su inventario figura una relación de los objetos útiles que posee, de las diversas operaciones que reclama su producción y finalmente del tiempo de trabajo que exige, por término medio, la elaboración de determinadas cantidades de estos diversos productos. Tan claras y tan sencillas son las relaciones que median entre Robinson y los objetos que forman su riqueza, riqueza salida de sus propias manos, que hasta un señor M. Wirth podría comprenderlas sin estrujar mucho el caletre. Y, sin embargo, en esas relaciones se contienen ya todos los factores sustanciales del valor.

(Marx, 1959, I: 41-42.)

Estos pasos, los del valor de uso y los del trabajo, se ubican en un plano inherente a la hominidad y, por ende, próximo a la universalidad.

---

17. Las críticas a las "robinsonadas", particularmente por parte de Marx, han sido muy agudas: "Tampoco en Ricardo falta la consabida estampa robinsoneana". "Al pescador y al cazador primitivos nos los describe inmediatamente cambiando su pescado y su caza como poseedores de mercancías, con arreglo a la proporción del tiempo de trabajo materializado en estos valores de cambio. E incurre en el anacronismo de presentar a su cazador y pescador primitivos calculando el valor de sus instrumentos de trabajo sobre las tablas de anualidades que solían utilizarse en 1817 en la Bolsa de Londres. Los «paralelogramos del señor Owen» parecen ser la única forma de sociedad que este autor conoce, fuera de la burguesa" (Marx, 1959, I: 41). Sin embargo, resulta interesante cómo no alcanzan a la instancia "necesidad y trabajo" que estamos tratando, en la que el mismo autor no dudará en utilizar esta imagen.

Es por ello que el más crítico y "final" no le teme al uso hipotético de Robinson ni a la presunción del hombre aislado. El valor de uso para los clásicos será un sustento natural de la economía, y el trabajo su sustento humano universal. Si nos detuviéramos aquí, la economía política coincidiría con la economía natural. No es casual que esta última sea la denominación dada más adelante a la economía doméstica. Hasta aquí no necesitamos hablar de dos primitivos, sólo de uno. Qué importa lo social si se está hablando de su animalidad (y uso). Qué importa lo social si se está hablando de un acto físico (trabajo),[18] donde el ser humano se enfrenta a los frutos de la naturaleza. Este sujeto asocial es el primitivo, común en esta etapa de la argumentación clásica. Un primitivo que a su tiempo se manifiesta en dos estados diferentes: para el valor de uso, el recolector, especie de preestado primitivo; para el trabajo, el cazador y pescador, primer estadio primitivo.

El recolector, cercano al depredrador, consumidor espontáneo de los frutos dados por la naturaleza, es el ejemplo del "uso" gracias a meros esfuerzos instintivos, insuficientes para ser llamados "trabajos". Los llamados del estómago son suficientes y excluyentes para imaginar esta situación, abstracta (por ser parte de la argumentación en sus condiciones necesarias) y concreta (por ser parte de la filogénesis de la humanidad).

El cazador, si bien cercano al recolector, ya no es un extractor espontáneo. Al poco agradable esfuerzo le suma una transformación de algo potencial en algo actual, de algo posible de usar en algo que se usa. El fruto presentado por la naturaleza es adaptado al uso humano, y éste es un acto premeditado. El esfuerzo planificado sobre la naturaleza con el fin de transformar es lo que se denomina *trabajo*, acto generador de valores de uso. El cazador y el pescador, a diferencia del recolector, han incorporado este acto humano, específicamente humano.[19]

El valor de uso: alimentación

Hasta aquí todo es universal. Todo humano que se precie debe contar con estos atributos, que no son más que el resultado obligado de un requisito: tener que comer. Requisito tan fuerte, ejemplo tan claro, necesidad tan inevitable que las formas iniciales de ordenamiento pasarán por las formas específicas de la alimentación o, más precisamente, de su satisfactor: caza, pesca, pastoreo, agricultura, son procesos de trabajo acotados

18. Recordemos la aseveración de Marx ya citada: "El trabajo es, en primer término, un proceso entre la naturaleza y el hombre [...] En este proceso, el hombre se enfrenta como un *poder natural* con la materia de la naturaleza. Pone en acción *las fuerzas naturales que forman su corporeidad, los brazos y las piernas, la cabeza y la mano*" (Marx 1959, I: 130-131).

19. Hecho que no significa haber traspasado ese nicho originario de naturalidad: "Los simples pueblos de cazadores y de pescadores están más allá del punto en que comienza el verdadero desarrollo" (Marx, 1970: 219-220).

por su propio objeto. Animales terrestres, peces, animales domesticables o vegetales cultivables definen el proceso y, lo más interesante, definen el estado.

La recolección, por su parte (inespecífica, casi siempre omnívora) será muestra del no trabajo, en oposición a los tres estados, que son procesos de trabajo para la obtención de satisfactores específicos de la subsistencia más indiscutible.

Un estado inicial y tres procesos que a su vez reflejan el fin sentido en el estado de comercio aun cuando éste, como es evidente, no refiere en su denominación a ningún objeto alimentario en particular, ni involucra necesariamente una finalidad alimentaria o incluso de subsistencia en un sentido más amplio. Los primitivos son el sentido del valor de uso y el trabajo que, tras la visión clásica del comercio, representan las condiciones necesarias de cualquier valor de cambio.

LA APARICIÓN GRADUAL DE ATRIBUTOS

Pero ése no será el único papel. El ingreso de atributos entre la recolección —grado cero— al comercio —punto máximo— es paulatino, gradual. Y los estadios serán los escalones.

	Recol.	Caza y pesca	Pastor	Agro	Comerc.
Necesidad	sí	sí	sí	sí	sí
Trabajo		sí	sí	sí	sí
Propiedad			sí	sí	sí
División del trabajo				sí	sí
Cambio					sí

Los estadios, pasos reales desde nuestro abuelo originario hasta nosotros, quedan dibujados así como sustentos de los conceptos abstractos, condiciones necesarias, del valor de cambio, aun antes de que dé a luz cualquier cambio posible. Todos los items del comercio estarán presentes o ausentes en sus antecedentes, pero en un orden predeterminado. En un orden progresivo y acumulativo de aparición. El orden argumental tras el valor de cambio se correlaciona punto por punto con un orden diacrónico de los estadios, en el que los primitivos son los únicos protagonistas, supuestos y reales.

Hasta la división del trabajo, éste es el panorama, ésta es la unanimidad de los clásicos, ésta es la evidencia de sus argumentos. Lo natural de la argumentación se acompaña con una aseveración más que imperceptible por compartida: "como es natural".

Dos primitivos antagónicos

A partir de la división de trabajo, particularmente en su fase de distribución, el primitivo tendrá cría. Ya no se hablará de un primitivo, altamente naturalizado, sino que —de acuerdo con los intereses del autor— se recogerá un primitivo diferente.

Este hecho no es nuevo. En el siglo XVIII estaban quienes creían en un estado presocial originario y quienes promovían un estado social desde el principio. Sin embargo, ni su antítesis fue tan marcada y difundida, ni los temas considerados (moral, política, etc.) eran de nuestro interés central como para insistir en las discrepancias de los pensadores de la época y buscar los diferentes primitivos. Sin embargo, ahora nos encontramos con una especialidad que está en el centro mismo de la antropología económica, y sus diferencias tienen algún interés para nosotros. Y es justamente en sus puntos de no acuerdo cuando comienzan a aparecer también dos primitivos antagónicos.

Dos primitivos: uno independiente, individuo dueño de sí y sus cosas; otro dependiente, subsumido en el todo grupal. Resulta conveniente resaltar que esta última construcción a su vez coincide con la aparición del pensamiento sociológico del siglo XIX, propenso a una construcción siempre social desde el vamos. La individualidad aparece como una consecuencia del concepto social y no lo social como resultante de situaciones individuales previas. Los últimos clásicos maduraron en este ambiente,[20] mientras que los primeros clásicos compusieron el otro primitivo.

Si nos remitimos a las citas precedentes podremos caracterizar ambas posiciones de la siguiente manera:

Problema	Mundo	Primeros	Últimos
Distribución	NOSOTROS	salarios y beneficios	salarios y beneficios
	PRIMITIVO	salarios y beneficios	no
Cambio	NOSOTROS	sí	sí
	PRIMITIVO	sí	no
Propiedad	NOSOTROS	sí	sí
	PRIMITIVO	sí	no

20. Sin embargo, una preeminencia de lo social que en sus comienzos no deja de coincidir con el modelo natural: "Pues bien, esta relación de mutua independencia no se da entre los miembros de las comunidades naturales y primitivas, ya revistan la forma de una familia patriarcal, la de un antiguo municipio indio, la de un estado inca, etc. El intercambio de mercancías comienza allí donde termina la comunidad" (Marx, 1959, I: 50-51). El hombre aislado se atenía a la naturaleza del cuerpo y la comunidad, también aislada, a la naturaleza de la familia.

Tres situaciones en las que los autores coinciden en cuanto a nuestra propia sociedad: existencia de formas de distribución por medio de las formas renta, salario y beneficio, existencia de cambio, existencia de propiedad privada. Pero discrepancia en cuanto al mundo primitivo al que los primeros autores tendieron a ver "como nosotros",[21] y los últimos sin tal semejanza. Para los primeros, los primitivos distribuían, cambiaban y eran propietarios como nosotros, mientras que para los últimos el primitivo tenía otras formas de distribución, otras formas de propiedad, e, incluso, de existir cambio, otras formas de cambio.[22]

Ahora bien, si todos coinciden en lo propio y discrepan en lo primitivo, ¿qué consecuencias trae para lo propio, para el fenómeno estudiado? La consecuencia fuerte está en la universalidad o no del concepto tratado. ¿Un mero acto de curiosidad? No, el hecho de que la distribución, el cambio y la propiedad sean universales o particulares atañe a la posibilidad de naturalizar o no tales instituciones. Implica decidirse por la naturalidad del fenómeno o por su razón social. Y esto tiene importantes consecuencias sobre las posibilidades de modificar el fenómeno en sí. Quienes lo naturalizan tienden a considerarlo "la forma", más allá de cualquier tiempo o espacio. Quienes lo particularizan tienden a considerarlo "sujeto al cambio". De hecho, éste ha sido el caso. Los primeros autores tienden a naturalizar la economía en estos pasos (especialmente en la distribución), y los últimos, a institucionalizarla. Para aquellos, el individuo y la sociedad son cronológicamente el antes y el después, y para éstos la sociedad siempre es el determinante. Esta discrepancia deja dibujados así dos antagónicos primitivos: el individualista y el dependentista, el sujeto a su

---

21. "Hemos demostrado ya que en períodos primitivos de la sociedad, tanto la participación del obrero como la del terrateniente en el valor del producto de la tierra,sólo sería pequeña..." (Ricardo, 1959: 85).
22. En esto último vale la pena recordar los antecedentes en Locke cuando al modo de cambio monetario le hace anteceder otros modos de dación hasta su ausencia.

Por forma (véase Apéndice Locke)	
división del trabajo	CAMBIO MONETARIO
división del trabajo	TRUEQUE
división del trabajo	REGALO
	AUTOCONSUMO

La elección de un antecedente depende del resultante, y el uso que haga del antecedente. Si elijo la forma, al intercambio monetarizado lo antecede el trueque. Si elijo la finalidad del intercambio comercial, lo anteceden los procesos de subsistencia.

Por fin (véase Apéndice Smith)	
?	COMERCIO
valor uso	AGRICULTURA
valor uso	PASTOREO
valor uso	CAZA

interés y el atado al grupo.[23] Dos fines contemporáneos apelan a sendos primitivos, y esto da diferente carácter a lo contemporáneo y deja dos imágenes antitéticas del primitivo.

El costo de producción termina de delinear el panorama primitivo

Hemos hablado de la distribución, del cambio y de la propiedad. Si seguimos avanzando en la argumentación, e incorporamos de lleno la teoría del valor, las discrepancias aumentan, ya no en la multiplicación de los primitivos, sino en las universalidades.

Ahora podemos hablar de cuatro posiciones (forzando algo el eclectisismo de S. Mill, que ya se encuentra en las puertas del neoclasicismo).

Problema	Mundo	Primeros		Últimos	
		Smith	*Ricardo*	*S. Mill*	*Marx*
Valor	NOSOTROS	T + x	T	T + x	T
	PRIMITIVOS	T	T	No	No

Nota: La T significa trabajo y la x otras cosas. No discriminamos aquí los problemas de trabajo-salario con el fin de acentuar las diferencias con relación al primitivo).

En este esquema,[24] basado en el concepto de valor de cambio (que implica a los anteriores) se plantean discrepancias mayores acerca de la contemporaneidad y se mantienen las agrupaciones respecto de lo primitivo. Así como Ricardo y Marx se acercan en lo contemporáneo, Smith y S. Mill también lo hacen con lo suyo. Pero ambos acercamientos se diluyen en lo primitivo, mundo en el que los distintos clásicos mantienen su sentido. Es el momento en el que el único que mantiene universalizada la teoría del valor es Ricardo, es el momento en que Smith se torna particularista, y cada uno proyecta una imagen propia sobre el otro (una buena prueba, la de Smith, de la posibilidad de convivencia del particularismo y la proyección). Por su parte, los últimos clásicos discreparán en su concepción del valor contemporáneo, pero adscribirán a una característica del mismo: no es igual al primitivo. Finalmente, todos han mirado insis-

---

23. "Cuanto más remontamos el curso de la historia, más aparece el individuo —y por consiguiente también el individuo productor— en un estado de dependencia, como miembro de un conjunto más grande: ese estado se manifiesta, en primer lugar, en forma completamente natural, en la familia, y en la familia ampliada, hasta formar la tribu; luego, en las diferentes formas de comunidad surgidas de la oposición y la fusión de las tribus" (Marx, 1970: 194-195).
24. Compatible y al que se le puede agregar lo ya visto en relación con la equivalencia y el caos en la sociedad primitiva (véase nota 16).

tentemente hacia una misma dirección para dar cuenta del valor de cambio: el pasado, la "usina productiva". Podríamos decir que se fijaron en la filogénesis (desde los ancestros) pero también en la ontogénesis (desde la concepción y aparición del producto).

Del primitivo validador al primitivo validado

Todos, sin distinción, apelan al primitivo, y en ello terminan construyendo una imagen real de éste. Aun cuando sea un supuesto, va adquiriendo cuerpo y vida, hasta aquella derivación de Ricardo (el menos antropológico), y quien, después de insistir en "supongamos" nos dijera sin más: "*Comprenderemos, así* (ya no que en nuestra sociedad [...] ya no que en nuestro mundo económico..., sino) *que en las etapas iniciales de la sociedad...*".

Del supuesto primitivo a los de casos de primitivos, a aseveraciones directas acerca de éstos: el primitivo es. Pero aquí no concluye: las discusiones contemporáneas han obligado a recurrir a más de un primitivo y, entonces, no sólo se habla de él sino que se discute. Surgen dos teorías del primitivo y en consecuencia dos teorías antropológicas:

Individuo - Sociedad

Sociedad - Individuo

Teorías opuestas que describen a dos primitivos realmente antagónicos, sobre los que los economistas, a pesar de no pretender ser antropólogos, discuten: o sea, hacen antropología.

Desde el sujeto aislado, propietario de sí, racional, ambicioso, interesado, dispuesto a calcular su esfuerzo, con la pretensión de no dar si no es a cambio de algo, hasta la figura antitética del sujeto preso del grupo, ultradependiente, inseparable del todo, esclavo de sus creencias, caótico en sus clasificaciones y conceptos, poco calculador, funcionando para el grupo. La vieja homogeneidad del primitivo se abre en dos teorías en el lugar menos esperado: el de los intercambios monetarizados.

De esta manera, todos los economistas clásicos apelaron y se sustentaron en el primitivismo, y finalmente hablaron confiados explícitamente de sí mismos. Esta apelación ha delineado un orden argumental que fue dejando estadios prototípicos para cada atributo, de manera que, en el futuro, se convocarán mutuamente. El avance conceptual con primitivos a cuestas ha dado lugar a una lógica de los ejemplos esgrimidos que es toda una antropología.

CUADRO SINÓPTICO

CONCEPTOS DE ECONOMÍA	NECESIDAD	TRABAJO	DIVISIÓN DEL TRABAJO DISTRIBUCIÓN PROPIEDAD CAMBIO	VALOR DE CAMBIO
ECONOMISTAS	CLÁSICOS		*PRIMEROS*	SMITH RICARDO
			ÚLTIMOS	STUART MILL MARX
CONCEPTOS DE ANTROPOLOGÍA	RECOLECCIÓN	CAZA	PASTOREO AGRICULTURA	COMERCIO
	UN PRIMITIVO		DOS PRIMITIVOS	**CUATRO** RELACIONES NOSOTROS-OTROS

APÉNDICE I

Algunas de las definiciones de economía política de los clásicos

... el principal objeto de la economía política de cualquier país consiste en aumentar *la riqueza* y el poderío de sus dominios...

(Smith, 1958: 335.)

La economía política, considerada como una uno de las ramas de la ciencia del legislador o del estadista, se propone dos objetivos distintos: el primero, suministrar al pueblo un abundante *ingreso o subsistencia*, o, hablando con más propiedad, habilitar a sus individuos y ponerlos en condiciones de lograr por sí mismos ambas cosas; el segundo, proveer al Estado o república de rentas suficientes para los servicios públicos. Procura realizar, pues, ambos fines, o sea, *enriquecer* al soberano y al pueblo.

(Smith, 1958: 377.)

El producto de la tierra —todo lo que se obtiene de su superficie mediante la aplicación aunada del trabajo, de la maquinaria y del capital— se reparte entre tres clases de la comunidad...

Pero en distintas formas de sociedad, las proporciones del producto total de la tierra [...] serán esencialmente diferentes...

La determinación de las leyes que rigen esta distribución es el problema primordial de la economía política.

(Ricardo, 1958: 5.)

... la práctica es muy anterior a la ciencia [...] De aquí que sea sumamente moderna la concepción de la economía política como una rama de la ciencia, pero el tema de que tratan sus investigaciones ha sido en todas las épocas de primordial interés práctico para la humanidad...

Este tema es *la riqueza*. Quienes escriben sobre economía política declaran enseñar, o investigar, la naturaleza *de la riqueza* y las leyes de su producción y distribución, incluyendo, directamente o en forma remota, la actuación de todas las causas por las que la situación de la humanidad, o de cualquier sociedad de seres humanos, prospera o decae respecto de ese objetivo universal de los deseos humanos.

(S. Mill, 1943: 29.)

La riqueza puede, pues, definirse, como todas las cosas útiles o agradables que poseen valor de cambio; o, en otros términos, todas las cosas útiles o agradables excepto aquellas que pueden obtenerse, en la cantidad deseada, sin trabajo o sacrificio alguno.

(S. Mill, 1943: 35.)

Mientras la situación económica de las naciones dependa del estado de los conocimientos físicos, es un asunto para las ciencias físicas y las artes que en ellas se basan. Pero en tanto que las causas sean morales o psicológicas, y dependan de las instituciones y relaciones sociales, o de los principios de la naturaleza humana, su investigación incumbe no a las ciencias físicas, sino a las morales y sociales, y es el objeto de lo que se llama economía política.

La producción de la riqueza, la extracción de los materiales de la tierra, de los instrumentos para la subsistencia y la felicidad humanas, no es, evidentemente, una cosa arbitraria. Tiene sus condiciones necesarias. De éstas, unas son físicas y dependen de las propiedades de la materia y del grado de conocimiento de éstas que se posea en determinado lugar y en determinada época. Éstas no las investiga la economía política, sino que las supone, recurriendo a las ciencias físicas y a la experiencia ordinaria para fundamentarse. Combinando esos hechos de naturaleza exterior con otras verdades relacionadas con la naturaleza humana, intenta descubrir las leyes secundarias o derivadas que determinan la producción de la riqueza, en las cuales ha de residir la explicación de las diferencias de riqueza y de pobreza, tanto del presente como del pasado, y la razón de cualquier aumento de riqueza que el futuro nos reserva.

(S. Mill, 1943: 45.)

Las leyes de la distribución, a diferencia de las de producción, son en parte obra de las instituciones humanas, ya que la manera según la cual se distribuye la riqueza en una sociedad determinada depende de las leyes o las costumbres de la época. Pero, si bien los gobiernos o las naciones disponen del poder para decidir qué instituciones han de existir, no pueden determinar de manera arbitraria cómo funcionarán esas instituciones. Las condiciones de las cuales depende ese poder que poseen sobre la distribución de la riqueza y la forma en que afectan a la distribución los diversos modos de conducta que la sociedad cree conveniente adoptar, son un objeto tan apropiado a la investigación científica como cualquiera de las leyes físicas de la naturaleza.

Las leyes de la producción y la distribución, y algunas consecuencias de carácter práctico que de ellas se deducen, son el objeto del siguiente tratado.

(S. Mill, 1943: 45.)

La economía política [...] no aparece como verdadera ciencia hasta el período de la manufactura...

(Marx, 1959, I: 297.)

La riqueza de las sociedades en que impera el régimen capitalista de producción se nos aparece como un "inmenso arsenal de mercancías".

(Marx, 1959, I: 3.)

A primera vista, *la riqueza* burguesa aparece como una inmensa acumulación de mercancías.

(Marx, 1959, I: 15.)

El valor de uso no está en el dominio de la economía política.
                                                          (Marx, 1959, I: 16.)

El objeto de este estudio es, antes que nada, *la producción material*..
                                                          (Marx, 1970: 193.)

Cuando consideramos un país dado desde el punto de vista de la economía política, comenzamos por estudiar su población, la división de ésta en clases, su distribución en las ciudades, en el campo, en la costa marítima, las diferentes ramas de producción, la exportación y la importación, la producción y el consumo anuales, el precio de las mercancías, etcétera.
                                                          (Marx, 1970: 212.)

APÉNDICE II

Transcribimos las citas de Smith (1762-1763) que ofrecen una muestra de su participación en la teoría de los tres estadios primitivos y el cuarto, de comercio. Las citas de Smith, que corresponden a sus clases, fueron tomadas de Meek (1981).

Cazadores

Suponiendo que diez o doce personas de los dos sexos se instalaran en una isla deshabitada, el primer método que seguirían para su subsistencia sería sustentarse de los frutos silvestres y animales salvajes que les proporcionara el país. Su única ocupación sería cazar animales salvajes o pescar. Dificilmente se puede llamar empleo a arrancar frutos silvestres. Lo único que merecería ser llamado ocupación sería la caza. Ésta es la era de los cazadores (p. 118).

En la era de los cazadores, poco gobierno de cualquier clase puede haber, pero el que haya será de tipo democrático. Una nación de esta clase está constituida por un cierto número de familias independientes, relacionadas por un cierto número de familias independientes, relacionadas sólo por el hecho de vivir juntas en el mismo pueblo o aldea y hablar la misma lengua. Con respecto al poder judicial, en la medida en que existe en estas naciones es poseído por la comunidad como cuerpo. Los asuntos de cada familia, en la medida en que conciernen sólo a los miembros de esa familia, se dejan en manos de los miembros de esa familia. En este estado las disputas entre familias ocurren raras veces, pero si ocurren y son de tal naturaleza que pudieran perturbar la comunidad, entonces toda la comunidad interviene para resolver la diferencia. El propósito de esta intervención es preservar la paz pública y la seguridad de los individuos; por lo tanto, se esfuerzan por conseguir una reconciliación entre las partes en litigio (pp. 121-123).

En la era de los cazadores bastarán unos cuantos esfuerzos temporales de la autoridad de la comunidad para las pocas ocasiones en que pueda haber disputas. No se conoce aún la propiedad, el gran fundamento de toda disputa.

En la era de los cazadores es imposible que un gran número de personas vivan juntas. Dado que la caza es su único sustento, pronto acabarían con todo lo que estuviera a su alcance. Todo lo más podrían vivir juntas treinta o cuarenta familias; esto es, unas 140 o 150 personas, que podrían vivir de la caza en los alrededores. También se constituirían naturalmente en aldeas, acordando vivir cerca y juntas para su mutua seguridad. De la misma manera, aunque no podrían ensanchar convenientemente su aldea, varios conjuntos o tribus de esta clase podrían acordar establecer sus aldeas tan cerca como consideraran conveniente de modo que pudieran estar a mano para prestarse mutua ayuda y protección contra el enemigo común...

Los cazadores no pueden elaborar proyectos muy amplios; tampoco sus expediciones pueden ser impresionantes. Es imposible que doscientos cazadores puedan vivir juntos quince días... Una partida de cazadores de cabelleras rara vez se compone de más de diez o doce, de modo que no puede haber mucho peligro por parte de una nación semejante (pp 121-123).

PASTORES

Con la era de los pastores comienza el gobierno propiamente dicho, y también es en esta época cuando los hombres pasan a depender unos de otros en buena medida. La apropiación de rebaños y manadas hace insegura y precaria la subsistencia mediante la caza. Los animales mejor adaptados para ser utilizados por el hombre, como los bueyes, ovejas, caballos, camellos, etc,, que también son los más numerosos, ya no son propiedad común, sino de determinados individuos. Entonces nace la distinción entre ricos y pobres. Los que no poseen rebaños y manadas no encuentran otro medio de sustento que el que les procuran los ricos. Por esta razón los ricos, en la medida en que mantienen y sustentan a los más pobres con sus grandes posesiones de rebaños y manadas, exigen sus servicios y dependencia. Los patriarcas que conocemos eran todos una especie de príncipes independientes que tenían sus subordinados y seguidores que los acompañaban, y que vivían del producto de los rebaños y manadas que estaban a su cuidado (pp. 121-123).

Pero cuando en la manera antes mencionada unos tienen grandes riquezas y otros nada, es necesario que el brazo de la autoridad se alargue continuamente y que se promulguen leyes o reglas permanentes para proteger la propiedad de los ricos de las incursiones de los pobres, quienes de otro modo la atacarían continuamente, y establecer en qué consiste la infracción de esta propiedad y en qué casos será merecedora de castigo. En éste y en cualquier caso las leyes y el gobierno pueden ser considerados como una combinación de los ricos para oprimir a los pobres, y preservar en su favor la desigualdad por el ataque de los pobres, quienes, si no se lo impidiera el gobierno, pronto reducirían a los otros a la igualdad con ellos por medio de la fuerza. Así pues, las leyes o los acuerdos sobre la propiedad seguirán de cerca al comienzo de la era de los pastores.

En la era de los pastores estas sociedades o aldeas pueden ser algo mayores que en la de los cazadores. Pero todavía no pueden ser muy grandes, pues sus rebaños y manadas pronto acabarían con la comida del terreno circundante. De modo que un terreno de siete u ocho kilómetros a su alrededor no sería capaz de alimentar a los rebaños de más de mil personas y nunca vemos que las aldeas lleguen a un número mayor en un país de pastores. Éstos pueden también unirse bajo el mando de sus diferentes jefes para apoyarse mutuamente frente a los ataques de los otros. Vemos que las naciones griegas fueron guiadas de esta manera por Agamenón. Sin embargo, hay bastante diferencia entre los hombres de uno y otro estado.

Lo mismo sucede con los pastores si los suponemos sedentarios, pero si suponemos que se desplazan de un lugar a otro, siete u ocho kilómetros cada día, no podemos establecer límites al número de los que podrían entrar en esa expedición. Así pues, si un clan de tártaros (por ejemplo), en una expedición, derrotara a otro, se posesionaría necesariamente de todo lo que antes perteneciera al vencido... De modo que aunque un país de pastores nunca es muy populoso, se pueden reunir ejércitos numerosos capaces de competir de igual a igual con cualquiera de sus vecinos (pp. 121-123).

AGRICULTORES

... era de la agricultura. Según fuera progresando la sociedad, las distintas artes, que en principio serían ejercidas por cada individuo en la medida en que fueran necesarias para su bienestar, se diversificarían; unas personas cultivarían unas, y otras, otras, de acuerdo con su inclinación. Intercambiarían entre sí lo que produjeran por encima de lo necesario para su sustento y obtendrían a cambio los bienes que necesitarán y que no produjeran por sí mismos (p. 118).

COMERCIO

Este intercambio de bienes se extiende a la larga no sólo entre los individuos de la misma sociedad, sino entre los individuos de diferentes naciones. Así, enviamos a Francia paño, objetos de hierro y otras chucherías, y obtenemos a cambio vino. A España y Portugal enviamos nuestros excedentes de trigo, y traemos de allí vinos portugueses y españoles. Así pues, por fin surge la era del comercio. Por lo tanto, cuando un país está pertrechado de todos los rebaños y manadas que puede mantener, cultiva la tierra de modo que produzca todo el grano y otros bienes necesarios para nuestra subsistencia, que pueda ser obligada a dar, o al menos tantos como para sustentar a sus habitantes cuando se exporten los productos excedentes de la naturaleza o del arte y se traen otros necesarios. A cambio esta sociedad ha hecho todo lo que está en su poder para su comodidad y conveniencia (p. 118).

POR QUÉ PASAN DE UN ESTADIO A OTRO

Con el transcurso del tiempo, a medida que se multiplicaran, encontrarían que la caza era demasiado precaria para su sustento. Se verían en la necesidad de inventar algún otro método para sustentarse. Quizá al principio tratarían de almacenar en un momento de prosperidad sustento para un tiempo considerable. Pero éste no podría durar mucho. El invento en el que pensarían de forma más natural sería domesticar algunos de los animales salvajes que cazaran, y al proporcionarles éstos mejor comida de la que podían obtener en otra parte, les inducirían a continuar en sus tierras y multiplicar su especie. De ahí surgiría la era de los pastores. Probablemente comenzarían multiplicando los animales más que los vegetales, ya que se requiere menos habilidad y observación. Sólo hay que saber qué comida les conviene. Encontramos, por consiguiente, que en casi todos los países, la era del pastoreo precedió a la de la agricultura. Rebaños y manadas son, por lo tanto, el primer medio al que recurrirían los hombres cuando les resultara difícil subsistir de la caza.

Pero cuando una sociedad se hace numerosa le resulta difícil sustentarse de los rebaños y manadas. Los hombres se volverían, naturalmente, hacia el cultivo del suelo y la plantación de los diferentes vegetales y árboles que produjeran alimento adecuado para ellos. Observarían que las semillas que caían en el suelo desnudo y seco o en las rocas raras veces prendían, pero que las que penetraban en el suelo por lo general producían una planta y daban semillas similares a las sembradas. Estas observaciones se extenderían a las diferentes plantas y árboles que vieron que producían comida nutritiva y agradable. Y por este medio avanzarían poco a poco hacia la era de la agricultura.

Ejemplos

En las naciones del Norte que irrumpieron en Europa a comienzos del siglo V, la sociedad había avanzado un paso más que entre los americanos actuales. Éstos aún se encuentran en el estado de los cazadores, el más rudimentario y bárbaro de todos, mientras que aquéllos habían llegado al estado de los pastores e incluso tenían algo de agricultura... Por lo tanto, estaban muy por delante de los americanos... (pp. 120-121).

[En la era de los cazadores] éste es el caso de las naciones salvajes de América, como nos informan el padre Charlevoix y al señor Laffitau, a quienes debemos los datos más claros de las costumbres de estas naciones (pp. 121-123).

Síntesis

Quedan delimitados tres estadios y una especie de estado cero, como hemos denominado al límite inicial, además del estadio de comercio. A efectos de lo desarrollado en este capítulo podemos hacer la siguiente síntesis:

Recolección	H-N	Arrancar frutos silvestres (casi sin trabajo)
Caza	H-T-N	Trabajo (sin propiedad privada)
Pastoreo	H-T-N	Trabajo, propiedad y gobierno
Agricultura	H-T-N	Trabajo, propiedad y división del trabajo

De esta manera quedan señaladas las progresivas apariciones de los atributos considerados.

APÉNDICE III

Transcribimos las citas de S. Mill (1848) que ofrecen una muestra de la vigencia en pleno siglo XIX de la teoría de los tres estadios primitivos. Las citas de S. Mill se han extraído de su obra clásica *Principios de economía política*, de 1848 (1943).

CAZADORES

Tal vez no exista hoy en día ningún pueblo o comunidad que viva exclusivamente del producto espontáneo de la vegetación. Pero hay muchas tribus que todavía viven por completo, o casi por completo, de animales salvajes, producto de la caza o la pesca. Se visten con pieles; sus viviendas son chozas toscamente construidas con maderos y ramas de árboles y que pueden abandonar en el plazo de una hora. Como el alimento que usan no es susceptible de almacenarse, no lo acumulan, y con frecuencia se hallan expuestos a grandes privaciones. La riqueza de tal comunidad consiste sólo en las pieles que visten; algunos ornamentos, por los cuales la mayoría de los salvajes sienten gran inclinación, algunos toscos utensilios; las armas con las cuales cazan o luchan por sus medios de subsistencia contra competidores hostiles; canoas para cruzar ríos y lagos, o pescar en el mar; y tal vez algunas pieles u otros productos de los bosques, reunidos para cambiarlos con la gente civilizada por mantas, aguardiente y tabaco; de cuyos productos puede haber también en reserva una parte aún no consumida. A este limitado inventario de riqueza material debe añadirse su tierra, instrumento de producción del cual hacen poco uso, en comparación con las comunidades más estables, pero que es, sin embargo, el origen de su subsistencia, y tiene cierto valor de venta si existe en la vecindad alguna comunidad agrícola que necesite más tierra de la que posee. Que se sepa, éste es el estado de máxima pobreza en el que puede vivir una comunidad de seres humanos; si bien existen comunidades mucho más ricas en las cuales la situación de una parte de los habitantes, en cuanto a alimentos y comodidades, es tan poco envidiable como la del salvaje (p. 36).

PASTORES

Partiendo de este estado, el primer adelanto notable consiste en la domesticación de los animales más útiles; origen del estado pastoril o nómada, en el cual la humanidad no vive del producto de la caza, sino de la leche y sus derivados, y del aumento anual de sus rebaños. Esta situación es no sólo más deseable por ella misma sino que también es más conducente a progresos ulteriores, y en ella la acumulación de riqueza es mucho más considerable. Mientras las vastas praderas naturales de la tierra no se hallen ocupadas en tal grado que se agoten con mayor rapidez que con la que se renuevan espontáneamente, puede recogerse y conservarse una cantidad cada vez mayor de subsistencias, con poco más trabajo del necesario para proteger el ganado del ataque de las bestias salvajes y de la fuerza de los hombres astutos y rapaces. De aquí que, con el tiempo, los individuos más activos y frugales, mediante sus propios esfuerzos, y los cabezas de familia y tribus, mediante los de aquellos que le deben sumisión, llegan a poseer grandes rebaños. Así surge, en el estado pastoril, la desigualdad de bienes; algo casi desconocido en el estado salvaje, en el que nadie tiene más que lo estrictamente necesario, y, si hay escasez, debe aun compartirlo con los de su tribu. En el estado nómada, algunos tienen ganado en abundancia, suficiente para alimentar una multitud, en tanto que otros no han hallado el medio de apropiarse y retener nada superfluo y hasta tal vez ningún ganado. Pero la subsistencia ha cesado de ser precaria, pues los más afortunados no pueden emplear sus excedentes más que en alimentar a los menos dichosos, en tanto que todo aumento en el número de personas unidas a ellos representa un aumento de seguridad y de fuerza; y así les es posible desentenderse de todo trabajo que no sea el de gobierno y vigilancia, y allegarse subordinados que luchen por ellos en la guerra y que los sirvan en tiempos de paz. Una de las características de este estado de la sociedad es que una parte de la comunidad, y hasta cierto punto toda ella, goza de ocio. Para procurar el alimento sólo se requiere una parte del tiempo y el resto no es absorbido por la inquietud anhelante del mañana, o el reposo necesario después de las actividades musculares. Una vida de esta clase favorece la aparición de nuevas necesidades y descubre la posibilidad de satisfacerlas. Surge el deseo de mejores vestidos, utensilios y herramientas que aquellos con los que se contentan en el estado salvaje; y el excedente de alimentos permite dedicar a esos fines los esfuerzos de una parte de la tribu. En todas o casi todas las comunidades nómadas encontramos manufacturas domésticas rudimentarias y en algunos casos refinadas. Hay pruebas abundantes de que mientras esas partes del mundo que fueron la cuna de la civilización moderna estaban todavía de una manera general en el estado nómada, se había alcanzado ya una destreza considerable en el hilado, el tejido y el teñido de vestidos de lana, en la preparación del cuero, y en lo que parece una invención todavía más difícil, el beneficio de metales. Hasta la ciencia especulativa tuvo sus comienzos en la característica de ocio de este estado de progreso social. Las primeras observaciones astronómicas, según una tradición que tiene muchos visos de verdad, se atribuyen a los pastores de Caldea (pp.36-37).

AGRICULTURA

La transición de este estado de la sociedad al agrícola no es nada fácil (pues ningún cambio importante en las costumbres de la humanidad es menos que difícil y, en general, doloroso, o muy lento), pero se halla dentro de lo que podemos llamar el curso espontáneo de los acontecimientos. El crecimiento de la población humana y del ganado empezó con el tiempo a presionar sobre las capacidades de la tierra para producir pastos naturales y esto, sin duda, provocó la primera labranza del suelo, de la misma manera que, en un período posterior, la misma causa hizo que las hordas superfluas de las naciones que habían permanecido nómadas se precipitaran sobre aquellas que se habían convertido en agrícolas; hasta que, habiendo llegado éstas a ser lo bastante fuertes para repeler esas incursiones, las naciones invasoras, privadas de este recurso, se vieron obligadas a convertirse también en comunidades agrícolas (p. 37).

Pero una vez dado este importante paso, el progreso de la humanidad no parece en modo alguno haber sido tan rápido (exceptuando ciertas raras combinaciones de circunstancias) como pudiera tal vez esperarse. La cantidad de alimentos que la tierra es capaz de producir, aun con los sistemas agrícolas más atrasados, excede en tal grado lo que podría obtenerse en el estado pastoril puro, que lleva de modo inevitable a un gran aumento de la población. Pero este alimento adicional se obtiene sólo mediante un gran aumento en la cantidad de trabajo, de manera que una población agrícola no sólo tiene mucho menos tiempo libre que una pastoril, sino que con las imperfectas herramientas y los procedimientos rudimentarios empleados durante mucho tiempo (y que no han sido aún abandonados en gran parte de la tierra) los agricultores no producen, si no es en circunstancias extraordinariamente favorables de clima y suelo, un excedente de alimentos, fuera de su consumo necesario, que baste para soportar una clase numerosa de obreros empleados en otros sectores de la industria. Además, el excedente, pequeño o grande, es por regla general arrebatado a los productores, bien por el gobierno al cual se hallan sujetos, bien por particulares que, siendo más fuertes, o valiéndose de los sentimientos religiosos o tradicionales de subordinación, se han erigido por sí mismos en señores del suelo (pp. 37-38).

Síntesis

Quedan delimitados tres estadios y una especie de estado cero, como hemos denominado al límite inical. A efectos de lo desarrollado en el capítulo podemos hacer la siguiente síntesis:

Recolección	H-N	Producción espontánea de la vegetación (casi sin trabajo)
Caza	H-T-N	Trabajo
Pastoreo	H-T-N	Trabajo, propiedad privada
Agricultura	H-T-N	Trabajo, propiedad privada y división del trabajo

Quedan así señaladas las progresivas apariciones de los atributos considerados.

CAPÍTULO VI

ECONOMÍA POLÍTICA CLÁSICA.
ÉTICA
(Smith - Ricardo - Marx - Mill)

LA ÉTICA CLÁSICA

Es usual considerar que lo económico se escinde de lo moral pero aquí sostendremos que lo moral es el corazón de lo económico. Sólo bajo su vigencia es posible la vida económica. Las ideas de derecho de apropiación, de cambio justo en lo individual o de resultado ventajoso en lo colectivo son los ejes, en un sentido literal, de la máquina económica clásica. Es la creencia moral la que sustenta el cambio pacífico.

Lo moral, sin embargo, se inserta en lo económico de tal manera que solemos creer que es inaplicable el juicio moral a lo económico.[1] Esto se debe fundamentalmente a dos razones: la autodefinición de autonomía de lo económico respecto de otras instancias y la pertenencia al propio mundo de lo económico de los denunciantes de tal circunstancia.

La definición de autonomía no es una mera declamación sino que lo económico irá adquiriendo tal autonomía que contendrá en su discurso, como absolutamente propio, todo lo necesario para sobrevivir sin apelaciones externas. Tendrá criterios de ordenamiento del cosmos, de derechos y obligaciones entre hombre y naturaleza, de relaciones entre los hombres y las cosas y de los hombres entre sí, de conductas bien especificadas, en fin, tendrá todas las respuestas que su provincia requiera y, como si ello fuera poco, la fascinante posibilidad de lo cuantitativo y su formalización. Este autoabastecimiento es tal que cualquier hecho que caiga en este ámbito (sea de creencias, de conductas, de valorizaciones, etc.) será antes que nada económico, por encima de cualquier pretensión ajena. Es ésta una de las razones por la cual la economía ha sido considerada como más allá de lo ético. Sin embargo, los autores clásicos son todavía buenos ex-

---

1. Así como es habitual percibir que lo económico se inserta en lo moral en otras sociedades, y se suele creer que le es inaplicable la técnica económica.

ponentes para rescatar algunos aspectos —que luego se congelarán—[2] para dar lugar a aquella consideración.

En cuanto a la pertenencia de los exponentes al mundo económico, ésta ha influido para consolidar la externalidad, al considerar espontáneamente cualquier aparición moral como extraeconómica, separada y, por ello, expulsada usualmente a otros campos. Lo moral ha sido considerado como un "ruido" y cualquier juicio extraeconómico como no perteneciente al campo de la economía. Los informantes clásicos han quedado muchas veces sujetos a esta crítica tanto en el rol de objetadores como de objetados.[3] Sin embargo, para la antropología no sólo es necesario sino conveniente evitar generar agregados al mismo discurso económico para detectar este motor que le da vida. Conviene, y es de buen etnógrafo, abrir su cuerpo para hallarlo en las entrañas. Buceando en lo más evidente de la conceptualización clásica, allí en donde más se afirma su análisis, la valorización ética se inserta y le da sentido, y no cualquiera, sino el máximo sentido. Los parámetros morales clásicos —en el sentido más sutil, implícito e incorporado— sólo son detectables en los más claros, duros y reales conceptos unánimemente compartidos por ellos.[4] Y, además, haciéndolo así, evitaremos una exclusión anticipada. Es con esta tesitura como se debe esperar hallar aquella eticidad en:

1. Los presupuestos más compartidos por los clásicos.
2. Los signos más obvios e indiscutidos de la ecuación.
3. Las conductas reconocidas y sus disculpas.

En el capítulo anterior, gracias a la incorporación del mundo primitivo, pudimos ver que los conceptos tenían un grado de adhesión y discutibilidad que iba de los más universales a los más particulares, respectivamente. Vimos cómo, desde las profundidades más naturales (y por ende más compartidas), los clásicos avanzaban progresivamente sobre conceptos más particulares o, por lo menos, más particularizados por la mayoría de ellos.[5] En aquellas profundidades en las que se instalaba el núcleo más vivo estaba la naturalidad del valor de uso; muy cercano a él se hallaba la universalidad del trabajo como su generador y, consecuentemente, como legitimador del derecho de propiedad. Todo ello parecería constituir ese centro donde casi todos los clásicos coincidían. Esta base del porqué se cambia, esta antesala del cambio que les sirve a todos ellos sin excepción para avanzar en la especificidad, será uno de los cuerpos que auscultaremos en este capítulo.

2.   Congelar no significa desaparición sino solidificación.
3.   Basta leer a los críticos de Marx y de S. Mill (que los objetan), pero basta también leer a Marx y S. Mill (como objetadores).
4.   No pretendemos en este capítulo trabajar sobre las discusiones de algunos de los clásicos acerca de la explotación, que indudablemente encierra un tratamiento ético, sino sobre los acuerdos que aparecen aun en estas disputas.
5.   Prácticamente la única excepción, como vimos, es Ricardo.

Sin embargo, la unanimidad no se restringe a esos primeros pasos: vuelve a aparecer en ciertas cualidades del mismo intercambio y, particularmente, en la cualidad de la equivalencia que conduce imperativamente a la cuantificación o, mejor dicho, la implica. Este hecho, tan casado con la metodología de la "más natural" de las ciencias sociales, tan naturalmente incorporado sin más, también será de la partida en nuestra indagación, en esta instancia.

Finalmente, abordaremos la insinuación de unas conductas prototípicas y diagnósticas del mundo clásico, que no parecen condecir con un comportamiento positivamente valorable pero que, justamente por ello, en alguna instancia reciben su compensación para poder justificarse.

Trabajaremos viendo a los clásicos como informantes de una comunidad particular, que a través de sus manifestaciones nos dan indicios de su cosmovisión, calando justamente en ciertos presupuestos que todos a su tiempo suscribieron:[6] lo valioso del trabajo como determinante del valor, el derecho legítimo de la propiedad por medio del esfuerzo, los cambios entre análogos y equivalentes y la pauta que permite el cambio. Pretender agotar estos temas sería absolutamente ingenuo de nuestra parte, dada su complejidad, pero obviarlos implicaría perder la oportunidad de introducir la conmovedora voz de la etnología[7] en la discusión y poner en movimiento conceptos que serán caros a la subdisciplina antropología económica.

Teniendo en cuenta este marco de discusión, intentaremos hacer una lectura de estos aspectos del pensamiento clásico, no poniéndolos en cuestión sino en meticuloso sentido. Pensar que el trabajo determina el valor, que la propiedad tiene o debería tener su sustento en el trabajo, que los intercambios son equivalentes y que el individuo busca su propio interés y logra satisfactorios efectos merece metodológicamente ser considerado detalladamente y como propio del *ethos* occidental moderno, del que la economía es un pilar. Por un instante nos comportaremos como etnólogos cabales en el mundo nativo de los etnólogos. Esto implica que tomaremos la actitud de presuponer ciertos conceptos clásicos como productos históricos y no naturales y, a su vez, específicos de un sistema en particular y no necesariamente universales. De esta manera se ofrecerá a los antropólogos una puesta en discusión de conceptos naturalizados muy propensos a ser operacionalizados en el trabajo etnográfico, muchas veces sin la debida profundización.

LOS PRESUPUESTOS BÁSICOS COMPARTIDOS. TRABAJO VALIOSO

Para los clásicos, estrictamente, existen dos valores en la mercancía:

6. Dejamos para otra oportunidad la conmoción del concepto más naturalizado por los clásicos, el valor de uso, centro de la discusión neoclásica.
7. Utilizamos el término *etnología* justamente para referir a una forma de abordaje incorporada en este siglo a través de los modelos etnológicos (Kula, Potlach, Dowes).

el valor de uso y el valor de cambio. El primero es cualitativo, fácilmente ejemplificable con la oferta natural y de sencilla complementación con las necesidades primarias. El segundo es cuantitativo y asociado con lo humano; sin embargo, e independientemente del quántum, también tiene una atribución cualitativa, la de ser esfuerzo valioso. Es decir que, independientemente de su mayor o menor valor cuantitativo, la mercancía tiene dos ingredientes indispensables: el valor de uso y el esfuerzo humano. La ausencia de cualquiera anula el concepto. La existencia potencial para el uso humano es lo valioso del valor de uso mientras que la puesta en disposición para el uso humano por medio del esfuerzo es lo valioso del trabajo.

En términos cualitativos y en los límites de la organicidad misma, la materia natural y el esfuerzo son los dos componentes necesarios y suficientes, y no hace falta aquí considerar ninguna relación interhumana (ni cuantitativa).

La naturaleza es valiosa en sí, en la materia que ofrece, mientras que el esfuerzo es algo puesto después sobre esa materia, por decisión humana. Mientras que la naturaleza no pertenece al hombre (aunque, como veremos, sí es para el hombre), el hombre es del hombre. Su cuerpo y el esfuerzo de su cuerpo son suyos. Y esto es algo valioso para la puesta a disposición. Las cosas valiosas se manifiestan así en dos partes: la capacidad de satisfacción y el esfuerzo de su preparación.

Es sobre esta base que el esfuerzo incorpora algo valioso a la valiosa materia natural.

... valor que el trabajo *incorpora* a los materiales.

(Smith, 1958: 47-48.)

El trabajo humano *invertido* en las mercancías.

(Marx, 1959, I: 49.)

A la naturaleza, que por definición es valiosa, por un acto humano se le suma o incorpora algo también valioso. Acto seguido uno podría preguntarse: ¿quién predomina en este dar valor?, ¿la naturaleza o el trabajo? Y la respuesta sería: en esta instancia, tal interrogante no tiene ninguna significación. El hombre y la naturaleza no se presentan como antagónicos sino que ambos suman. Es más, sólo suman si el otro está presente. Lo natural sin esfuerzo es pura potencialidad, promesa, expectativa que sólo la tarea transforma en acto, realidad, concreción. Por su parte, el esfuerzo sin la materia natural es accionar sin sentido, sin fin, sin utilidad, pues sólo la materia natural le asigna significado real y concreto. La relación en esta suma orgánica es de complementariedad, no de competencia.

Trabajo - propiedad

Pero basta que nos introduzcamos en el mundo interhumano —aun mirando de reojo al otro— para que el gobierno de la cualidad comience a ceder terreno al gobierno de la cantidad. Cuando de dirimir preeminencias se trata, los quanta comienzan a tallar.

Presuponer que yo "incorporo" algo en el objeto —mi esfuerzo, del cual soy dueño, y que es valioso para la cosa— hace sospechar que ahora podría valerme algún derecho sobre la cosa, un derecho indeterminado pero existente. Más aún si tenemos en cuenta que lo mío, mi esfuerzo, no produce una mera transformación sino un verdadero acto de creación. Un acto que queda estampado como de creación humana:

> ... *crean*, mediante su trabajo y su habilidad, todo el producto de la misma...
>
> (S. Mill, 1943: 207.)

> Como *creador* de valores de uso, es decir como trabajo útil, el trabajo es, por tanto, condición de vida del hombre, y condición independiente de todas las formas de sociedad, una necesidad perenne y natural sin la que no se concebiría el intercambio orgánico entre el hombre y la naturaleza ni, por consiguiente, la vida humana.
>
> (Marx, 1959, I: 10.)

y gracias al cual el hombre se provee de las cosas deseadas o necesitadas más importantes:

> El trabajo [...] es el fondo que en principio la *provee* de todas las cosas necesarias y convenientes para la vida...
>
> (Smith, 1958: 3.)

> La mayoría de los bienes que son objetos de deseo *se procuran* mediante el trabajo...
>
> (Ricardo, 1959: 10.)

De que algún derecho existe parece no haber dudas, gracias a este acto de generación. Acto que adquiere tanta importancia que para prueba en contrario se afirma:

> A la Tierra *no la creó* el hombre.
>
> (S. Mill, 1943: 219.)

y por tanto, ¿qué derecho puede caberle al hombre sobre ella?

Pero, si el derecho parece abrirse paso, su alcance hasta aquí no se ha definido. Sin embargo, si se afirmara, en términos ordinales, que lo que da más valor a la cosa es el esfuerzo, pareciera que los derechos humanos se acrecentarían. Finalmente, si se llega a detectar que lo único que realmente se considera que da valor es el propio esfuerzo y que, por tanto, la cosa vale sólo por lo que el hombre le ha puesto, se concluirá, en consecuencia, que su valor es humano, perteneciéndole al hombre, y esto incluye todo lo implicado. Que el hombre es su propio dueño, que por tanto el esfuerzo es suyo, que ese esfuerzo puesto en algo útil es valioso, etc., hasta alcanzar el "esta cosa me pertenece".

En realidad, lo que ha ocurrido es que había dos posibles aspirantes a la propiedad: la naturaleza y el hombre. En este debate, la naturaleza renuncia o es renunciada como sujeto propietario una vez que el objeto entra en la circunscripción humana.

La propiedad ya no es un dirimir entre naturaleza y humanidad sino entre humanos. Y es por ello que a partir de este punto la naturaleza es puesta entre paréntesis, se la hace valer cero, se la saca de cualquier intento cuantitativo y se le deja sólo la cualidad de necesariedad pero no la de magnitud. Se la exime en la competencia de la propiedad. Todo lo que vale la cosa lo vale por el esfuerzo, el esfuerzo de quien hizo y puso el esfuerzo en la cosa. Es más, la naturaleza pasa a ser objeto apropiable.

> ... toda producción es apropiación de la naturaleza por el individuo en el marco y por intermedio de una forma de sociedad determinada. En ese sentido, es una tautología decir que la propiedad (apropiación) es una condición de la producción.
>
> (Marx, 1970: 198.)

No sólo abandona cualquier competencia por la propiedad sino que pasa a ser objeto de apropiación (es como el esclavo, no sólo un hombre al margen del derecho de propiedad sino alguien transformado en objeto de propiedad).

El hecho de que de los dos elementos valiosos el único que incide en cuanto a medición de mayor o menor importancia es el esfuerzo hace que éste se vuelva la fuente legítima de propiedad y la propiedad convocará en su legitimación siempre al esfuerzo.

> En ese estado de cosas el producto íntegro del trabajo pertenece al trabajador y la cantidad de trabajo comúnmente empleado en adquirir o producir una mercancía es la única circunstancia que puede regular la cantidad de trabajo ajeno que con ella se puede adquirir, permutar o disponer.
>
> (Smith, 1958: 47.)

> Siempre que se defiende la propiedad privada se supone que ésta significa el medio de garantizar a los individuos los frutos de su propio trabajo y abstinencia.
>
> (S. Mill, 1943: 199.)

Poner algo y justamente lo más valioso. Ahí reside la legitimación del derecho y detrás del derecho legítimo estará la idea que lo legitima: el ser fruto del trabajo. Simultánemante, todo lo que queda fuera de tener derecho de apropiación pasa a ser objeto de apropiación. El mundo se divide entre los potenciales legítimos propietarios, los hombres, y los potenciales objetos de apropiación. La condena de la naturaleza está en la raíz misma de su origen: la de ser servidora del hombre. Esta complementación original ya traía el germen de su sometimiento al hombre.

Trabajo-valor: cambio

La naturaleza y el hombre, contribuyentes valiosos y complementarios en su origen, dirimieron una batalla producto de la aparición de un tercero,[8] lo interhumano, y el hombre se quedó con el valor que ahora le será de utilidad para dirimir los derechos con sus semejantes.

Este concepto de valor ya no es el de lo simplemente valioso sino algo que comienza a ser comparado con sus pares. No con su cualidad complementaria (la naturaleza) sino con los cualitativamente análogos (los esfuerzos humanos). En este contexto, lo más o menos valioso tiene sentido sólo en la relación de cambio, en la que, ya no como una mera abstracción sino como un hecho, los objetos se cambian en ciertas relaciones que denominamos en sus valores. El valor de cambio es así un valor relativo, comparativo, y para este cotejo sólo valdrá el esfuerzo pues la naturaleza, en términos interhumanos, vale cero, es una constante.

> ... *el valor de cualquier bien*, para [...] cambiarlo por otros, es igual a la cantidad de trabajo que pueda adquirir o de que *pueda disponer* por mediación suya
>
> (Smith, 1958: 31.)

> ... la regla que *determina qué cantidad de uno debe darse en cambio por otro* depende casi exclusivamente de *la cantidad comparativa de trabajo empleada en cada uno*.
>
> (Ricardo, 1959: 10.)

> ... si prescindimos del valor de uso de las mercancías éstas sólo conservan una cualidad: la de ser productos del trabajo.
>
> (Marx, 1959, I: 5.)

El intercambio que es producto de naturaleza más trabajo queda reducido a un problema entre trabajos, porque la naturaleza para el cambio, reiterémoslo, o vale cero o es constante. Dos formas que no inciden en nuestros valores relativos.

> En toda época y circunstancia es *caro* lo que resulta difícil de adquirir o *cuesta mucho trabajo obtener*, y barato lo que se adquiere con más facilidad y *menos trabajo*.
>
> (Smith, 1958: 34.)

---

8. "El valor de cambio, sin dos por lo menos, no existe" (Marx, 1959, I: 713).

... y *subían y bajaban* únicamente unos en relación con otros, *según que su producción requiriera más o menos trabajo.*
                                                          (Ricardo, 1959: 32.)

Y así como el triunfo del valor humano sobre la naturaleza, predeterminados desde sus orígenes, le dio el derecho de propiedad al hombre por sobre la naturaleza, el valor de generador del trabajo le da el derecho de propiedad a cada hombre generador sobre el resto de los hombres.

Trabajo por trabajo

El valor es el eje del derecho de propiedad; sea real o no, es el deber ser que se va instalando como verdadero juicio moral. Valor y propiedad es el tándem para comprender lo justo y lo injusto de las tenencias y los cambios. Es consecuencia de ello que ahora el trabajo no sólo determina el valor (es decir, es la fuente de valor) sino que, además, el trabajo debe cambiarse por trabajo. La equidad del cambio se refleja en la imagen de dos productores cambiando sus producciones. El reconocimiento manifiesto necesario es el de que

... las cosas son, de por sí, objetos ajenos al hombre y por tanto enajenables. Para que esta enajenación sea recíproca, basta con que los hombres se consideren tácitamente *propietarios privados...*
                                                          (Marx, 1959, I: 51.)

Pero detrás de estos sujetos libres y dueños se interpreta que

Lo que se compra [...] *se adquiere* con el trabajo, lo mismo que lo que adquirimos con el *esfuerzo de nuestro cuerpo.*
                                                          (Smith, 1958: 31.)

... la facultad de comprar; una *cierta facultad de disposición sobre todo el trabajo*, o sobre todo el producto de éste, que se encuentra en el mercado.
                                                          (Smith, 1958: 32.)

La propiedad más sagrada e inviolable es la del propio trabajo, porque es la fuente originaria de todas las demás.
                                                          (Smith, 1958: 118.)

Tan pronto como se hubo establecido la división del trabajo [...] el hombre subviene la mayor parte de sus necesidades cambiando el remanente del producto de su esfuerzo.
                                                          (Smith, 1958: 24.)

La propiedad no entraña más que el derecho de cada cual a *disponer de sus propias facultades, de lo que con ellas puede producir,* y de todo lo que con ellas puede obtener en un mercado justo; juntamente con su derecho de darlo a cualquier otra persona si así lo desea, y el derecho de ésta a recibirlo y gozarlo.

(S. Mill, 1943: 209.)

Puesto que el *principio esencial de la propiedad* es asegurar a todas las personas *la posesión de aquello que han producido por su trabajo* y acumulado por su abstinencia, este principio no puede aplicarse a lo que no es producto del trabajo, esto es, los productos brutos de la tierra.

(S. Mill, 1943: 216.)

Desechada la utilidad, el intercambio es entre trabajos, entre propietarios de trabajos, de productos del trabajo. Sería injusto que yo recibiera esfuerzo ajeno sin entregar esfuerzo. No sería equitativo que yo me quedara con productos del esfuerzo ajeno sin dar esfuerzo a cambio. No sólo dar algo a cambio sino algo homogéneo: producto del esfuerzo, que es como decir "algo propio". En realidad, lo único legítimamente propio. Sólo entre propietarios es posible y sólo se es propietario legítimo por el esfuerzo. Y esto, insistimos, más allá de su cumplimiento o su violación. Es la norma de cambio recíproco detrás del cambio recíproco, en sus componentes esenciales (ideales).[9]

La institución de la propiedad, cuando se limita a sus *elementos esenciales*, consiste en el reconocimiento, a cada persona, del derecho a *disponer exclusivamente de lo que ha producido con su propio esfuerzo*, o ha recibido de aquellos que lo produjeron, sea como un presente, sea mediante un convenio justo, sin fuerza ni fraude. Todo ello se funda en el derecho de los productores a disponer de lo que ellos mismos han producido. Por consiguiente, a la institución, tal como existe hoy, puede objetársele que reconoce a los individuos derechos de propiedad sobre cosas que no han producido.

(S. Mill, 1943: 206-207.)

Objeción sobre un "deber ser" no cumplido. Un deber ser tan evidente que cuando lo hacemos jugar nos resulta de una transparencia incontrastable:

Partiremos, sin embargo, aunque sólo sea a título de paralelo con el régimen de producción de mercancías, *del supuesto de que la participa-*

---

9. Al punto de que podemos entender los conflictos morales suscitados por la posesión directa de lo natural que llevan a la necesidad de justificaciones del tipo hay algo de uno incorporado: "Pero, si bien la tierra no es producto de la actividad humana, la mayor parte de sus cualidades valiosas sí lo son" (S. Mill, 1943: 217). O la búsqueda de una finalidad para mantener su justicia: como a la "Tierra no la creó el hombre" debe considerarse que si "la propiedad privada de la tierra no es útil, es injusta" (S. Mill, 1943: 219), salvándose la regla de propiedad en este caso por medio de la utilidad (véase el último punto del capítulo).

ción asignada a cada productor en los medios de vida depende de su tiempo de trabajo. En estas condiciones, el tiempo de trabajo representaría, como se ve, una doble función. Su distribución con arreglo a un plan social servirá para regular la proporción adecuada entre las diversas funciones del trabajo y las distintas necesidades. De otra parte y simultáneamente, el tiempo de trabajo serviría para graduar la parte del individual del producto en el trabajo colectivo y, por tanto, en la parte del producto también colectivo destinada al consumo. Como se ve, aquí las relaciones sociales de los hombres con su trabajo y los productos de su trabajo son perfectamente *claras y sencillas*,[10] tanto en lo tocante a la producción como en lo que se refiere a la distribución.

(Marx, 1959, I: 43.)

Aquí el autor no necesita de explicaciones adicionales, las transacciones son "claras y sencillas", para persuadir a su lector contemporáneo.[11] Tan claro como la metáfora que nos transmite con precisión el espíritu de la apropiación: resultado de algo de uno en el objeto, morando en el objeto:

... personas *cuyas voluntades moran en aquellos objetos*, de tal modo que cada poseedor de una mercancía sólo pueda apoderarse de la de otro por voluntad de éste y desprendiéndose de la suya propia; es decir, por medio de una acto de voluntad común a ambos. Es necesario, por consiguiente, que ambas personas se reconozcan como propietarios privados.

(Marx, 1959, I: 48.)

Todo esto, sin embargo, no nos está garantizando que en el campo de lo real la propiedad sea el producto de tal fuente, ni siquiera de su predominancia; las desviaciones no son excepcionales:

La propiedad privada, como institución, no debe su origen a ninguna de las consideraciones de carácter utilitario que abogan por su permanencia una vez establecida. Sabemos lo bastante de la edad primitiva, tanto por la historia como por estados análogos de la sociedad en los tiempos actuales, para poder afirmar que los tribunales (que siempre preceden a las leyes) se establecieron en un principio no para fijar los derechos de cada cual, sino para reprimir la violencia y terminar las querellas. Y siendo ésta su finalidad principal, era natural que concedieran efecto legal a la primera ocupación, tratando como

10. El destacado nos pertenece.
11. Párrafo al que podría ser aplicable en comprensión, paradójicamente, el siguiente del mismo autor: "Así como en toda ciencia histórica o social en general no hay que olvidar jamás, a propósito de la marcha de las categorías económicas, que el sujeto, en este caso la sociedad burguesa moderna, está dado tanto en la realidad como en el cerebro" (Marx,1970: 219-220). Claridad y sencillez debida a la coincidencia de la cosmovisión y realidad del emisor.

agresor a la persona que cometía primero la violencia, despojando o intentando despojar a otra de la posesión. Se consiguió así conservar la paz, que era la finalidad primordial del gobierno civil: mientras que al confirmar la posesión, incluso de aquello que no era fruto de esfuerzos personales, a los que ya la poseían, se daba una garantía, lo mismo a ellos que a los demás, de que se les protegería en lo que sí lo fuera.

(S. Mill, 1943: 192-193.)

Pero en el desvío de la pauta, ésta se sostiene como la norma del cambio justo, del deber ser, que ordenará el discurso y el discurso de juzgamiento que emitirán los clásicos. Este principio de justicia, en el que la principal fuente es el trabajo y que el cambio debe equiparar las cualidades de las daciones y recepciones, será común a todos.

Uno por uno

Pero hasta aquí equiparamos cualidades: ser producto del esfuerzo. Un esfuerzo que salió airoso ante la naturaleza en su lucha por la propiedad. Sin embargo, ahora debemos definir si el solo esfuerzo es suficiente para equiparar la recepción y la dación. La nueva exigencia impuesta es la de que los objetos intercambiados deben ser equivalentes. La norma de justicia dice "dame algo de tu propiedad, que por tanto es producto de tu esfuerzo, y yo te daré algo análogo: de mi propiedad, por tanto producto de mi esfuerzo". Pero esto es insuficiente. Debe ser de igual valor. No sólo trabajo por trabajo sino en cantidades iguales: uno por uno. Los intercambios deben no sólo guardar una cualidad homogénea —trabajo— sino una proporcionalidad. El intercambio se hará, o mejor dicho, debería hacerse entre equivalentes.

El acto alcanza una igualdad gracias a la "cantidad de trabajo" que cada parte integra en el producto entregado.

[En el estado primitivo] la única circunstancia que puede servir de norma para el cambio recíproco de diferentes objetos parece ser *la proporción entre las distintas clases de trabajo* que se necesitan para adquirirlos.

(Smith, 1958: 47.)

... el valor de cambio de los bienes producidos sería *proporcional al trabajo empleado* en su producción: no sólo en su producción inmediata, sino en todos aquellos implementos...

(Ricardo, 1959: 19.)

Por el momento, *la proporción cuantitativa* en que se cambian es algo absolutamente fortuito.

... va arraigando, poco a poco. A fuerza de repetirse constantemente, el intercambio se convierte en un proceso social periódico. A partir de un determinado momento, es obligado producir, por lo menos, una parte de los productos del trabajo con la intención de servirse de ellos para el cambio. A partir de este momento, se consolida la separación entre la utilidad de los objetos para las necesidades directas de quien los produce y su utilidad para ser cambiados por otros. Su valor de uso se divorcia de su valor de cambio. Esto, de una parte. De otra, nos encontramos con que *es su propia producción la que determina la proporción cuantitativa en que se cambian.* La costumbre se encarga de plasmarlos como magnitudes de valor

(Marx. 1959, I: 51.)

No sólo trabajos como cualidades intercambiables sino trabajos proporcionales. Intercambio en cierta relación que posee una cualidad, la de igualdad, cuantitativa.

La forma pura del intercambio ha alcanzado su clímax: el intercambio entre sujetos legítimamente dueños de sus cosas, por un medio reconocido íntimamente como el medio justo de adquisición, el trabajo, y con la exigencia de una justicia que se ubica en un extremo de la valorización, ser exacta.

SALVEMOS LA EQUIVALENCIA SÍ O SÍ

Los economistas clásicos actuaron con la equivalencia como los comerciantes medievales con el precio justo.[12] Éstos transformaban las unidades con tal de sostener la justicia del precio. Aquellos transformaban conceptos con tal de sostener la equivalencia del cambio.

Quizá también, así como para los panaderos medievales era más astuto, por notarse menos, modificar la cantidad y no el precio, así para los economistas clásicos será más astuto (¿por menos advertido?) modificar el concepto y no la equivalencia. A fin de cuenta se trata de sostener la percepción de la igualdad de valores.

Decir que algo vale implica ponerlo en comparación, es un cotejo. La equivalencia es una decisión de igualdad que pone entre paréntesis el juicio moral; en realidad, está implícito porque ya lo ha hecho. Todos los clásicos tienen como punto de partida que los cambios eran entre equivalentes "siempre".[13] Y sostendrán esta postura contra todas las tormen-

---

12. No siempre el precio reflejó la variación. Existieron verdaderas modificaciones en los valores efectivos de cambio sin que el precio se modificara. Aquella permanencia del precio estaba asentada en la idea del justo precio: "Muy generalizado, casi universal en la época feudal, es el método de expresar su precio por la cantidad variable del artículo que corresponde a otra invariable de dinero. Tal práctica fue generalmente considerada como razonable y moral. Por ella se regulan las tarifas de cada voivodato y eso es precisamente lo que espera el pueblo de las autoridades. Esta práctica tiene un profundo fundamento y una importante función social. El fundamento ideológico radica en la teoría del *iustum praetium* de Santo Tomás; «justo» quiere decir aquí «inmutable»..." (Kula, 1980: 102).

13. Al punto de que el intrincado tema de la explotación no se lleva al plano de decir que

tas que se presenten, como un baluarte del discurso económico. Justamente la mantención de la equivalencia es la garantía de seguir en la disciplina "economía".

Cuando el concepto de equivalencia se ve acosado y corre el riesgo de zozobrar, los clásicos imponen salvamentos que consisten en adecuar otros conceptos, la transformación de otros conceptos. Éste fue el caso cada vez que se insinuó un intercambio que podría poner en tela de juicio la equivalencia. Su preservación se logró en función de novedades conceptuales.

Dos vías son las que ejemplificaremos aquí: 1) la que denominamos *solución por el valor de cambio*, por medio de la cual, cambiando los atributos del valor —trabajo más otros—, Smith restablece la igualdad; y 2) la que denominamos *solución por el valor de uso*, por medio de la cual, introduciendo en un valor cualitativo como el de uso, la cantidad —más valor de uso que su valor de cambio—,[14] Marx siguiendo a Ricardo, sostiene la equivalencia.

La solución por el valor de cambio (Smith)

En un principio, Smith sostiene que la cantidad de trabajo es la fuente definitiva del valor de cambio. Sin embargo, este acto de producción no condice con el acto de distribución. La contribución al valor, desde esta fuente, no coincide con la distribución de ese valor. Estaríamos ante intercambios inequivalentes. Esto debe remediarse, la equivalencia ha de ser salvada: siempre hay algo igual en cambio. Es por tanto tan válido entrar en el razonamiento por la retribución como por la dación, ambos son iguales. Si hay una retribución es porque hay una dación. Siempre que se recibe una retribución es porque se aporta algo. Éste es el razonamiento.

Smith se encuentra con una distribución del producto en la sociedad capitalista bajo tres formas y beneficiarios: renta, beneficio y salario.

El total de lo que anualmente se produce u obtiene por el trabajo de la sociedad, o, lo que es lo mismo, su precio conjunto, se distribuye originariamente de este modo entre los varios miembros que la componen. Salarios, beneficio y renta son las tres fuentes originarias de

---

ha habido un cambio inequivalente en cuanto a cantidad de valores sino un cambio cualitativamente diferente que produce un efecto inequivalente, incluso con el forzamiento de transformar un valor cualitativo (el de uso) en cuantitativo.

14. Este último, al decir que el valor de uso del trabajo es superior a su valor de cambio, está diciendo que el primero puede ser comparable cuantitativamente con el valor de cambio y puede ser mayor. S. Mill también sostendrá la posibilidad de un valor de uso superior al valor de cambio (aunque nos dice que no podría ser a la inversa). En este punto comienzan a acercarse a una teoría del valor de uso, más cercana a los neoclásicos.

toda clase de renta y de todo valor de cambio. Cualquier otra clase de renta se deriva, en última instancia, de una de estas tres.

(Smith, 1958: 51-52.)

Si lo que "se produce u obtiene por el trabajo" es lo que se distribuye entre las tres clases, la situación originaria parece adolecer de cierta inequivalencia:

Situación originaria:

PRODUCCIÓN	=	trabajo	= Valor
DISTRIBUCIÓN	=	renta + salario + beneficio	=

(Léase: Lo que da valor al producto final es la cantidad de trabajo que tiene incorporado y el resultado se distribuye entre rentistas, asalariados y capitalistas.)

Si el intercambio pretende ser equivalente, debe haber aportes que lo equiparen. A partir de ello, se produce la transformación del concepto valor-trabajo, particularizándolo: en la sociedad capitalista el valor es la resultante de tierra, capital y trabajo.

En un país civilizado son muy pocas las mercancías cuyo valor en cambio se deba únicamente al trabajo...

(Smith, 1958: 53.)

... tan pronto como el capital se acumula en poder de personas determinadas, algunas de ellas procuran regularmente emplearlo en dar trabajo a gentes laboriosas, suministrándoles materiales y alimentos para sacar un provecho de la venta de su producto o del valor que el trabajo incorpora a los materiales. Al cambiar un producto acabado, bien sea por dinero, bien por trabajo o por otras mercaderías, además de lo que sea suficiente para pagar el valor de los materiales y los salarios de los obreros, es necesario que se dé algo por razón de las ganancias que corresponden al empresario, el cual compromete su capital en esa contingencia. En nuestro ejemplo, el valor que el trabajador añade a los materiales se resuelve en dos partes; una de ellas paga el salario de los obreros y la otra, las ganancias del empresario, sobre el fondo entero de materiales y salarios que adelanta. El empresario no tendría interés alguno en emplearlos si no esperase alcanzar de la venta de sus productos algo más de lo suficiente para reponer su capital, ni tendría tampoco interés en emplear un capital considerable, y no otro más exiguo, si los beneficios no guardasen cierta proporción con la cuantía del capital.

(Smith, 1958: 47-48).

Nuevas aportaciones al valor comienzan a visualizarse y por tanto a verse reflejadas incluso en situaciones de indivisión (indistinguidos los sujetos) de tales aportes pero que conceptualmente aparecen como aportes diferenciales.[15]

Un fabricante independiente y que dispone del capital necesario para comprar los materiales y mantenerse hasta el momento de llevar su producción al mercado, no sólo gana los salarios de un jornalero, que actúa bajo la dependencia de un patrono, sino también el beneficio que éste obtiene del trabajo del obrero. A toda la ganancia se la llama, sin embargo, beneficio, y en este caso también se confunden con él los salarios.

(Smith, 1958: 53.)

Un jardinero que cultiva directamente su propio huerto reúne en su persona los tres distintos caracteres de terrateniente, colono y jornalero. El producto le paga, por lo tanto, la renta del primero, el beneficio del segundo y los salarios del tercero. El producto total se considera, sin embargo, como una mera compensación de su trabajo, confundiéndose en este caso la renta y el beneficio con los salarios.

(Smith, 1958: 53.)

Solución que modifica la originaria fuente del valor de cambio.

Solución modificada:

PRODUCCIÓN	=	tierra + trabajo + medios	= Valor
DISTRIBUCIÓN	=	renta + salario + beneficio	=

(Léase: Lo que da valor al producto final es la conjunción del aporte de la tierra, el trabajo y los medios y el resultado se distribuye entre sus propietarios por medio de renta, salario y beneficio.)

Sin embargo, si bien esto restablece la igualdad de valores intercambiados, conmueve un criterio que se pierde en el trasfondo de esta preservación de la equivalencia: el del trabajo como fuente de valor y como derecho de apropiación. Conmoción salvable si el trabajo se mantiene detrás de estos nuevos aportes. La mejor manifestación, prueba de ello, será su sostenimiento en el nivel de la medida.

El trabajo no sólo mide el valor de aquella parte del precio que se resuelve en trabajo sino también el de aquella otra que se traduce en renta y en beneficio.

(Smith, 1958: 49.)

La solución modificada refleja el caso en que la distribución (recepción de la parte del producto) y la producción (participación en la construcción

---

15. Tema que retomaremos más adelante, cuando tratemos la indistinción primitiva.

del producto) son análogas. La situación originaria reflejaba el caso en que la distribución y la producción no eran análogas. Pero, si bien aquella solución modificada restablecía un concepto fuerte, como el de equivalencia, dejaba en el camino un concepto fundante, el del trabajo como fuente única de valor. El punto de equilibrio se hallará presentando el trabajo detrás de los aportes, aunque sea en el nivel de la medición.

Solución que quedará plasmada definitivamente en los clásicos en la idea de "trabajos anteriores":

> ... el valor de cambio de los bienes producidos sería proporcional al trabajo empleado en su producción: no sólo en su producción inmediata sino en todos aquellos implementos o máquinas requeridos para llevar a cabo el trabajo particular al que fueron aplicados.
>
> (Ricardo, 1959: 19.)

PRODUCCIÓN	= trabajo	+ trabajo	= (anteriores)
	+ trabajo		
DISTRIBUCIÓN	= renta + salario + beneficio		

Solución que modifica la cualidad del valor de uso (Marx)

Marx, siguiendo a Ricardo, sostiene —a pesar de lo reflejado por la distribución— que el trabajo es la única fuente, aunque la distribución no coincida con el aporte. Parecería, sin embargo, que este problema ya estaba solucionado en el apartado anterior, cuando se sostenía simplemente que detrás de los otros aportes hay una historia de trabajo. Pero la fuente de valor a que nos referimos ahora se remite exclusivamente al trabajo presente: el trabajo vivo es la única fuente, aunque la distribución no coincida con el aporte.

PRODUCCIÓN	= trabajo	+ trabajo	= (anteriores)	
	+ trabajo		= (presente)	= valor
DISTRIBUCIÓN	= renta + salario + beneficio			

Afirmación que sin más nos llevaría a restablecer la inequivalencia: una extracción indebida, una retención objetable.[16] Sin embargo, no es así, no implica un robo; los intercambios, a pesar de lo afirmado, son entre

---

16. Hecho aparentemente obvio en quien, como Marx, pretende asentar su discusión sobre la explotación en el sistema capitalista.

equivalentes y "donde hay equivalencia, no puede haber lucro" (Galiani, citado por Marx, 1959, I: 113).

> En su forma pura, el cambio de mercancías es siempre un cambio de equivalentes y, por tanto, no da pie para lucrarse obteniendo más valor.
>
> (Marx, 1959, I: 113.)

Por un lado, trabajo vivo entregado por alguien, que genera todo el valor que es distribuido entre otros, a los no aportadores de trabajo vivo. Pero esto no implica una alteración del cambio equivalente: quien recibe da algo igual a cambio.

La solución de la paradoja forzará un concepto abandonado en el mundo de las cualidades, lo reflotará bajo otra forma y restablecerá la equivalencia y el trabajo en sus roles sin contradicción: el valor de cambio del trabajo, se nos dirá, es diferente de su valor de uso. Éste es mayor que aquél. La equivalencia se sostiene aquí, sólo que lo hace gracias a que un concepto cualitativo se vuelva repentinamente cuantitativo:

> ... el trabajo pretérito encerrado en la fuerza de trabajo y el trabajo vivo que ésta puede desarrollar, su costo diario de conservación y su rendimiento diario, son dos magnitudes completamente distintas. La primera determina su valor de cambio; la segunda, su forma de valor de uso.
>
> (Marx, 1959, I: 144.)

> ... el factor decisivo es el valor de uso específico de esta mercancía, que le permite ser fuente de valor, y de más valor que el que ella tiene.
>
> (Marx, 1959, I: 144.)

Un valor de uso, ahora fuente de valor, y de un valor que es una magnitud, al punto de poder decir: un valor de uso mayor que su valor de cambio.[17]

17. Diferencia entre dos entidades cuyo antecedente ya está prefigurado en la crítica de Ricardo a Smith:

> ... si la recompensa del trabajador estuviera siempre en proporción a lo producido por él, la cantidad de trabajo empleado en un bien y la cantidad de trabajo que este mismo bien adquiriría serían iguales, y cualquiera de ellos podría medir con precisión las variaciones de otras cosas: pero no son iguales...
>
> (Ricardo, 1959: 11.)

> La única circunstancia que puede servir de norma para el cambio recíproco de diferentes objetos parece ser la proporción entre las distintas clases de trabajo que se necesitan para adquirirlos; o, en otras palabras, que la cantidad comparativa de bienes producidos por el trabajo es la que determina su valor relativo presente o pasado, y no las cantidades comparativas de bienes que se entregan al trabajador, a cambio de su trabajo.
>
> (Ricardo, 1959: 13.)

Y de Marx a Smith:

Y todas las condiciones del problema se han resuelto sin infringir en lo más mínimo las leyes del cambio de mercancías. Se ha cambiado un equivalente por otro. Como comprador, el capitalista ha pagado todas las mercancías, el algodón, la masa de husos y la fuerza de trabajo, por su valor. Después de comprarlas, ha hecho con estas mercancías lo que hace todo comprador: consumir su valor de uso.

(Marx, 1959, I: 145.)

Equivalencia que ubica cualquier cambio bajo la percepción de la equidad, del derecho, de lo que corresponde, más allá de la crítica que pudiera hacerse al sistema mismo.

... yo no presento nunca la ganancia del capitalista como una sustracción o un "robo" cometidos contra el obrero. Por el contrario, considero al capitalista como un funcionario indispensable del régimen capitalista de producción y demuestro bastante prolijamente que no se limita a "sustraer" o "robar", sino que lo que hace es obtener la producción de la plusvalía; es decir que ayuda a crear ante todo aquello que ha de "sustraer"; y demuestro también por extenso que incluso en el cambio de mercancías se cambian solamente equivalentes y que el capitalista —siempre que pague el valor real de su fuerza de trabajo— tiene pleno derecho —dentro, naturalmente, del régimen de derecho que corresponde a este sistema de producción— de apropiarse la plusvalía. Pero todo esto no convierte la ganancia del capital en "elemento constitutivo" del valor, sino que demuestra simplemente que en el valor no "constituido" por el trabajo del capitalista hay una parte que éste puede apropiarse "en derecho", es decir, sin infringir el régimen de derecho que corresponde al cambio de mercancías.

(Marx, 1959, I: 715.)

Sobre el derecho mercantil —y la equivalencia es su mejor manifestación (algo de igual valor por algo de igual valor)— no hay nada que decir, está cumplido. El pie no ha salido del cepo impuesto por el discurso económico. Sin embargo, es la fuente última del derecho de apropiación (el que da valor tiene derecho al objeto valorizado) la que se ve violentada, no cumplida. Y en este mismo incumplimiento se erige una vez más como un patrón de derechos. Es un cambio equivalente, entre iguales, pero no es totalmente equitativo, no por delito, sino por la cualidad de la fuente, que una vez vendida vale más que en el acto de venderse.

La equivalencia es así un presupuesto del intercambio económico clásico a rajatablas; es de tal fuerza que se sostiene hasta en las explica-

---

Confunde permanentemente la determinación del valor de las mercancías por el tiempo de trabajo que encierra, con la determinación de sus valores por el valor del trabajo...

(Marx, 1970: 51.)

ciones más pretendidamente sustentadoras de la asimetría y la inequidad. Es una presunción del cambio, es una premisa, es una evidencia.

En el cuadro que sigue se puede ver que esta igualdad no requiere más que derivarse de la existencia misma de intercambios y que de ella se sigue la existencia de algo común, que, como sabemos, será la cantidad de trabajo. Intercambio e igualdad son correlativos, e igualdad implica la expresión del contenido de algo igual.

permutabilidad	—	igualdad
la proporción en que se cambian	—	igualdad
por ser iguales entre sí	—	expresan algo igual
igualdad	—	contienen algo común

CUADRO SINÓPTICO

Una determinada mercancía, un quárter de trigo, por ejemplo, se cambia en las más diversas proporciones por otras mercancías, vgr.: por x betún, por y seda, por z oro, etcétera.

1 trigo	por	x betún
1 trigo	por	y seda
1 trigo	por	z oro

Pero como x betún, y seda, z oro, etc., representan el valor de cambio de un quárter de trigo, x betún, y seda, z oro etc. tienen que ser necesariamente valores de cambio permutables los unos por los otros,

x betún	por	y seda	o viceversa
x betún	por	z oro	o viceversa
y seda	por	z oro	o viceversa

o iguales entre sí,

$$x \text{ betún} = y \text{ seda} = z \text{ oro}$$

de donde se sigue: expresan todos ellos algo igual;

x betún	=	?
y seda	=	?
z oro	=	?

Segundo, que el valor de cambio no es ni puede ser más que la expresión de un contenido diferenciable de él, su forma de manifestarse.

Tomemos ahora dos mercancías, por ejemplo, trigo y hierro. Cualquiera sea la proporción en que se cambien, cabrá siempre representarla por una igualdad en que determinada cantidad de trigo equivalga a una cantidad cualquiera de hierro, vgr.: 1 quárter de trigo = x quintales de hierro.

---

1 trigo = *x* hierro

¿Qué nos dice la igualdad? Que en los dos objetos distintos, o sea, en un quárter de trigo y en *x* quintales de hierro, se contiene un algo común de magnitud igual. Ambas cosas son, por tanto, iguales a una tercera, que no es de suyo ni la una ni la otra. Cada una de ellas debe, por consiguiente, en cuanto valor de cambio, poder reducirse a este tercer término.

1 trigo = *x* hierro = ?

(Síntesis elaborada sobre la base de citas de Marx, 1959, I: 4-5.)
(Las ecuaciones intercaladas son nuestras.)

La presunción de equivalencia marcará así el límite del discurso económico al punto de que su abandono implicaría el traspaso de tal discurso. Pero más aún, la presunción de tal igualdad es la que dará pie simultáneamente a que se reconozca que hay algo igual detrás (véase Apéndice).

x betún	=	*w* trabajo
y seda	=	*k* trabajo
z oro	=	*m* trabajo

Este razonamiento (permutabilidad-igualdad-algo común), que tiene ricas consecuencias *per se* y una apariencia de neutralidad, propia del discurso económico, tendrá entre sus efectos el de desdecir esta puesta a un lado de lo moral. La igualdad, además de contener algo común, nos dice dos cosas más: que "hay algo a cambio de igual valor" y que "la contribución a la creación (esfuerzo) del valor es el derecho de apropiación originario justo".

Hemos insinuado en su momento que sólo es posible visitar a un primitivo luego de una serie de decisiones en que toda una cosmovisión está comprometida. Y que tanto visitarlo como sentarse a escucharlo son la base de la etnografía. En igual sentido, es posible afirmar ahora que sólo es posible introducir un signo igual (y vale lo mismo para uno desigual) luego de una serie de decisiones donde toda una cosmovisión está comprometida. Y el signo igual es la base de la ecuación.

La equivalencia nos deja la sensación de ser una cerradura con la cual la ciencia económica se obliga a sí misma y se asegura contra intromisiones extradisciplinarias, casualmente consideradas no científicas. La seriedad del discurso económico tiene uno de sus mayores pilares en esta cerradura.

SALVEMOS EL EGOÍSMO

Recordemos nuestra fórmula de cambio: "Recibir algo de otro si se da algo propio a cambio igual, siendo la búsqueda del recibir el detonante principal".

Con la equivalencia y la apropiación legítima, por esfuerzo, la primera parte de la pauta ha sido satisfecha. Cualquier conmoción de ella será defendida a capa y espada, o más precisamente, a conceptos e ingenios. Pauta de comportamiento, de equidad y legitimidad, que gobierna la circulación de mercancías y le da el aura de justicia. Pauta institucional que da cabida al acto de cambio, pacíficamente, como libre y voluntario. El sustento de igualdad de valores, probadamente iguales, y la legitimidad de lo propio y lo ajeno fortalece este modo de actuar.

Sin embargo, queda una última condición, la segunda parte de la pauta, que suele merecer una objeción moral al sentir occidental, asociado a la búsqueda del propio interés. Detonante que marcará la economía, casi sin discusión, y en el que subyace un sujeto particularmente egoísta, movido por la búsqueda del propio interés. Ningún clásico dudará de esta circunstancia, de este detonante, entendible si tenemos en cuenta que el mundo del que habla y que recrea la economía, no es cualquiera sino que es un mundo bajo este supuesto:

... suponiendo que todos los interesados cuidan sus intereses.

(S. Mill, 1943: 390.)

Pero a ningún clásico, además, le dejará de rondar por su mente que es un acto moralmente controversial y que requiere de alguna justificación. Y, justamente, que el acto requiera de alguna justificación ulterior no es más que una confirmación de que el acto es a priori, en sí, reprobable.

Lo que aquí queremos sostener es que los resultados positivos se vuelven justificadores de algo reprobable, y que eso reprobable es la conducta estigmatizada como económica.[18] Una conducta que violenta algún *principio moral.* Que no está al margen de un juzgamiento moral, sino que, justamente, es juzgada como negativa, imputación que se absuelve en función del "principio de los efectos positivos". Es más, no sólo se absuelve por este principio, sino que se lo prescribe.

Dos autores influyeron en el seguimiento de esta pauta, en la contribución a la absolución de sus aspectos controversiales: Mandevielle (1729) y Bentham (1789 y 1832).[19]

La conducta será evaluada no en función de su intencionalidad, buena o mala, sino en función de los resultados, buenos o malos. En este punto,

---

18. Existen otras conductas, pero no son las que está refiriendo el economista. Éste es el caso del obrero de Marx o el consumidor de S. Mill.
19. No agrega nada a nuestro razonamiento el que hayan influido o no a los clásicos (de hecho lo hicieron), pero sí confluyen a mostrar el pensamiento moralmente justificado que va adquiriendo la economía.

valuación final	intención acto	resultado acto
bueno	b	b
malo	b	m
malo	m	m
bueno	m	b

Lo correcto o incorrecto es en función de los efectos, la prueba de razón, en función del abundante producto. Un resultado que es efecto de una determinada conducta. Y una particularidad: la aseveración de que una acción mala es más ventajosa en cuanto a suma de resultados que una acción buena.

> El principio de utilidad puede ser coherentemente seguido; y no es más que tautología decir que cuando más coherentemente sea seguido, mejor será siempre para la humanidad. El principio de ascetismo nunca ha sido ni nunca podrá ser coherentemente seguido por ninguna criatura viviente. Dejemos que una décima parte de los habitantes de la Tierra lo sigan coherentemente, y acabarán transformándolo en un infierno.
>
> (Bentham, 1991: 52.)

Así, cada parte estaba llena de vicios,
pero todo el conjunto era un Paraíso;
adulados en la paz, temidos en la guerra,
eran estimados por los extranjeros.
[...]
Tales eran la bendiciones de aquel Estado:
sus pecados colaboraban para hacerle grande;
[...]
Así era el arte del Estado, que mantenía
el todo, del cual cada parte se quejaba;
esto, como en música la armonía,
en general hacía concordar las disonancias.
[...]
Dejad, pues, de quejaros: sólo los tontos se esfuerzan
por hacer de un gran panal un panal honrado.
Querer gozar de los beneficios del mundo,
y ser famosos en la guerra, y vivir con holgura,
sin grandes vicios, es vana
utopía en el cerebro asentada.
[...]
La virtud sola no puede hacer que vivan las naciones
esplendorosamente; las que revivir quisieran
la Edad de Oro, han de liberarse
de la honradez como de las bellotas.

(Mandevielle, 1982: 11-21.)

Los efectos son la pauta de juzgamiento: efectos buenos, valoración positiva. Pero está explícito ahora que no sólo los resultados buenos son los que se evalúan buenos, sino que existen resultados buenos sólo con actos malos. Un acto bueno no produce resultados buenos, sino que, justamente los actos malos lo hacen. Suprimiéndose la primera alternativa:

valuación final	intención acto	resultado acto
malo	b	m
malo	m	m
bueno	m	b

Sólo ciertos actos malos producen resultados buenos. Ciertas miserias arrojan benéficos efectos.

> ¿Acaso no debemos la abundancia del vino
> a la mezquina vid, seca y retorcida?
>
> (Mandevielle, 1982: 21).

Actos mal vistos, una conducta comúnmente polémica desde el punto de vista moral, que produce saludables efectos, y que justamente está omnipresente y es determinante.

> ... el hombre [...] es un animal extraordinariamente egoísta y obstinado.
>
> (Mandevielle, 1982: 23.)

> El interés determina siempre la conducta del hombre.
>
> (Bentham, 1991: 78.)

Conducta generalizada pero sospechosa a la mirada de la moralina del deber ser de ese ideal que se torna normativa de conducta. Sin embargo, permisible si renuncio a ese deber ser o, mejor dicho, lo hago coincidir a rajatabla con lo que es. La conducta generalizada es "la conducta". Aseveración que condice en superponer el ser y el deber ser, haciendo coincidir la propensión natural con la prescripción moral.

> Una de las principales razones del porqué son tan raras las personas que se conocen a sí mismas radica en que la mayoría de los escritores se ocupa en enseñar a los hombres cómo deberían ser, sin preocuparse casi nunca por decirles cómo son en realidad.
>
> (Mandevielle, 1982: 22.)

> ... cómo se facilita la moralidad al demostrar que en el transcurso de la vida de las personas coinciden el deber con el interés bien entendido.
>
> (Bentham, 1991: 73.)

Descalificadas las antiguas morales, la pauta de evaluación se sustenta en los efectos. Si obedeces a tu propensión, estarás haciendo lo correcto:

> La naturaleza ha situado a la humanidad bajo el gobierno de dos
> dueños soberanos: el dolor y el placer. Sólo ellos nos indican lo que
> debemos hacer y determinan lo que haremos [...] la medida de lo co-
> rrecto y lo incorrecto [está atada] a su trono [...] El principio de utilidad
> reconoce esta sujeción...
>
> (Bentham, 1991: 45.)

Y, para más, no se agota en el sujeto mismo, sino que produce los
mejores efectos para todos. La nueva ética se ha instalado, sin abjurar de
la antigua, hallando sólo mecanismos de absolución. No es la ausencia de
pecado sino el pecado perdonado.

No es casual que bajo estos presupuestos, antialtruistas, resultadistas
y realísticos, ya desde sus títulos las obras no dudan en titularnos que
están hablando de "... principios de moral...", "deontología o ética" (Bentham) y la "... virtud moral..." (Mandevielle).

El ser y el deber ser se superponen, lo espontáneamente repudiable es
llevado a la categoría de valioso gracias a que produce resultados positivos
(más aún que si no ocurriese),[20] y por tanto se vuelve deseable. En general, tales resultados se dan en alguna otra instancia (como el conjunto),
valorada positivamente en la moral del "deber ser": "vicios privados, virtudes públicas " (subtítulo de *La fábula de las abejas*).

En este apartado queremos asentar nuestra indagación en esta solución que, independientemente de otros contenidos, tiene una fórmula
como la que sigue:

ACTOS X,
(no valorables positivamente en sí)
en alguna otra instancia
producen RESULTADOS Y
(valorados positivamente)
los que no se producirían sin los ACTOS X

con lo cual

ACTOS X son condición de existencia de los RESULTADOS Y

El acto X no se justifica *per se* porque tiene una valoración negativa
(por ejemplo, interés particular, aprovecharse del otro, etc.). El resultado
Y lo absuelve porque tiene una valoración positiva (por ejemplo, interés
general, beneficiar a otro). Hechos que pertenecen al cosmos moral de los
clásicos.

---

20. La utilidad como justificación ya se hallaba en Locke, aunque no aún como "de no
existir tal hecho sería peor".

Avancemos en un par de ejemplos clásicos del uso de esta fórmula en contextos y objetivos diferentes. La siguiente cita de Smith se encuadra en la absolución de Mandeville:

> No es *la benevolencia* del carnicero, del cervecero o del panadero la que nos procura el alimento, sino la consideración de su *propio interés*.
>
> (Smith, 1958: 17.)

Reiterado en la ya tradicional aseveración que justifica el capitalismo:

> Pero el ingreso anual de la sociedad es precisamente igual al valor en cambio del total producto anual de sus actividades económicas, o mejor dicho, se identifica con él. Ahora bien, *como cualquier individuo pone todo su empeño en emplear su capital en sostener la industria doméstica, y dirigida a la consecución del producto que rinde más valor, resulta que cada uno de ellos colabora de una manera necesaria en la obtención del ingreso anual máximo para la sociedad.* Ninguno se propone, por lo general, promover el interés público, ni sabe hasta qué punto lo promueve. Cuando prefiere la actividad económica de su país a la extranjera, únicamente considera su seguridad, y cuando dirige la primera de tal forma que su producto represente el mayor valor posible, *sólo piensa en su ganancia propia; pero en éste como en otros muchos casos, es conducido por una mano invisible a promover un fin que no entraba en sus intenciones. Mas no implica mal alguno para la sociedad que tal fin no entre a formar parte de sus propósitos, pues al perseguir su propio interés, promueve el de la sociedad de una manera más efectiva que si esto entrara en sus designios.*
>
> (Smith, 1958: 402.)

Un acto reprobable, como la búsqueda del mayor valor para sí, no sólo es redimido sino también convocado, en función de sus benéficos resultados para la sociedad de conjunto. La intención es secundaria frente al efecto benéfico. Lo particular y visible se torna un simple medio para los beneficios del todo. Más aún, mejor que si lo particular tuviese un signo espontáneamente positivo.

El segundo ejemplo se ubica en el otro extremo: el de la crítica al capitalismo. Éste es el caso de Marx (quien define lo benéfico en una instancia posterior del capitalismo) pero en un sentido accesible, gracias a actos desaprobables del capitalismo, que son ya una instancia superadora de la mediocridad anterior.

> Sólo es compatible con *los estrechos límites elementales, primitivos, de la producción y la sociedad.* Querer eternizarlo equivaldría, como acertadamente dice Pecqueur, a " decretar la mediocridad general". Al llegar a un cierto grado de progreso, el mismo alumbra los medios

materiales para su destrucción [...] *Hácese necesario destruirlo y es destruido.*

(Marx, 1959, I: 645.)

Y que firmemente se continuará en el estadio del capitalismo:

... la producción capitalista engendra, con la fuerza inexorable de un proceso natural, su primera negación. Es la negación de la negación. Ésta ya no restaura la propiedad privada ya destruida, sino una propiedad individual que recoge los progresos de la era capitalista.

(Marx, 1959, I: 649.)

Esta expropiación la lleva a cabo el juego de las leyes inmanentes de la propia producción capitalista, la centralización de los capitales.

(Marx, 1959, I: 648.)

como paso inexorable. Esta ley necesaria (bajo el paraguas del evolucionismo) debe pasar por el estadio que le ocupa, en el que los protagonistas, aun sin su intencionalidad, aun creyendo satisfacer su interés manifiesto, van acelerando la muerte del sistema que sustentan.

Ningún capitalista aplica voluntariamente un nuevo tipo de producción, por muy rentable que pueda ser o por mucho que pueda aumentar la cuota de plusvalia, cuando hace disminuir la cuota de ganancia.[21] *Pero cualquier tipo nuevo de producción de esta clase abarata las mercancias...* Luego sobreviene la *baja de la cuota de ganancia* [...] *la cual es, por tanto, en absoluto independiente de la voluntad de los capitalistas.*

(Marx, 1959, III: 261.)

El medio empleado, desarrollo incondicional de las fuerzas productivas, choca constantemente con el fin perseguido, que es un fin limitado: la valorización del capital existente. Por consiguiente [...] al propio tiempo una contradicción constante...

(Marx, 1959, III: 248.)

La finalidad de la producción capitalista es, como sabemos, la valorización del capital, es decir, la apropiación de trabajo sobrante, la producción de plusvalia, de ganancia. Por consiguiente, tan pronto como el capital aumentase en tales proporciones con respecto a la población obrera que ya no fuese posible ni extender el tiempo absoluto de trabajo rendido por esta población, ni ampliar el tiempo relativo de

---

21. Comportamiento de búsqueda de la ganancia (en este caso, éste es el propio interés) al que Marx adhiere para describir al capitalista. Sólo critica la pretensión de universalizar este comportamiento: "Bentham no se anda con cumplidos. Con la más candorosa sequedad, toma al filisteo moderno, especialmente al filisteo inglés, como el hombre normal" (1959, I: 514).

trabajo sobrante [...] se presentaría una superproducción absoluta de capital...

(Marx, 1959, III: 249.)

Al punto de que cualquier incumplimiento de esta búsqueda de la ganancia, reprobable a priori, no sería más que un retraso en el alcance del estadio deseado.

Una estructuración en los clásicos que tiene la particularidad de que los hechos producen resultados contrarios pero finalmente beneficiosos. Para Smith, la búsqueda interesada del mayor valor para sí, propia del sujeto egoísta, gracias a la acción de algo invisible produce beneficios generales no alcanzables sin aquellas acciones en primera instancia repudiables. Para Marx, esa búsqueda de la valorización, con todas las miserias implicadas, es un paso en el progreso, y un paso necesario hacia el progreso. La búsqueda intensa de la valorización, por su ley inmanente, lleva a su propia destrucción, considerada beneficiosa.

Pero ambos consideran controversial, e incluso reprobable, la actitud del interés propio, aunque necesaria para la armonía global o para alcanzar la instancia superior según el caso. En este efecto, lo controvertido o reprobable queda justificado. Ambos casos, la armonía global o la instancia superior, se caracterizan por situaciones de mayor riqueza global. La bonanza y la riqueza van de la mano como fin virtuoso. Pero una riqueza reprobable a priori cuando es para uno, se vuelve virtuosa cuando es para todos. La riqueza del todo es de signo positivo *per se*. La riqueza para uno es de signo negativo *per se*. Unidas ambas, como elementos de un conjunto, se tornan positivas en su totalidad.

para uno	para todos
negativo	positivo

El juzgar del proceder económico no debe hacerse ya sobre las conductas manifiestas sino sobre los resultados, inmediatos o mediatos, del todo social. Éste es el sujeto fin de la acción.

Recordemos (véase cap. I) que poseer más allá de lo necesario era posible en Locke, siempre y cuando el objeto no se echara a perder, no perdiera su utilidad. Recordemos que S. Mill nos decía: "[como a la] Tierra no la creó el hombre" debe considerarse que si "la propiedad privada de la tierra no es útil, es injusta" (S. Mill, 1943: 219), salvándose la regla de propiedad por medio de la utilidad. Este hecho (que la utilidad salve la acción) es el que gobierna los dos ejemplos dados anteriormente. Pero en Smith y Marx la utilidad se logra en un sujeto colectivo, sujeto moralmente mejor visto que la propia utilidad.

Finalmente, mencionemos que en ambos casos también se presupone que los protagonistas no necesariamente perciben las consecuencias generales. Este hecho hace que la intención se ratifique como ausente para juzgar el acto, renunciando ante el resultado.

La ley de la economía clásica se mueve en la contradicción de vicios privados y virtudes publicas, así como entre lo intencional y lo inintencional. El vicio intencional se vuelve virtud inintencionada. Y el fenómeno vicioso en una instancia privada se vuelve él mismo virtud por haber ingresado en una instancia pública.

Malo	Mecanismo convertidor	Bueno
El interés propio	que por una mano invisible se vuelve	interés público
La apropiación de lo ajeno	por una ley inexorable se volverá	apropiación pública

Fórmulas que recuerdan en su forma y valoración:

> ... convinieron con los demás en llamar *vicio* a todo lo que el hombre, sin consideración por lo público, fuera capaz de cometer para satisfacer alguno de sus apetitos, si en tales acciones vislumbrara la mínima posibilidad de que fuera nociva para algún miembro de la sociedad y de hacerle menos servicial para los demás; y en dar el nombre de *virtud* a cualquier acto por el cual el hombre, contrariando los impulsos de la naturaleza, procurara el bien de los demás o el dominio de sus propias pasiones mediante la racional ambición de ser bueno.
>
> (Mandevielle, 1982: 27.)

Vicio y virtud convencionales: éste es el hecho moral que se contrapone a la naturaleza y, consecuentemente, a la natural ley del efecto contrario.

La satisfacción propia sin considerar a los demás, intrínsecamente vicio (y por tanto negativa) vuélvese virtud (y por tanto positiva) por producir la satisfacción general.

La no satisfacción propia, por procurarla a los demás, intrínsecamente virtud (y por tanto positiva), vuélvese vicio (y por tanto negativa) por producir la insatisfacción general.

Y ¿cuál es esta satisfacción en nuestros economistas? ¿Cuál es esa mayor utilidad (placer-dolor)? Se traduce en ese mayor valor (Smith) o en la ganancia (Marx). Dos objetivos particulares: individuo o capitalista, que se volverán positivos al transferirse al conjunto, la sociedad.

Llegados a este punto, hemos detectado dos cosas: una fórmula que tiene antecedentes en el platonismo (parece pero es otra cosa)[22] y el epi-

---

22. Pero también en lo que Meek ha dado trascendencia como precedente de la aparición de las ciencias sociales: la "ley de las consecuencias involuntarias" (Meek, 1981: 1).

cureísmo (hedonismo).[23] Pero hemos detectado también un principio moral antiegoísta que está presente y sobrevive a su propia anulación. La economía sin el salvamento del interés general no soporta el juicio moral.[24]

CONCLUSIÓN

La consideración del trabajo como fuente de valor, fuente de propiedad y, por tanto, fuente del derecho de disposición a voluntad, nos dio la primera pauta de acceso a los bienes económicos, las mercancías. Una norma de cambio, la de uno por uno, nos dio la pauta de las proporciones del intercambio. Proporcionalidad que es una condición y un reconocimiento de cambios equivalentes. Esta idea de cambiar algo propio equivalente a otra cosa que se recibe a cambio implica una idea de justicia exacta que estará detrás de todo intercambio puro. La equivalencia y el trabajo serán tan pilares del pensamiento económico clásico que, aun en sus controversias, el trabajo estará siempre detrás del valor[25] y la equivalencia estará siempre en los intercambios.[26] Cualquier cambio en algo de ellos obliga a recomponerlo a través de forzar otros conceptos.

Estos dos pilares del intercambio económico clásico, trabajo y equivalencia, serían sin embargo insuficientes para la moral clásica si no tuvieran una justificación del detonante del cambio: el egoísmo. Actitud que quedará adscripta al sujeto económico prototípico del capitalismo pero que en un principio contraria las expectativas morales de solidaridad. Este detonante en algún lugar debe obtener su absolución justamente por su carácter inicialmente insoportable para la moral clásica. Esta búsqueda justamente resulta la prueba de la exigencia moral. Esa miseria humana conocida como egoísmo se ratifica como miseria en el mismo instante en que se busca en algún lugar su pertinencia. Este hecho se ve lavado gracias a un resultado positivo en alguna instancia mayor, generalmente co-

23. Utilitarismo (más satisfacción, menos insatisfacción) que marcará a la economía hasta nuestros días.

24. Dumont dice que la mano invisible de "Smith cumple una función que ha sido poco señalada. Es como si Dios nos dijera: «Hijo mío, en esto no temas transgredir aparentemente mis mandamientos. He dispuesto todo de tal manera que puedes justificadamente prescindir de la moralidad en este caso particular»" (Dumont, 1982: 88). Sin embargo debemos agregar que no se prescinde, se la absuelve. No es algo puro, es algo lavado. Es cierto que esto implica una normativa propia, pero asentada sobre la normativa moral que objeta el interés propio. Nunca el egoísmo podrá sobrevivir sin la justificación, hecho que sí ocurre con el altruismo.

25. Sea por la vía de traducir trabajo aun detrás de los otros posibles "factores", sea en el hecho común que atribuye a la suma mayor de valores el significado de mayor laboriosidad detrás de sí.

26. Aun en quienes la explicación de la extracción de un plus está en su mira.

lectiva (la sociedad en su conjunto) o en una instancia imperiosa e inevitable (la sobrevivencia misma).

La legitimidad de las propiedades por el esfuerzo propio, la ascética circulación en la que no se generan apropiaciones indebidas y un interés propio que —si bien objetable— en principio se torna un medio inevitable de un fin deseable. Trabajo, equivalencia y resultado positivo establecen una relación entre el hombre y la cosa, de los hombres entre sí por medio de cosas iguales y entre el acto particular y el conjunto social, respectivamente, de compatibilidad y justificación. Trabajo, equivalencia y utilidad son los tres pilares morales que sostienen los clásicos y, al mismo tiempo, tres pilares económicos. Tres pilares morales encubiertos en la objetividad, cerradura de lo moral. Objetividad que merodea la moral, y la oculta. La vivencia —para Occidente— de una moral objetiva, es igual a algo no moral: es como $1 - 1 = 0$, donde 1 es moral, -1 es objetiva y 0 es economía. Este cero es el resultado de aquella sustracción, y es en ella donde debemos detectar la moral negada. La economía es una moral objetiva, es decir, una moral oculta. Negar la moral implica lo moral, una particular moralidad, la elegida por la economía. Más que nada, se trata de asegurar que lo moral se da de hecho en alguna moralidad específica.

APÉNDICE I

FENÓMENO - SUSTENTACIÓN - FENÓMENO CONCRETO

Repitamos (desde la perspectiva de las ecuaciones) lo que ya hemos desarrollado sobre los clásicos y que nos sirve como base para nuestra discusión. Es posible saber que algo tiene valor gracias a que éste se manifiesta: los bienes valiosos se cambian en determinadas relaciones cuantitativas, y se considera valor a la capacidad de ese intercambio. Un bien vale por lo que es capaz de comprar.

Nadie debe dudar de que lo que observa el primer economista es el intercambio de mercancías por una de ellas, dinero, que servirá de referencia en tales transacciones: A se cambia por x pesos, B se cambia por y pesos, C se cambia por z pesos, etc. Relaciones de precio (mercancía por dinero), que llevan a preguntarse por qué se cambian en las relaciones que se hacen, y consecuentemente por qué valen lo que valen.

1	A	=	un peso
1	B	=	dos pesos
1	C	=	tres pesos

Relaciones de precio (mercancía por dinero) tras las que se establece, sustituyendo en las ecuaciones anteriores, una relación directa entre mercancías:

1 A	=	1/2 B	=	1/3 C
1 B	=	2 A	=	2/3 C
1 C	=	3 A	=	1/5 B

Esta comparación lleva a preguntarse qué cualidades tienen estos objetos para tener estas equiparaciones, estas equivalencias. Todos son útiles (satisfacen una necesidad) para diferentes cosas, pero esto no dará cuenta, según los clásicos, de las relaciones cuantitativas de las ecuaciones anteriores; sólo refiere a la consideración de la necesidad de unos y de otros. Este hecho las pone en relación pero no establece los quanta de tal relación. Entonces ¿qué otra cualidad ostentan para ser comparables?, ¿qué es lo que permite equipararlos?, debe de haber algo más, común también a cada una de estas mercancías.

1 A	=	útil para comer	+	?
1 B	=	útil para beber	+	?
1 C	=	útil para abrigarse	+	?

Eso otro común es el carácter de ser objetos producidos, resultado de una procuración esforzada que se denominará *trabajo*.

1 A	=	útil para comer	+	trabajo para obtener A
1 B	=	útil para beber	+	trabajo para obtener B
1 C	=	útil para abrigarse	+	trabajo para obtener C

Trabajos particulares que luego se generalizan en el concepto de trabajo sin más. Aunque aún no se detecta la relación cuantitativa que da la igualdad, sí se ha avanzado sobre la idea de que trabajos diferentes y particulares pueden abstraerse u homogeneizarse en trabajo en general, que se reforzará luego en la reducción menos abstracta y más operativa de considerar diferentes trabajos bajo la forma de "trabajo simple". Trabajos que tienen resultados de productos diferentes y que se estima reducibles a los más "simples", a una especie de trabajo tipo.

1 A	=	útil para comer	+	trabajo tipo
1 B	=	útil para beber	+	trabajo tipo
1 C	=	útil para abrigarse	+	trabajo tipo

El concepto *trabajo* es una primera reducción de lo específico. Hecha esta primera homogeneización, lo que se comparará ahora es la "cantidad" de trabajo que apunta justamente al objetivo de explicar las cantidades relativas de los cambios.

1 A	=	útil para comer	+	q trabajo tipo
1 B	=	útil para beber	+	q trabajo tipo
1 C	=	útil para abrigarse	+	q trabajo tipo

Pero ¿cómo se mide tal cantidad?, ¿en función de la energía humana gastada, quizá?, ¿en función de la fuerza humana insumida? No, en función del tiempo de duración del esfuerzo sobre el objeto.

1 A	=	útil para comer	+	q t trabajo tipo
1 B	=	útil para beber	+	q t trabajo tipo
1 C	=	útil para abrigarse	+	q t trabajo tipo

Un tiempo representado en su forma "horaria", continuo, sustituible, homogéneo, etc., que convertido en nuestras ecuaciones dará:

1 A	=	útil para comer	+	1 hs trabajo tipo
1 B	=	útil para beber	+	2 hs trabajo tipo
1 C	=	útil para abrigarse	+	3 hs trabajo tipo

Entendiéndose que el valor no es algo absoluto sino relativo, al punto de que la expresión podría también ser la que sigue, sin que se altere en lo más mínimo lo que se quiera expresar.

1 A	=	útil para comer	+	2 hs trabajo tipo
1 B	=	útil para beber	+	4 hs de trabajo tipo
1 C	=	útil para abrigarse	+	6 hs trabajo tipo

Y explican la ecuación inicial

1	A	=	1 peso
1	B	=	2 pesos
1	C	=	3 pesos

que también tiene el mismo significado relativo que

1	A	=	2 pesos
1	B	=	4 pesos
1	C	=	6 pesos

Éste es el orden de razonamiento del valor de cambio, que va desde el fenómeno más evidente, representado por la primera ecuación (primer recuadro), hasta lo más profundo de su sustento, representado por la ecuación en que el trabajo se vuelve la fuente cuantificada en horas (segundo recuadro), hasta la pretensión de vuelta al fenómeno, representado por el paso a la última ecuación (hacia el último recuadro).

APÉNDICE II

Ejercicios

El objetivo de estos ejercicios es llevar a una visión particularizadora de ciertos conceptos clásicos dados por sentados y evidentes. El lector debe leer las afirmaciones y reflexionar sobre ellas y lo visto en el capítulo.

1. CONTRAEJEMPLOS SOBRE LOS PRESUPUESTOS COMPARTIDOS (PRIMERA PARTE)

1.1. El trabajo no siempre es valioso y por tanto no siempre es fuente de valor:

> ... hay en el cristianismo una tendencia a condenar todo *negotium*, toda actividad secular, a privilegiar por el contrario cierto *otium*, una ociosidad que es confianza en la Providencia.
>
> (Le Goff, 1983: 90.)

> Lejos de seguir siendo motivo de desprecio, señal de inferioridad, el trabajo se convierte en mérito. El esfuerzo hecho justifica no solamente el ejercicio de un oficio, sino la ganancia que reporta.
>
> (Le Goff, 1983: 94.)

> Pero con la renovación económica, entre los siglos XI y XIII, con el despertar del comercio de largo alcance, del desarrollo urbano, el paisaje social cambia...
>
> (Le Goff, 1983: 99.)

> Desde entonces se enfrentan dos desprecios: el de los aristócratas respecto de los laboriosos, el de los trabajadores respecto de los ociosos...
>
> (Le Goff, 1983: 100.)

> Si el trabajo en sí no es ya la línea de división entre categorías consideradas y categorías despreciadas, es el trabajo manual lo que constituye la nueva frontera de la estima y del desprecio.
>
> (Le Goff, 1983: 101.)

1.2. El hombre no siempre es dueño de algo, aunque nos resulte evidente que lo es, y por tanto no siempre tiene derecho a venderlo.

> El tiempo es un don de Dios y no puede por tanto ser vendido. El tabú del tiempo que la Edad Media ha opuesto al mercader se levanta al alba del Renacimiento. El tiempo que no pertenecía más que a Dios es en adelante propiedad del hombre.
>
> (Le Goff, 1983: 74.)

2. Contraejemplos sobre la equivalencia (segunda parte)

2.1. Los cambios ¿son siempre entre equivalentes?

[En la sociedad feudal] por ejemplo, estaba generalizada la opinión de que el comerciante tiene el derecho de aplicar, si no otra medida, por lo menos una manera de medir para comprar y otra para vender el artículo, opinión fundada por otra parte en la convicción de que el precio del artículo, aparentemente su característica interna, no puede ser cambiado por el hombre sin cometer pecado. Por tanto, el mercado compraba y vendía el artículo al mismo precio, con la diferencia de que al comprar lo medía con colmo y al vender lo medía al ras. Su ganancia estaba representada por aquel colmo, y constituía una suma muy importante.

(Kula, 1980: 135-136.)

"Las prostitutas", escribe [Thomas de Chobham], "deben ser contadas entre los mercenarios. En efecto, alquilan su cuerpo y hacen un trabajo... De ahí ese principio de la justicia secular: ella actúa mal al ser una prostituta, pero no obra mal al recibir el precio de su trabajo, una vez admitido que es una prostituta. De ahí el hecho de que puede arrepentirse de prostituirse, y no obstante guardar los beneficios de la prostitución para hacer con ello limosnas. Mas si se prostituye por placer y si alquila su cuerpo para conocer el placer, entonces no alquila su cuerpo, y el beneficio es tan vergonzoso como el acto. Asimismo si la prostituta se perfuma y se adorna de forma que atrae con falsos atractivos y hace creer en una belleza y en incentivos que no posee, por comprar el cliente lo que ve, y ser en este caso mentira, la prostituta comete con ello un pecado, y no debe conservar el beneficio que de ello saca. En efecto, si el cliente la viera tal como es realmente, no le daría más que un óbolo, pero como le parece hermosa y brillante, le da un denario. En este caso ella no debe guardar más que un óbolo y devolver el resto al cliente a quien ha engañado, o a la Iglesia o a los pobres..."

(Thomas de Chobham, cit. en Le Goff, 1983: 97.)

2.2. La equivalencia debe salvarse.

Leer el siguiente ejemplo de Imre Lakatos y pensarlo en función del caso de Smith (*equivalencia*) y en función del caso de Marx (*equivalencia*).

¿El mecanismo utilizado para salvar la equivalencia se acerca al caso imaginario de Lakatos?

Un físico de la era preeinsteiniana combina la mecánica de Newton y su ley de gravitación (N) con las consiciones iniciales aceptadas (I), y calcula mediante ellas la ruta de un pequeño planeta que acaba de descubrirse, *p*. Pero el planeta se desvía de la ruta prevista. ¿Considera nuestro físico que la desviación estaba prohibida por la teoría de Newton y que, una vez confirmada tal ruta, queda refutada la teoría N? No. Sugiere que debe existir un planeta hasta ahora desconocido, pΣ, que perturba la ruta de p. Calcula la masa, órbita, etc., de ese planeta hipotético y pide a un astrónomo experimental que contraste su hipótesis. El planeta pΣ es tan pequeño que ni los mayores telescopios existentes podrían observarlo: el astrónomo experimental solicita ayuda a la investigación para construir uno aún mayor. Tres años después el nuevo telescopio ya está disponible. Si se descubriera el planeta desconocido p, ello sería proclamado como una victoria de la ciencia newtoniana. Pero no sucede así. ¿Abandona nuestro científico la teoría de Newton y sus ideas sobre el planeta perturbador? No. Sugiere que una nube de polvo cósmico nos oculta el planeta. Calcula la situación y propiedades de la nube y solicita una ayuda a la investigación para enviar un satélite con objeto de contrastar sus cálculos. Si los instrumentos del satélite registraran la existencia de la nube conjeturada, el resultado sería pregonado como una victoria de la ciencia newtoniana. Pero no se descubre la nube. ¿Abandona nuestro científico la teoría de Newton junto con la idea del planeta perturbador y la de la nube oculta? No. Sugiere que existe un campo magnético en esa región del universo que inutilizó los instrumentos del satélite. Se envía un nuevo satélite. Si se encontrara el campo magnético, los newtonianos celebrarían una victoria sensacional. Pero ello no sucede. ¿Se considera este hecho una refutación de la ciencia newtoniana? No. O bien se propone otra ingeniosa hipótesis auxiliar o bien... toda la historia queda enterrada en los polvorientos volúmenes de las revistas y nunca vuelve a ser mencionada.

(Lakatos, 1989: 27-28.)

CAPÍTULO VII

ANTROPOLOGÍA EVOLUCIONISTA.
NATURALEZA DEL FENÓMENO
(Morgan - Tylor)

Cuando tratamos a los economistas clásicos como si conformasen una cultura extraña no hicimos más que lo que habitualmente sabemos hacer los antropólogos. Y cuando tal tratamiento se ubicó en un eje extraño a los economistas no hicimos más que ubicarnos en el eje preferido siempre por los antropólogos. Ésta será la discusión de este capítulo a la luz de los primeros antropólogos científicos, los evolucionistas.[1]

Nuestro método consistirá en interrogar a los antropólogos evolucionistas en función de un cuestionario que se apoya sobre la lógica de los economistas clásicos y observar sus respuestas. Siempre un antropólogo se asienta en las preguntas de una cultura diferente de la que interroga.

Nuestro texto se debatirá entre dos preguntas: ¿de qué se ocupan los antropólogos evolucionistas? y ¿cuál es la particularidad del tratamiento de su ocupación? En otros términos, significa dar respuesta a:

— ¿Qué es la antropología para los antropólogos evolucionistas?
— ¿Cuál es la particularidad de la antropología evolucionista?

El primero de los interrogantes nos lleva al intento de definición de la antropología y el segundo a la particular forma que ésta adquiere bajo la luz del evolucionismo.

1. Definición

1.1. Definición amplia y tratamiento restringido

1.1.1. Eje vertical.
1.1.2. Eje horizontal.

---

1. Trataremos exclusivamente a Tylor y Morgan, por ser los más diagnósticos.

1.2. Fenómeno y apelación

    1.2.1. Al resto vertical.
    1.2.2. Al resto horizontal.

2. Especificidad de la antropología evolucionista

1.1. Occidental.
1.2. Científica.

En este capítulo desarrollaremos estos dos puntos, desembocando en la especificidad de la antropología que nos ocupa.

En los dos capítulos que siguen trataremos más extensamente el eje horizontal y el vertical como partes de esta organización del cosmos occidental.

Finalmente, en el último capítulo sobre evolucionismo trataremos algunos aspectos de su cientificidad.

DEFINICIÓN

A veces la forma más rápida y efectiva de hacerse una idea equivocada de lo que una ciencia es consiste en apelar a las pretensiones iniciales de sus protagonistas.

La cultura o civilización, *en sentido etnográfico amplio*, es aquel todo complejo que incluye el conocimiento, las creencias, el arte, la moral, el derecho, las costumbres y cualesquiera otros hábitos y capacidades adquiridos por el hombre en cuanto miembro de la sociedad. La situación de la cultura en las diversas sociedades de la especie humana...

                                   (Tylor, 1975: 29.)

... es indudable que cierto número de *familias humanas* han existido en estado salvaje, otras en estado de barbarie y aun algunas en estado de civilización [...] esta sucesión ha sido históricamente cierta en la *totalidad de la familia humana*...

                                  (Morgan, 1977: 77.)

... esperando una de otra según el orden de aparición de *los inventos y hallazgos por un lado, e instituciones por otro*.

                                  (Morgan, 1977: 77.)

... podemos confiar en señalar las etapas principales del desarrollo humano.

                                  (Morgan, 1977: 78.)

Mi propósito es presentar algunas pruebas del progreso humano a lo largo de las diversas líneas y a través de períodos étnicos sucesivos, según se halla revelado por *invenciones y descubrimientos* y por el crecimiento de *ideas de gobierno, de familia y de propiedad*.

                                  (Morgan, 1977: 79.)

Toda la humanidad y todos sus logros son el pretendido universo antropológico. Temporalmente —desde su origen hasta nosotros— y espacialmente —desde el este al oeste y de norte a sur, todo el globo—, todo habitante humano, y de él, todos sus hábitos, desde comer hasta rezar. Seguramente, de estas amplias intenciones deriva nuestra ingenua y exagerada "abarcabilidad" como ciencia del hombre.[2]

Sin embargo, éste no es un hecho nuevo para nosotros. Ya los economistas pretendieron abarcar en sus enunciados más de lo que efectivamente trataron. La economía pretendió extender su concepto a todas las naciones.

> ... la economía política de *cualquier país.*
>
> (Smith, 1958: 335.)

> ... en *distintas formas de sociedad,* las proporciones del producto total de la tierra que serán imputadas a cada una de estas tres clases, bajo los nombres de renta, utilidad y salarios, serán esencialmente diferentes [...] La determinación de las leyes que rigen esta distribución es el problema primordial de la economía política.
>
> (Ricardo, 1959: 5.)

> ... la práctica es muy anterior a la ciencia [...] De aquí que sea sumamente moderna la concepción de la economía política como una rama de la ciencia, pero el tema de que tratan sus investigaciones ha sido en todas *las épocas de primordial interés práctico para la humanidad...*
>
> (S. Mill, 1943: 29.)

Incluso se pretendió dar cuenta de aspectos más allá del mismo valor de cambio.

> ... el principal objeto de la economía política de cualquier país consiste en aumentar *la riqueza* y el poderío de sus dominios...
>
> (Smith, 1958: 335.)

> El objeto de este estudio es, antes que nada, *la producción material.*
>
> (Marx, 1970: 193.)

Sin embargo, en la práctica, la economía se movía en el campo de las naciones modernas y sólo en el circuito del valor de cambio, no obstante apelar a otras naciones no modernas (véase cap. V) y a aspectos más amplios que el valor de cambio, como la necesidad y el trabajo (véase cap. IV). La economía política, esencialmente mercantil, argumentó valiéndose de otros pueblos no occidentales y de otros conceptos no mercantiles, pero trató lisa, llana y exclusivamente, el cambio mercantil moderno.

Vis-à-vis, la antropología clásica —luego de su amplia declaración de "especie humana" y "familia humana"— sólo se atendrá a ciertas socieda-

---

2. Así llamada por Tylor en *Antropología* (Tylor, 1987).

des humanas, a ciertas razas, a ciertos estadios: los no occidentales. Y, en el mismo sentido, luego de enunciar todos los aspectos de la cultura,

> ... aquel todo complejo que incluye el conocimiento, las creencias, el arte, la moral, el derecho, las costumbres y cualesquiera otros hábitos y capacidades adquiridos por el hombre en cuanto miembro de la sociedad.
>
> (Tylor, 1975: 29.)

> Recomponiendo las diversas trayectorias del progreso [...] según el orden de aparición de los inventos y hallazgos por un lado, e instituciones por otro...
>
> (Morgan, 1987: 77.)

lo cierto es que el centro del escenario será ocupado sólo por ciertos aspectos, como las creencias (Tylor) o las instituciones (Morgan). Sin embargo, y también como ya ocurriera con los economistas, los abandonos ante la restricción del tratamiento no dejan de jugar un papel apelativo. Es decir, la antropología clásica, eminentemente observadora de lo no occidental y lo moral, apelará a Occidente y a lo material para sustentar su discurso.[3]

Alguien nos advertirá que los economistas tratan profusamente del primitivo y de la producción de riqueza en general, pero nadie nos negará, luego de una lectura detenida, que los economistas no tratan prioritariamente de la riqueza en general ni de la humanidad en general, a pesar de que hablen de esas generalidades. Pues bien, nadie pone en duda que los antropólogos tratan profusamente del occidental y de la producción cultural en general, pero tampoco se dudará, después de una detenida observación, en afirmar que los antropólogos no tratan de todas las sociedades ni de toda la cultura en general, a pesar de que hablen de todo ello.

Escudriñando inicialmente en aspectos notables, podemos darnos cuenta de algo de esto en relación con los antropólogos:

1. Si bien los autores pretenden hablar de la evolución humana, sus obras se centran en la cultura y las sociedades primitivas, lo que nos anticipa su ámbito fundamental: las sociedades no occidentales.
2. Si bien los aspectos materiales jugarán un rol importantísimo entre los antropólogos clásicos, los temas centrales de sus libros, e incluso la ocupación física en los libros, es predominantemente no material. El parentesco, el gobierno y la propiedad, en un caso, y la mitología, específicamente el animismo, en otro.

Estos dos hechos, muy sencillos y de fácil comprensión, nos ofrecen

---

3. Vale mencionar que la misma hominidad del fenómeno tratado obligará también a una ubicación en el reino de lo viviente que tendrá sus bemoles.

los primeros signos en este sentido de restricción del objeto de estudio, que retomaremos oportunamente.

Recordemos que, si bien la economía tenía pretensiones universalistas, lo cierto es que inmediatamente se abocaba a un objeto o fenómeno llamativo y específico: la mercancía. Paralelamente, si bien la antropología tiene pretensiones universalistas, lo cierto es que se aboca a un objeto o fenómeno llamativo y específico: el no occidental.

Y así como "mercancía" no es más que un concepto que agrupa de una manera particular una serie de objetos, así "no occidental" no es más que un concepto que agrupa de una manera particular una serie de pueblos.

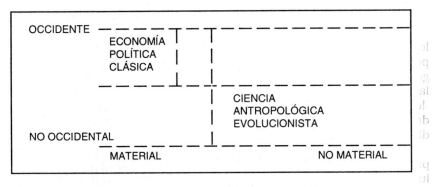

Queda así dibujado el cuadro de la humanidad con dos cortes: occidental-no occidental y material-no material, en los que economía política y antropología hallan sus asentamientos y sus razones de ser y discutir.

La fórmula que nos queda es: se dice tratar X, pero realmente se trata Y, que es igual a X - Z, y se apela a Z para argumentar. Esto tanto en el orden diacrónico como sincrónico.

En el primer orden, se dice tratar de la humanidad pero realmente se trata de los no occidentales, que es lo mismo que decir que se trata de la humanidad menos los occidentales, aun cuando apele a éstos. Si bien la teoría evolucionista homínida abarca y da sustento en un todo a las razas humanas, el evolucionismo en antropología sólo trata ciertas razas aunque su indagación dependa de la apelación a, y produzca efecto en, la concepción de la o las otras.

En el orden sincrónico, se dice investigar en la cultura en todas sus manifestaciones pero realmente se trata o se indaga en ciertos aspectos (no materiales), lo que significa tratar todos los aspectos culturales menos los materiales. Y, aunque se apele a éstos, lo cierto es que se lo hace para sustentar aquéllos.

El tratamiento de los no occidentales se hará permanentemente apelando a los occidentales, y el de lo no material apelando a lo material. La cultura primitiva y la sociedad primitiva inauguran la discusión científica acerca del parentesco y las creencias entre los pueblos no occidentales, y ello sustentado en sus contrarios: lo civilizado y lo material. Forma ésta particular del encuentro entre dos culturas.

LA ANTROPOLOGÍA OCCIDENTAL (EVOLUCIONISTA)

Definida la pertinencia de la antropología evolucionista, debemos ahora ingresar en la particularidad de "evolutivo" dentro de la pertinencia.

Así como existe una economía política que es particular o, al menos, más restringida que la economía, de igual modo existe una antropología occidental particular o, al menos, más restringida que la antropología. La ciencia económica y la antropológica se han movido en la economía política y la antropología occidental, respectiva y exclusivamente.

Es por ello que el fenómeno más visible y punto de partida es la mercancía, en un caso; y el no occidental, en el otro. El medio material más definitorio de la sociedad capitalista y el vecino más evidentemente extraño de la sociedad occidental.

Definitorio y evidente como para afirmar sin dudarlo: *los habitantes de las sociedades de mercado cambian regularmente ciertos objetos en ciertas relaciones*, denominando a tales objetos *mercancías*; *o los habitantes de las sociedades occidentales juzgan regularmente ciertas sociedades de ciertas maneras*, denominando a tales pueblos *no occidentales*.

Las mercancías son, así, objetos que se cambian por otros, y el economista no se pregunta si se cambia, sino por qué se cambia. No duda de la existencia de algo llamado cambio, sólo se pregunta por qué se lo hace. De la misma manera los no occidentales son culturas diferentes y el antropólogo no se pregunta si son diferentes sino por qué son diferentes. No duda de la existencia de tales como culturas diferentes, sólo se pregunta por qué son diferentes.

Asimismo, el economista no duda de la valorización: dos manzanas se cambian por 0,50 pesos; sólo se pregunta qué hay detrás para que sea esa la relación y, algo más, para que se justifique tal relación. En iguales términos, el antropólogo no duda de la valorización: inglés, azteca, fueguino; sólo se pregunta qué hay detrás de esa jerarquización que justifique tal relación. El precio no es puesto en cuestión, es evidente, tanto como la jerarquía salvaje y la civilizada.

> *El mundo ilustrado de Europa y de América marca, en la práctica,* un modelo, colocando, sencillamente, a sus propios pueblos en un extremo de la serie social y a las tribus salvajes en el otro, distribuyendo el resto de la humanidad entre esos límites, según se acerquen más o menos a la vida salvaje o a la culta.
>
> (Tylor, 1977: 41.)

Pocos serían los que discutiesen que los siguientes pueblos se hallan dispuestos correctamente en orden a su cultura: australianos, tahitianos, aztecas, chinos, italianos. Tratando el desarrollo de la civilización sobre esta clara base etnográfica, podrían eliminarse muchas de las dificultades que han entorpecido su discusión.

(Tylor, 1977: 41.)

Los descubrimientos de los navegantes antiguos y modernos y la historia o la tradición nacional de los pueblos más ilustrados representan al salvaje humano tan desnudo de mente como de cuerpo, y desprovisto de leyes, de artes, de ideas y casi de lenguaje.

(Tylor, 1977: 47.)

Como el doctor Johnson dijo, despectivamente, cuando leyó las informaciones acerca de los habitantes de la Patagonia y de los isleños de los Mares del Sur en los *Viajes* de Hawkesworth, "un conjunto de salvajes es igual a otro". *Hasta qué punto es realmente cierta esta generalización, cualquier museo etnológico puede demostrarlo.*

(Tylor, 1977: 23.)

Entre los naturalistas, está pendiente la cuestión de si una teoría del desarrollo de una especie a otra es un registro de transiciones que tienen lugar realmente, o un simple esquema ideal aprovechable para la clasificación de especies cuyo origen era, en realidad, independiente. Pero, entre los etnógrafos, no hay tal cuestión respecto de la posibilidad de que las especies de herramientas, o de hábitos, o de creencias se hayan desarrollado las unas al margen de las otras, porque el *desarrollo en el marco de la cultura está corroborado por nuestro conocimiento más común.*

(Tylor, 1977: 31.)

Progreso, degradación, supervivencia, renacimiento, modificación: todas estas son formas de la conexión que teje el entramado de la compleja red de la civilización. *Basta una sola mirada a los triviales detalles de nuestra propia vida cotidiana...*

(Tylor, 1977: 33.)

Es cierto que estas excepciones rara vez anulan la regla general; y el inglés, admitiendo que él no trepa a los árboles como el salvaje australiano, ni rastrea la caza como el salvaje de los bosques brasileños, ni compite con el antiguo etrusco ni con el chino moderno en la delicadeza de los trabajos de orfebrería y en el cincelado del marfil, ni alcanza el clásico nivel griego en la oratoria y en la escultura, *puede afirmar, sin embargo, que su situación, en general, es superior a la de cualquiera de esos pueblos* .

(Tylor: 1977: 42.)

... *cualquiera que compare* un arco y una ballesta no podrá dudar de que la ballesta fue un desarrollo procedente del otro instrumento, más simple.

(Tylor, 1977: 31.)

... *esta sucesión ha sido históricamente cierta* en la totalidad de la familia humana hasta la meta lograda por cada rama respectivamente, surgiendo como viable ante las circunstancias en las que se origina todo progreso y la conocida evolución de algunas ramas de familia con dos o más de tales circunstancias.

(Morgan, 1987: 77.)

Los poetas clásicos pintaban las tribus humanas como moradoras de florestas, de cavernas y de selvas, por cuya posesión luchaban con las fieras salvajes, a la vez que se alimentaban con los frutos espontáneos de la tierra.

(Morgan, 1987: 91.)

Que la condición primitiva del hombre haya sido fundamentalmente la indicada, *no es una opinión exclusivamente reciente ni aun moderna. Algunos de los poetas y filósofos de la antigüedad reconocieron la verdad* de que el hombre se inició en un estado de extrema rusticidad, del cual subió a pasos lentos y sucesivos.

(Morgan, 1987: 105.)

De manera semejante, los economistas se ocupan de objetos diferentes cambiados entre sí en forma equivalente, denominados *mercancías*, y los antropólogos se ocupan de culturas diferentes cotejadas entre sí en forma diferencial, denominadas no occidentales.

Llegados a este punto, debemos ingresar en este modo particular de considerar la diferencia cultural. Occidente viene viviendo dos hechos brutales, a veces correlacionados, pero muy difíciles de causar: *el descubrimiento de América y la debacle del origen mosaico.* Dos preguntas claves: pregunta por el extraño (pregunta antropológica amplia) y pregunta por el origen (pregunta cosmológica). Ambas preguntas en Occidente se transcriben de esta forma: *quiénes son estos americanos y quiénes son nuestros antepasados.*

La relación entre ambas preguntas es absolutamente histórica, particular y específica del Occidente moderno.

Los aztecas también se preguntaron "quiénes son estos blancos" pero no se contestaron "nuestros antepasados humanos" sino "nuestros dioses". Y si tenían que ver con los antepasados no eran inferiores sino superiores (Watchel, Todorov, etcétera).

Los occidentales dejaron de dirigir la mirada a la Biblia para dirigirla a su origen, dejaron parte (la razón mantuvo la otra parte) de su imagen divina en beneficio de la imagen animal, diluyeron la idea creacionista y se adscribieron a una imagen progresiva, buscaron en la historia extendida la razón del presente. Finalmente, lo humano se volvió protagonista de la explicación de lo humano. Y en estos cambios sobre la idea del origen la figura estelar serán los americanos.

El desembarco de Cortés coincidió con una fecha especial en la creencia azteca, y tal desembarco ingresó en el calendario y de acuerdo con el calendario. Algún signo de lo prescripto por el calendario le da la razón, aun cuando el signo sólo fuese un retazo metonímico y metafórico del previsto allí. El desembarco de toda Europa en América, África y Oceanía coincidió con un momento especial en la creencia occidental, y tal desembarco ingresó en el calendario y de acuerdo con él, específicamente en los tiempos primigenios. Algún signo de lo prescripto por el calendario le da la razón (aun cuando el signo sólo fuese un retazo metonímico y metafórico del previsto en el calendario). Esto vale a la inversa: algún signo de lo adscripto al aborigen le da la razón, aun cuando el signo sólo fuese un retazo metonímico y metafórico de lo adscripto al aborigen.

Gran revolución cosmológica occidental que aprieta el pensamiento del antropólogo y el de cualquier occidental en un mismo cerco, tal como la adscripción cosmológica azteca lo hizo tanto para los sacerdotes de Moctezuma como para el común de la población. El antropólogo juega con los atributos y magnitudes asignadas a las piezas, como lo hacen el ajedrecista y el analista.

Aztecas y occidentales no dudaron de que eran diferentes, pero cada uno hizo su propia clasificación. Aztecas entre sí y occidentales entre sí tampoco dudaron en clasificar; sólo que, dentro de sus propios mundos, hicieron la misma clasificación.

LA FORMA PARTICULAR DE LA DIFERENCIA

Se puede pretender una nueva amplitud de la antropología e identificarla ahora por la forma como todos los pueblos *sin excepción* ven a los extraños, según se manifiesta en el prefacio a la edición española de *Antropología* que nos propone Tylor:

> El primitivo origen de la ciencia se remonta, sin duda, a edades anteriores a los recuerdos históricos. *Tan pronto como una tribu humana observó entre sus vecinos o enemigos rostros de color distintos de los suyos, oyó hablar lenguajes que no podía entender, observó en ellos artes y costumbres que le eran desconocidas, aparecieron ya los primeros comienzos de la antropología.*
>
> (Tylor, 1987: V.)

Esta amplia definición, que puede traducirse en la proposición "todo pueblo tiene antropología", reconoce como fenómeno la sorpresa intercultural, sólo evitable con el aislamiento. Este concepto es pertinente más allá de la cultura de la que se hable.

Sin embargo, en cada cultura la forma adquiere contenidos específicos y eso da un tinte específico a la antropología respectiva. Si bien todo pueblo puede tener antropología, la de Occidente posee las particularidades condicionadas por su marco:

> Sin embargo, *la necesidad y el uso de la antropología como ciencia del mundo no llegó a ser evidente hasta el período moderno,*[4] *en que los*

---

4. Si bien en Occidente, fuera del ámbito científico, no es nueva. Es decir, aún existía en Occidente una antropología diferente de la reciente: "Hasta nuestros días no se han

descubrimientos de las Indias orientales y occidentales colocaron a los
europeos frente a pueblos hasta entonces desconocidos, cuyos estados
sociales comprendían desde el más rudo del salvaje hasta el semicivili-
zado de México y el Perú.

(Tylor, 1987: V-VI.)

Bajo este fenómeno, la fórmula que veremos enseguida "cultura A y culturas B, C, D... Z" adquiere su propio matiz.[5]

B es diferente de A

La diferencia es planteada originalmente como un tema general —culturas diferentes— que se enlaza con la concepción amplia de la consideración de todas las culturas o razas. En este sentido la comparabilidad aparece de la siguiente manera:

A diferente de B diferente de C diferente de D diferente de... diferente de Z

En orden a la general similitud de la naturaleza humana, de una parte, y a la general similitud de las circunstancias de la vida, de otra [...] comparando las *razas próximas al mismo grado de civilización.*

(Tylor, 1977: 23.)

Ocupémonos primero de examinar las variedades del género humano.

(Tylor, 1987: 1-2.)

---

establecido y estudiado las distinciones que existen entre las razas con arreglo a procedimientos científicos. Sin embargo, desde los primeros tiempos, la raza ha llamado mucho la atención por sus relaciones con las cuestiones políticas de nacionales y extranjeros, conquistadores y conquistados, hombres libres o esclavos..." (Tylor, 1987: 3). En igual sentido la economía mercantil, o la economía política, no fue la única economía de Occidente. Sin embargo sólo aquélla provocó el discurso científico (por otro lado, contemporáneo).
5.   Quizá bajo la uniformidad tan sostenida por el evolucionismo "... que la experiencia del género humano ha sido casi uniforme; que las necesidades humanas bajo condiciones similares han sido esencialmente las mismas [...] del principio mental [...] la identidad específica del cerebro [...] razas humanas" (Morgan, 1987: 80-81) o "...un mismo principio de inteligencia y una misma forma física [...] los resultados de la experiencia humana han sido los mismos sustancialmente en todos los tiempos y en todas las regiones de la misma condición étnica" (Morgan, 1987: 544) el día de mañana se hable en los mismos términos evolucionistas de diferentes antropologías:
— antropología primitiva;
— antropología semicivilizada;
— antropología científica;
Quizá aquella, en su creencia animista, adscriba al extraño poderes especiales ambivalentes. Quizá la segunda, claramente azteca, adscriba la extrañeza a la aparición divina o diabólica pero de un signo, sólo que sobrenatural. Finalmente, tal vez la última tenga como novedad la naturalización de la explicación.

en los que han sido considerados el ciento por ciento de los casos que delimitan un universo: el humano. El primer elemento a tener en cuenta es que toda diferencia se marca sobre un universo comparable. En el tema que nos ocupa, la humanidad es el universo y, como todo universo, tiene sus límites, en este caso, la animalidad.

Sin embargo, y en el mismo sentido que lo que ocurriera con la definición amplia y la restringida, lo cierto es que este tratamiento generalizado no es simétrico sino que la verdadera construcción es:

B, C, D,..., Z son diferentes de A

... El presente volumen está dedicado a la investigación de estos dos grandes principios en varios departamentos de la etnografía, con especial atención a la civilización de las tribus inferiores en relación con la civilización de los pueblos superiores.

(Tylor, 1977: 19.)

Para cerrar estas investigaciones acerca de la relación de la civilización primitiva con la moderna...

(Tylor, 1981: 477.)

Generalidad que puede aceptarse, como ya dijimos, universalmente:

... contraste entre la gente propia y los extranjeros...

(Tylor, 1987: 487.)

...*hostis* [...] extranjero [...] enemigo...

(Tylor, 1987: 487.)

Ni aun ahora el colonizante considera en la práctica acto igual matar a un hombre de color que a un ciudadano blanco.

(Tylor, 1987: 488.)

Estableciéndose de tal manera un corte entre una cultura o raza y las demás, en que la cultura A es la que habla, la referencia y el parámetro. Esta particularidad de la cultura A la identifica como parámetro y pierde su cualidad de cultura diferente. Conocemos un caso equivalente en economía: el de una mercancía en especial, que es como cualquier otra mercancía, intercambiable, pero que poco a poco va adquiriendo el papel de referencia y, finalmente, se identifica como el parámetro mismo. Es el caso del dinero. Esto lleva a decir: una manzana es equivalente a un peso, una naranja es equivalente a dos pesos y un peso es equivalente a un peso. En los mismo términos, tal como lo especificáramos en la última comparación: B es diferente de A, C es diferente de A, etc. Pero en los mismos términos:

A es igual a A (más aún, es idéntica)

Desde un punto de vista ideal, la civilización [...] perfeccionamiento [...] una más alta organización del individuo y de la sociedad...

(Tylor, 1977: 42.)

Esta civilización teórica se corresponde, en no pequeña medida, con la civilización real [...] de la comparación del salvajismo con el barbarismo, y del barbarismo con la moderna vida ilustrada.

(Tylor, 1977: 42.)

Que un conjunto nacional tenga un especial modo de vestir, unas herramientas y unas armas peculiares, unas determinadas leyes de matrimonio y de propiedad, unas doctrinas morales y religiosas especiales, es un hecho notable en el que nosotros apenas reparamos porque hemos vivido toda nuestra vida en el marco de esa realidad. De este tipo de cualidades generales de instituciones humanas organizadas es de lo que especialmente trata la etnografía.

(Tylor, 1977: 28.)

Es por ello que a partir de ahora se dice "culturas diferentes" y con esto se hace referencia a las otras culturas, quedándole a la cultura A el papel de parámetro. ·

Y así una comparación generalizada termina marcando una modificación en la que una cultura adquiere un papel diferencial, de comparabilidad de todas las demás. Comparabilidad signada por la diferencia. Para la comparación B es diferente de A, ya no es necesario hacerla tan extensa porque siempre sabemos que referimos a A:

B es diferente, C es diferente, D diferente... Z es diferente

La diferencia aparece en esta reducción como una cualidad de la cultura B, de la C, de la D, etc. Y esto que es, desde un comienzo, una "relación" tiene la particularidad de "objetivarse".

Examinemos, por ejemplo, los afilados y puntiagudos instrumentos de una colección de ese género; el catálogo incluye hachas, azuelas, cinceles, cuchillos, sierras, rascadores, punzones, agujas, lanzas y puntas de flecha, y la mayoría de estos instrumentos o todos pertenecen, con sólo diferencias de detalles, a las *razas más diversas*. Lo mismo ocurre con las ocupaciones salvajes; el corte de leña, la pesca con red o cuerda, la caza mediante el disparo de flechas, la forma de hacer fuego, la cocina, el entrenzado de la cuerda y la confección de cestas, se repiten con sorprendente uniformidad en los anaqueles del museo que refleja la vida de *las razas inferiores* desde Kamchatka hasta Tierra del Fuego, y desde Dahomey hasta Hawai. Incluso cuando se compara *las hordas bárbaras* con los pueblos civilizados...

(Tylor, 1977: 23-24.)

A partir de este momento, el interés radica en preguntarse por qué cada una de las razas mencionadas es diferente. Aunque sabemos que este "diferente" se refiere a diferentes de A, la pregunta no es de una ecuación con dos incógnitas sino la de una sola incógnita, la cultura diferente.

Esto deriva en la presunción de que A "es conocida" pero "B, C, D... Z" son "desconocidas". De lo cual se deriva una primera consecuencia: de investigar, debo investigar "B, C, D... Z".

Ya mencionamos que las otras culturas quedan enmarcadas en una cualidad, la de ser diferentes (de A). Esta cualidad agrupa a las otras culturas bajo el signo de "culturas diferentes" y por esta cualidad son equivalentes (parafraseando a la economía: mercancías a secas).

B equivalente a C equivalente a D equivalente a... equivalente a Z

"Un conjunto de salvajes es igual a otro": hasta qué punto es realmente cierta esta generalización, cualquier museo etnológico puede demostrarlo.

(Tylor, 1977: 23.)

De lo que se deriva la segunda consecuencia: B, C, D... Z serán conocidas en función de A y el primer acto de agruparlas es en tal función.

B, C, D... Z = f (A)

Hasta aquí se ha hecho homenaje a una regla muy generalizada del tratamiento de una cultura y sus vecinos "extraños". Parafraseando nuevamente a la economía, la forma monetaria es mucho más general que la sociedad capitalista; la excede con creces. La forma diferencial precedente excede seguramente a la forma occidental evolucionista.

Diferencia de grados

Pero la forma occidental, ante la circunstancia general, comienza a tomar algunas decisiones. Veamos la primera de ellas.

Se plantea el dilema de si las diferencias son definitivas o de grado, para lo cual se trabaja en "las similitudes y diferencias", en las hipótesis "especies conectadas" o "especies independientes" y, finalmente, en "naturaleza y cultura". Desde estos tres aspectos interrelacionados los evolucionistas hacen sus movimientos.

Las similitudes universales se adscriben al género humano en general, mientras que las diferencias lo hacen a la particularidad.

... tratar a la humanidad como homogénea en su naturaleza, aunque situada en diferentes grados de civilización.

(Tylor, 1977: 24.)

En este sentido, aquel universal coincide con la naturaleza humana misma. Universal humano, sinónimo de naturaleza humana, pero que se inserta en una nueva decisión: el origen es común, provienen de padres comunes.

> ... el progreso es sustancialmente del mismo tipo en tribus y naciones de continentes diferentes y aún separados, mientras se hallan en el mismo estadio, con desviaciones de la uniformidad en casos particulares, producidas por causas especiales. El argumento, una vez desarrollado, tiende a establecer la unidad del origen del género humano.
>
> (Morgan, 1987: 89.)

> ... es contraria a esta pluralidad de orígenes del hombre por dos razones principales [...] semejanza en la estructura de sus cuerpos y en los procesos de sus inteligencias [...] aptas para contraer matrimonios entre sí...
>
> (Tylor, 1987: 6.)

Lo cual significa que A y B, C, D... Z tienen un origen común (no confundir con que uno antecede al otro, cuestión que veremos en el próximo punto).

Por otro lado, las diferencias son de dos tipos: las que pueden hallar a la vez varios exponentes o las que se tornan casi irrepetidas. Estas últimas son como el registro histórico, único y de poco interés para la antropología.

> Tal estado de cosas es el que hace posible ignorar los hechos excepcionales y describir las naciones según un promedio general.
>
> (Tylor, 1977: 27.)

> Tampoco es necesario, para los fines que se tiene en vista, que no existan excepciones. Bastará que las tribus principales del género humano puedan ser clasificadas según los grados de sus relativos progresos, en condiciones que puedan reconocerse como distintas
>
> (Morgan, 1987: 82.)

Las otras, las que se dan no universalmente pero con algún nivel de repetición, son las diferencias culturales típicas. Éstas son las que juegan alternativamente su papel con lo universal o natural humano. La particularidad cultural y la naturaleza humana.

> Los datos no son tan caprichosamente heterogéneos, sino que pueden clasificarse y compararse de una forma más simple...
>
> (Tylor, 1975: 32.)

... la formación gradual y el desarrollo subsiguiente de ciertas ideas, pasiones y aspiraciones.

(Morgan, 1987: 78.)

Se verá que cada uno [de estos períodos] que van a ser indicados abarca una cultura distinta y representa un modo particular de vida.

(Morgan, 1987: 81.)

En este esquema: una base universal sustentada en un origen común (y viceversa), donde la particularidad son las similitudes de todos los casos, frente a ciertas diferencias, no insuperables, sino de grado: las culturales.

B es inferior a A

Una vez establecida que la forma de ver a los diferentes es en función de una unidad de *sustratum*, una naturaleza similar, y sobre ella una diferencia de grados, reductible, ahora viene una nueva decisión: las culturas diferentes son inferiores.

Al "todos humanos" (semejanza), humanos distintos (diferencia), diferencias de grado (no irreductibles), se agrega el que el diferente es menos (inferior).

B, C, D... Z son inferiores,

... sea mediante el progreso o la degradación, el salvajismo y la civilización se hallan relacionados como estadios inferior y superior de una formación única.

(Tylor, 1977: 50.)

... los europeos frente a pueblos hasta entonces desconocidos, cuyos estados sociales comprendían desde el más rudo del salvaje hasta el semicivilizado de México y el Perú.

(Tylor, 1987: V-VI.)

Lo cual lleva nuestra fórmula a esta forma: "B, C, D... Z" inferior a "A". Ahora la cualidad "A" de algo da el grado.

Los principales criterios de clasificación son la ausencia o la presencia, el alto o el bajo desarrollo, de las artes industriales, especialmente de la elaboración de los metales, de la manufactura de instrumentos y vasijas, de la agricultura, de la arquitectura, etc., la amplitud del conocimiento científico, la precisión de los principios morales, el carácter de las creencias y ceremonias religiosas, el grado de organización social y política y así sucesivamente.

(Tylor, 1977: 41.)

Descendiendo a través de las diversas líneas del progreso humano hacia las edades primitivas de la existencia del hombre, y descartando,

uno por uno, sus descubrimientos, invenciones e instituciones principales, en el orden en que han hecho su aparición, se aprecia el adelanto
realizado en cada período.

. (Morgan, 1987: 99.)

y así comenzando con

Las mayores contribuciones de la civilización moderna son...
(Morgan, 1987: 99.)

"A" es el que tiene más cualidad "A".

A medida que ascendemos en orden de tiempo y de la evolución y
descendemos en la escala de adelantos humanos, las invenciones se
tornan más sencillas y más directas en su relación con necesidades
primarias, y las instituciones se aproximan más y más a la forma elemental de una gens compuesta de consanguíneos...
(Morgan, 1987: 103.)

... la civilización se desenvuelve procediendo de los más ínfimos estados a los superiores.

(Tylor, 1987: 24.)

Pero "A" no sólo es el punto de partida y de mayor cualidad "A" sino
que la cualidad "A" es sinónimo de las adquisiciones, se fusiona con el
concepto mismo del valor: la cultura:

La cultura o la civilización...
(Tylor, 1977: 19.)

y en consecuencia podemos hablar de la civilización de los pueblos inferiores, adquiriendo el papel de "cultura de los pueblos inferiores":

... especial atención a la civilización de los pueblos inferiores.
(Tylor, 1977: 19.)

Se habla ahora lisa y llanamente de grados de civilización como equivalentes de grado de cultura:

Tratar a la humanidad como homogénea en su naturaleza, aunque
situada en diferentes grados de civilización.
(Tylor, 1977: 24.)

Los grados de avance son los de civilización, que en nuestros términos
son los grados de "A". Este "A" ya no es sólo el punto de partida superior
sino la medida misma de lo inferior. El quántum cultural es el de civilización. Ésta es un estadio, pero simultáneamente es, desde el principio, el
parámetro.

B es anterior a A

Además, B está conectado a A, y esta conexión se debe a que B es anterior a A. Se plantea la antecedencia de las culturas diferentes. A la gradación, la inferioridad, le sigue la conexión por antecedencia. Ésta no es una consecuencia necesaria de la inferioridad. De hecho, dos teorías se disputaron este nuevo punto y, sin embargo, coincidieron con el anterior: la degradacionista y la evolucionista. Los degradacionistas, reconociendo la inferioridad del no occidental, lo consideraron en su fase más inferior como una degradación de un estadio anterior mejor (de tipo edad de oro). Por su parte, los evolucionistas —también reconociendo esa inferioridad— prefirieron darle una correlación temporal: más inferior, más primigenio.

> En la práctica, se ha reducido a dos supuestos: primero, que la historia de la cultura comenzó con la aparición sobre la Tierra de una raza semicivilizada de hombres, y, segundo, que, a partir de esta situación, la cultura se movió en dos sentidos, hacia atrás para crear salvajes, y hacia delante para crear hombres civilizados.
>
> (Tylor, 1977: 49.)
>
> Las dos teorías que explican así la relación de la vida salvaje y de la culta pueden contrastarse según sus caracteres principales, como la teoría de la progresión y la teoría de la degradación.
>
> (Tylor, 1977: 51-52.)
>
> La tesis de la degradación del género humano, para explicar la existencia de salvajes y bárbaros, ya no es sostenible. Apareció como corolario de la cosmogonía mosaica y fue admitida en razón de una supuesta necesidad que ya no existe. Como teoría, no solamente es insuficiente para explicar la existencia de salvajes, sino que también carece de base en los hechos de la experiencia humana.
>
> (Morgan, 1987: 80.)

La decisión evolucionista instala así la antecedencia en función de la inferioridad y viceversa, quedando nuestra fórmula "B, C, D... Z" son el pasado de "A" (arqueología y estadio).

Similar en su forma y orden a "B, C, D... Z" inferior a "A" de nuestro apartado anterior, pero habiendo dado un paso más.

> A medida que *ascendemos en orden de tiempo* y de la evolución, y descendemos en la escala de adelantos humanos, las invenciones se tornan más sencillas y más directas en su relación con necesidades primarias, y las instituciones se aproximan más y más a la forma elemental de una gens compuesta de consanguíneos...
>
> (Morgan, 1987: 103.)

En igual sentido vale lo dicho para los inferiores contemporáneos: "B,

C, D... Z" son pasados contemporáneos de A (estadial y etnográfico).[6]
Aclaremos que los occidentales no se sorprenden de los restos arqueológicos pasados, es más, los confunden; se sorprenden de los contemporáneos. Todo esto nos conmina a un campo de estudio específico:

> La indagación acerca de la relación del salvajismo con el barba-
> rismo y con la semicivilización se realiza casi enteramente en regiones
> prehistóricas o extrahistóricas.
>
> (Tylor, 1977: 52.)

La primera aparición de esa cantidad "A" de algo da el tiempo.

> Descendiendo a través de las diversas líneas del progreso humano
> hacia las edades primitivas de la existencia del hombre y descartando,
> uno por uno, sus descubrimientos, invenciones e instituciones princi-
> pales, *en el orden en que han hecho su aparición,* se aprecia el adelanto
> realizado en cada período.
>
> (Morgan, 1987: 99.)

La consideración degradacionista colocaba a los inferiores fuera de la
historia, mientras que la evolucionista los coloca en el centro de la escena.
De manera análoga, los aztecas colocaron a los blancos no fuera de su
historia sino en su propio calendario. En la antropología evolucionista, el
salvaje forma parte del interés de comprensión del presente, cosa que no
ocurría con el degradacionismo o, mejor expresado, no ocurría de la misma forma.

> Por este camino es razonable suponer que, aun en los países ac-
> tualmente civilizados, deben haber vivido en otro tiempo tribus salva-
> jes y bárbaros muy inferiores.
>
> (Tylor, 1987: 29.)

> Se presume que los antepasados remotos de las naciones arias
> pasaron por una experiencia semejante a las tribus bárbaras o salva-
> jes del tiempo actual. A pesar de que la experiencia de estas naciones
> encierra toda la información necesaria para ilustrar los períodos de la
> civilización, tanto antigua como moderna, su conocimiento anterior
> debe deducirse, sobre todo, de la visible vinculación entre los elemen-
> tos de sus instituciones existentes e invenciones y de los elementos
> similares que todavía se conservan en las de tribus salvajes y bárbaras.
>
> (Morgan, 1987: 80.)

Al estudiar el estado de las tribus y naciones en estos períodos
étnicos, tratamos, sustancialmente, de la historia antigua y condición

---

6.   Así como los blancos eran los antepasados aztecas que volvían, los americanos son
los antepasados europeos que se quedaron. Ambos antepasados viven, unos en el mito y
otros en la ciencia.

de nuestros propios antepasados remotos.

(Morgan, 1987: 89.)

Este pasado (tan irritante como el pensamiento de descendencia animal para un victoriano hecho y derecho, dicho sea de paso) conminaba a considerar padres a aquellos antecedentes inferiores y, a su vez, no como una mera curiosidad sino como una fuente del propio conocimiento.

> Si conoce algo de su historia primitiva y de cómo ella ha surgido de las más sencillas necesidades y circunstancias del género humano se hallará más capacitado para comprenderla que si, como con frecuencia acontece, toma un asunto abstruso no en el principio sino en su medio.
>
> (Tylor, 1987: VII.)

Desde detectar la obra paulatina y enorme del hombre:

> De lo dicho se sigue que las edades históricas han de considerarse como el período moderno del hombre en la tierra. Más allá de estas edades se halla el período prehistórico, en el que se verificó la obra capital de formarse y esparcirse por el mundo las diversas razas del género humano.
>
> (Tylor, 1987: 5.)

> Cuando este trabajo de eliminación haya sido realizado en el orden en que las diversas adquisiciones fueron logradas, nos habremos aproximado muy cerca del período de la infancia de la existencia del hombre...
>
> (Morgan, 1987: 105.)

hasta para comprender lo relativo de nuestras propias instituciones:

> Estamos acostumbrados a considerar que la familia monógama ha existido siempre, salvo en aquellos casos excepcionales en que ha sido reemplazada por la forma patriarcal. Por el contrario, el concepto de familia es producto del desarrollo de formas sucesivas, siendo la monógama la última de la serie. Mi propósito será demostrar que ésta fue precedida por formas más primitivas que predominaron durante el período del salvajismo y en los estadios inferior y medio de la barbarie, y que ni la forma monógama ni la patriarcal pueden remontar su origen hasta más allá del último estadio de la barbarie. Ellas son esencialmente modernas.
>
> (Morgan, 1987: 395.)

Una particularidad de los evolucionistas, que se recuesta en un hacerse en el tiempo, que permite ensamblarse en una cronología de formación de lo inferior a lo superior, de lo anterior a lo posterior, de lo dado a lo adquirido. Entre el dilema:

... ¿ya perfectos, o se fueron formando éstos lentamente en el largo proceso de las edades?

(Tylor, 1987: 1.)

el evolucionista no duda en elegir la segunda alternativa. Es más, es su condición de razonamiento.

B es el origen de A

Pero las culturas anteriores no sólo nos ofrecen un antecedente sino que se remontan hasta el mismo origen. En el sentido regresivo del paso anterior, nos lleva al grado cero. Desde la pregunta ultracultural del "¿cómo comenzamos?", la antropología evolucionista adopta la responsabilidad de la respuesta.

... el estado salvaje representa, en alguna medida, una primera condición de la humanidad.

(Tylor, 1977: 46.)

Un origen y, a partir de él, un proceso de realización, de adquisiciones culturales.

El pase de B a A es gradual

La antecedencia y la consecuencia se enlazan en función de aditamentos graduales que establecen un continuo de ocho pasos.

Una vez demostrado que los detalles de la cultura son susceptibles de ser clasificados en un gran número de grupos etnográficos de artes, creencias, costumbres, etc., la consideración inmediata es la de en qué medida los hechos ordenados en esos grupos se producen por evolución de uno en otro.

(Tylor, 1977: 30.)

Recordemos la dualización de Locke y la cuadruplicación de los estadios que ya mejoraba la gradualización. Ahora los estadios o subestadios son ocho (2-4-8). Esto tiende a una complejización del espectro primitivo. Ahora las etapas primitivas son seis (1-3-6).

Esta idea de gradualidad vivirá en la concepción evolucionista tanto en el orden cultural como en el natural:

... los fenómenos de la cultura pueden clasificarse y disponerse, fase tras fase, en un probable orden de evolución.

(Tylor, 1977: 23.)

Con la producción de inventos y descubrimientos, y con el desarrollo de instituciones, la mente humana necesariamente creció y se extendió [...] gradual aumento de la masa encefálica...

(Morgan, 1987: 105.)

En todos lados es igual

Este orden gradual, desde el origen hasta el presente, de la inferioridad hasta la superioridad, se ha dado y se da de manera uniforme. Esto unifica el tema no sólo en lo ocurrido en algún lugar del planeta o tiempo sino en todos los rincones y momentos.

... la uniformidad que en tan gran medida caracteriza a la civilización debe atribuirse, en buena parte, a la acción uniforme de causas uniformes; mientras que, por otra parte, sus distintos grados deben considerarse etapas de desarrollo o evolución, siendo cada una el resultado de la historia anterior y colaborando con su aportación a la conformación de la historia del futuro.

(Tylor, 1975: 29.)

Asimismo, esta sucesión ha sido históricamente cierta en la totalidad de la familia humana hasta la meta lograda por cada rama respectivamente, surgiendo como viable ante las circunstancias en las que se origina todo progreso y la conocida evolución de algunas ramas de familia con dos o más de tales circunstancias.

(Morgan, 1987: 77.)

... que la experiencia del género humano ha sido casi uniforme; que las necesidades humanas bajo condiciones similares han sido esencialmente las mismas [...] del principio mental [...] la identidad específica del cerebro [...] razas humanas.

(Morgan, 1987: 80-81.)

Antes de que el hombre pudiese alcanzar el estado civilizado, fue menester que hubiese hecho suyos los elementos de civilización. Esto implica un admirable cambio de condición, primero del salvaje primitivo al bárbaro del tipo más inferior, luego de éste al griego del tiempo de Homero o al hebreo del tiempo de Abraham. El desarrollo progresivo que la historia registra en el período de la civilización no era menos propio del hombre en cada uno de los períodos anteriores.

(Morgan, 1987: 99.)

La necesidad de la ley universal es una exigencia más que interesante por parte de los no antropólogos para apelar a los primitivos (prueba de que la ley existe o no), y es, a su vez, usada por los antropólogos para dar cuenta de sus primitivos (extrapolando observaciones cercanas a los planos lejanos).

Se asciende de B a A

La gradación inferior-superior y la temporalidad antes-después, con adscripción a cantidad de cultura, producen una curva ascendente de desenvolvimiento: progreso o desarrollo.

La tesis que yo me atrevo a sostener, con limitaciones, es sencillamente ésta: que el estado salvaje representa, en alguna medida, una primera condición de la humanidad, a partir de la cual se ha desarrollado o ha evolucionado, gradualmente, la cultura superior, mediante procesos que siguen operando normalmente, como antes, y cuyo resultado demuestra que, en conjunto, el progreso ha predominado ampliamente sobre el retraso.

(Tylor, 1977: 46.)

... cómo pueden clasificarse y ordenarse, etapa tras etapa, en un probable orden de evolución los fenómenos de la cultura.

(Tylor, 1975: 32.)

... Sven Nilsson [sostiene que] somos "verdaderamente incapaces de comprender la significación de las antiguas costumbres de un país determinado, sin comprender al mismo tiempo, claramente la idea de que son los fragmentos de una serie progresiva de la civilización, y que la especie humana siempre ha avanzado, y sigue avanzando, invariablemente, en la civilización".

(Tylor, 1977: 73.)

... un desarrollo gradual y progresivo desde los más rudos comienzos hasta los más avanzados perfeccionamientos de las prácticas modernas.

(Tylor, 1977: 76.)

El conocimiento del curso de la vida del hombre desde el remoto pasado hasta el presente no sólo nos auxiliará para prever lo futuro, sino que nos guiará y nos fortalecerá en nuestro deber de dejar al mundo mejor que lo encontramos.

(Tylor, 1987: 520.)

... camino de la civilización progresivos mojones cargados de significación para quienes pueden descifrar sus signos...

(Tylor, 1977: 37.)

... presentan ante la vista series de hechos que pueden disponerse coherentemente unos a continuación de otros en un concreto orden evolutivo, pero que difícilmente pueden invertirse y hacer que sigan el orden contrario.

(Tylor, 1975: 39.)

Naturalmente, la doctrina de la evolución de la civilización en todo el mundo es una doctrina que las mentes filosóficas tomarán con vehemente interés, como un tema de ciencia abstracta. Pero, además de eso, tal investigación tiene su lado práctico, como fuente de poder destinado a influir en el curso de las ideas y de las acciones modernas

(Tylor, 1981: 477.)

Con la producción de inventos y descubrimientos, y con el desarrollo de instituciones, la mente humana necesariamente creció y se extendió...

(Morgan, 1987: 105.)

... en cuanto han pretendido ser algo más que simples cronistas [...] revelar no solamente la sucesión, sino la conexión [...] "Entonces, señor, usted reduciría toda la historia a nada más que un almanaque".

(Tylor, 1977: 22.)

Queda así delineado una panorama completo de la humanidad en donde el papel del extraño se inserta en el corazón de la explicación contemporánea evolucionista.

EL FENÓMENO DE LA ANTROPOLOGÍA (CLÁSICA)[7]

Llegamos así al punto de poder hacer una introducción análoga a la de la economía clásica.

El fenómeno más característico y llamativo que nace con, y da lugar a, la antropología clásica es el mundo no occidental. Sobre él se asentará la antropología clásica, ordenando su interés en el origen (la generación de culturas), la relación (entre culturas) y presuponiendo la unidad (del fenómeno cultural humano). Pueblos no occidentales por doquier y formas, cada vez más conocidas, de existencia grupal diferenciales para dar respuesta a los imperativos de sobrevivencia son el mundo en donde explota el discurso antropológico con nombre propio. Discurso que quedará consolidado e instituido en plena revolución evolucionista.

De todas las antropologías imaginables,[8] los antropólogos nacen con la antropología occidental moderna, y sólo a ella dedicarán sus esfuerzos. La antropología como ciencia se origina, de esta manera, como antropología occidental, esto es, como antropología de lo no occidental, y más precisamente, de lo no occidental "primitivo", aspecto al que tratará a través de un "circuito" que se cierra en sí mismo desde la generación hasta el pase estadial, que es una forma de extinción de la cultura anterior. Es este fenómeno actual el que convoca a la existencia de la disciplina, y su tratamiento específico le dará su particularidad dentro de esa actualidad. La ciencia antropológica se apropia así de un fenómeno específico contemporáneo y tendrá una manera especial de abordarlo, un estilo particular de considerarlo.

El intento explicativo clásico es el de dar cuenta del proceso de genera-

7.   Tratado como lo hemos hecho con el fenómeno de la economía clásica.
8.   La de Herodoto, la de Jaldun, la de Moctezuma, la esquimal, etcétera.

ción cultural y de la relación entre esos conjuntos sociales, como lo aseveran dos conspicuos exponentes en los primeros párrafos de sus célebres obras (véase al comienzo de este capítulo las citas de Morgan y Tylor).

Sobre la base de tres tipos de "estadios" (los salvajes, los bárbaros y los civilizados), y sustentados en tres niveles de adquisiciones, los clásicos organizan sus discursos cronológicamente en función del proceso de generación o producción cultural y del nivel de acopio logrado.

Todos adherirán a una división cultural de la humanidad, y sobre tales partes (entre tales partes) jugarán sus exposiciones, y, más allá de ellos, disidencias.

Queda así plasmado un interés clásico definidamente humano al estar referido a una forma de organización cultural que se caracteriza por la participación de múltiples culturas. Cuando imaginamos una cultura estructural y cosmológicamente independiente no es necesario incorporar la idea de relación. Pero basta el solo hecho de que el sentido cultural se concrete como parte de un proceso en que están involucradas las otras para que sea necesaria una relación.

Sin embargo, la característica de la relación, en la forma de humanidad que observaban los clásicos, no era por medio de la simple integración en algún esquema sino que se hacía mediante la primitivización de las otras culturas y en función de las adquisiciones alcanzadas. Todas las adquisiciones, así como los efectos que producen, tienen un valor cultural que permite relacionar cualquier cultura con cualquier otra. Todos los objetos culturales con valor son absolutamente relacionables, y la relación, clasificación, se hace en función de esos valores. Clasificación bajo las formas primitivizadas de relación con las culturas no occidentales, y, en contrapartida, civilizadas de la cultura occidental.

La generación de las culturas humanísticamente y la distribución de las mismas de una manera determinada ha atraído la discusión clásica con tal fuerza que el "¿qué contribuye al valor cultural?" fue el interrogante más fuerte y "el proceso de generación", de carácter colectivo, el lugar de indagación priorizado. El proceso de generación es el que encierra la génesis de la cultura generada y es allí donde deben buscarse la razón de su valor y los contribuyentes al mismo. Los clásicos suscribirían sin dudarlo esta afirmación.

La humanidad vivida y vista por los clásicos es una humanidad de civilizados, bárbaros y salvajes, donde cada uno se define por sus adquisiciones culturales, que implican diferentes potenciales culturales. De tal manera que los civilizados cuentan con los medios técnicos más potentes y completos, mientras los salvajes con los menos potentes y más simples. Los bárbaros se ubican en el término medio. Estos patrimonios coinciden con ciertos resultados en el plano no técnico, que ofrecen una correlación de uno a uno, entre lo material y lo no material. Así, el civilizado aporta la monogamia, la ciencia, etc.; así el bárbaro la agricultura, la poli o monogamia, el sedentarismo; el salvaje la pesca, la caza, el animismo, la consanguineidad, etc. Se genera así una diferencia cuanti-cualitativa y un ordenamiento de la diferencia de progreso y desenvolvimiento sucesivo.

No obstante que el punto de partida metodológico clásico será la civilización y de ahí desciende hasta lo más primigenio, su punto de recopilación será el de las formas más simples, sean reales o lógicas, y con la mira en las formas más comunes, manifiestas y complejas de la época, a través de lo cual se pretenderá detectar o descubrir las fuentes de la generación del valor cultural. La forma precivilizada hallará su base en las formas más simples de hominidad o en la misma no hominidad.

Si bien la generación de cultura de la humanidad como un sistema total y la diferenciación de las culturas por medio de las formas civilizadas de diferenciación son el enunciado y seguramente el objetivo último, es desde estos presupuestos como se aborda la sociedad primitiva, como formas más simples lógicamente deducidas de las más complejas pero que realmente se reconstruyen como anticipatorias de las complejas.[9]

LA FORMA (CULTURAL)

La forma simple (culturas diferentes), punto de partida de todos los clásicos, cuenta con una serie de condiciones o presupuestos que veremos a continuación y que se mueven entre dos preguntas: ¿por qué se diferencia? y ¿por qué se diferencia como se lo hace? Dos conceptos se insertan dentro de las respuestas, que serán parte de sus sostenes, el valor natural y el valor cultural, sin agotarlas.

Preguntarse por qué las cosas se diferencian como se diferencian implica avanzar sobre un concepto más amplio en el clasicismo: ¿por qué algo vale?, que se desdoblará para responder con dos conceptos diferentes, discriminados en función de sus finalidades: valer para determinar la hominidad o valer para juzgar las diferencias entre culturas. El tratamiento del valor escindido en dos, en que toda cultura tiene un valor natural de hominidad[10] y un valor para la diferenciación, es una de las características más fuertes del clasicismo antropológico, que sin dudas dejará su impronta en toda la antropología.

Ambos valores —que en el pensamiento antropológico no serán nunca independientes entre sí— son sin embargo claramente diferentes, aun en el pensamiento clásico. Sosteniendo el valor de hominidad como condición, pretenden dar cuenta del valor cultural, del valor que las razas manifiestan culturalmente, es decir, del valor para comparar que puedan tener tales pueblos. Pero, comúnmente, pasaron apresuradamente la primera condición, íntimamente relacionada con lo minúsculo (naturaleza antropoide), no por considerarla poco importante sino por considerar casi evidente su respuesta, y tendieron a centrarse en sus primeros pasos sobre

9.   No es humano. Si es humano pero no igual. Sí es humano, pero no igual no relacionado. Si es humano pero no igual y relacionado, ¿cuál es la relación?
10. El valor natural es el valor universal, en todos los casos.

la segunda. En nuestro caso insistiremos sobre ambas, dado que, en la misma lógica clásica, una desempeña el papel de ser la condición necesaria y la otra, la segunda, la de condición suficiente. Es que, aunque la preocupación de los clásicos se centrará en lo cultural, todos ellos darán por supuesto que tiene como condición el valor hominoide.[11]

Nada podría tener valor cultural sin que fuese humano.

Aunque lo cultural y lo humano están presentes, tienen atribuciones o roles sustancialmente diferentes: mientras el valor de humano es condición necesaria (sustancia) pero insuficiente, el valor cultural da la particularidad, la suficiencia. Todo objeto cultural debe ser humano; dada esta circunstancia imprescindible, la relación particular, específica y efectiva está establecida por su valor cultural. No serán los componentes hominoides los que explicarán esta relación sino los componentes específicos culturales. Asimismo, mientras el tratamiento del valor hominoide es definitivamente cualitativo, el valor cultural tiene la particularidad de ser también una magnitud, cuantificado.

Los economistas clásicos, para explicar la mercancía (su cambio), se remontaron a su génesis, a su base, el prevalor, es decir, el valor de uso, esa naturalidad sobre la que se insertaría el trabajo. Trabajo y valor son casi un sinónimo, pero no son lo mismo.

Trabajo = valor de cambio - valor de uso

Asimismo, los economistas clásicos intentaron considerar un tiempo no sólo ontogenético de cada mercancía, sino la filogénesis del mismo sistema de la mercancía. Apelaron para ello al hombre primitivo, hasta al mismo autoconsumo, es decir, hasta la premercancía.

Los antropólogos evolucionistas, genetistas como los clásicos económicos, intentaron dar cuenta de las razas, y se remontaron a su génesis, a su base, la naturaleza física del individuo, su "acto". Sobre esa base física se asentaría progresivamente lo eminentemente humano. *Culturas y humano* son casi sinónimos, pero no son lo mismo.

Cultura = humano - natural

Asimismo, los antropólogos evolucionistas no sólo apelaron a un tiempo meramente humano para dar cuenta de la cultura, sino que recurrieron a la animalidad, hasta al ser meramente biológico, es decir, hasta lo precultural (tener en cuenta la sinonimia de trabajo humano —producto humano— y cultura). La idea de acopio de instrumentos e incorporación de trabajo como dadores de valor y progreso, respectivamente. En un caso, valor de uso más trabajo, y en el otro naturaleza física más inventos.[12]

---

11. Hecho que, como sabemos, no ocurrió desde los comienzos del descubrimiento.
12. Pero había en lo económico una recurrencia implícita al valor de cambio (tal como era en la sociedad capitalista). Así es en el caso de la antropología, que se mueve entre

Una idea: lo dado es el punto de partida, pero incluso lo dado tiene dos aspectos: uno en acto, completo, y otro en potencia, incompleto y por desenvolverse. Y este desenvolvimiento no es ajeno al experimentar. Es más, el experimentar es el que provoca el desenvolvimiento. Y ¿qué es aquello completo? Nada menos que la animalidad. Y ¿qué es aquello incompleto, a desarrollar? Nada menos que lo específicamente humano, la inteligencia.[13]

Cultura =	Humano	—	Natural
	inteligencia	—	animalidad

"Animal-B, C, D... Z-civilización" y no apela sólo a la animalidad sino que se completa con la civilización.

El valor de cambio como parte de la riqueza que apela al valor de uso y a ejemplos de los primitivos (riqueza-valor de cambio). Las razas no occidentales como parte de las razas que apelan a lo físico y a ejemplos de animales y de civilización (las razas-algunas razas).

13. Hemos jugado en este último párrafo con la fuerte presencia de Aristóteles a través del *Tratado del alma*, quien adscribe al animal superior las facultades de nutrición, sensibilidad y locomoción, base del hombre, quien a su vez posee su propia potencia: la inteligencia, que, activada, se desenvuelve, se acciona, se acerca progresivamente al acto (Aristóteles, 1947).

CAPÍTULO VIII

ANTROPOLOGÍA EVOLUCIONISTA. APELACIÓN A LO MATERIAL Y LO NO MATERIAL
(Morgan - Tylor)

Hemos tratado la forma de la diversidad cultural evolucionista en su "profundidad", es decir, la explicación formal que apelaba a una génesis progresiva que iba desde las culturas más diferentes a una idéntica a la del parlante. Sin embargo, éste completa tal génesis en dos ejes diferentes. Decíamos que había un punto de universalización humana (valor de hominidad), basado en la animalidad, y un punto de auge máximo (valor cultural) que tenía como referente la civilización. Decíamos que aquel punto era la condición necesaria, la naturaleza, y que a partir de él se desarrolla un largo camino de avances hasta alcanzar el ápice de la evolución. Es sobre este camino de variabilidad (el valor cultural) que se abren y entrelazan dos caminantes diferenciales, dos formas de andar distinguibles, que serán nuestra preocupación en este capítulo. La ascendencia conectada de los evolucionistas es gobernada por una partición "fisicoideacional" que tiene en cada uno de sus aspectos movimientos propios y entrelazados. Movimientos propios que se cruzan por ser ambos objetos de investigación, fuentes y objetos de registro, bases y objetos de clasificación y medición, sustitutos mutuos de predominancia y, finalmente, asimétricamente disparador y detonante. Al corte vertical que refleja el esquema:

A
B
C

debemos ahora instaurarle un corte vertical de dos instancias que marcan las diferencias recién enunciadas:

material	no-material

Mientras que en el capítulo anterior nos movíamos en un eje formal en el que plasmamos la cronología evolucionista y sus relaciones, ahora nos abocaremos al eje sincrónico, que se inserta en el diacrónico, y en el que las relaciones entre lo material y lo no material protagonizarán la discusión. A partir de los siguientes aspectos:

— lógicas del desarrollo: progreso y desenvolvimiento;
— registro: arqueológico y etnográfico;
— medición: cuantitativa (suma) y cualitativa (claridad);
— relación causal: disparador y detonante;
— progresión de preeminencia: subsistencia y escritura.

que implican cinco postulados sobre el primitivismo:

1. la acumulación material y la claridad intelectual;
2. la mudez arqueológica y el parlamento etnográfico;
3. lo evidentemente cuantitativo y lo cualitativo (no cuantitativo);
4. la subsistencia como detonador y lo institucional como efecto;
5. la subsistencia primitiva y la razón civilizada.

Recorreremos el corte sincrónico vertical. Sin embargo, es bueno recordar que el entrelazamiento de los dos grandes ítems considerados aquí tiene su mayor fundamento en el interés específico final de los antropólogos evolucionistas que se asienta mucho más en los aspectos no materiales que en los materiales y que deriva en lo que podemos considerar nuestro sexto postulado:

6. De todos los aspectos de la cultura, es la cultura no material la que más llamó la atención de los antropólogos evolucionistas.

LÓGICAS DEL DESARROLLO

Escindido el fenómeno cultural en diversos aspectos, podemos establecer el siguiente cuadro según los evolucionistas (véase página siguiente).

En este cuadro, la subsistencia, los inventos, lo institucional y las creencias son los puntos neurálgicos, y los lindantes, los teñidos según el caso.

Sobre esta base podemos decir que los evolucionistas marcan dos procesos diferenciales entre los inventos y lo institucional, para decirlo en

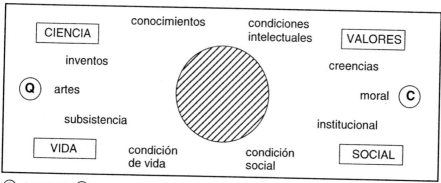

Q: CANTIDAD C: CUALIDAD

términos de Morgan, o entre las artes y lo moral, para hacerlo en términos de Tylor, dejando un papel especial a los medios de subsistencia, aunque más cercano a los linderos artes e inventos. El primero de los procesos (a la izquierda) lo denominaremos en nuestro lenguaje "material" y al otro (el de la derecha) "no material". Estos procesos merecen distinguirse no sólo metodológicamente sino lógica e históricamente, pues tienen su propia dinámica (aunque no autónoma).

El proceso que hemos denominado "material" es de adquisiciones, de acopio, en el que las últimas instancias tienen más conocimientos acumulados que las primeras. Desde una posición prácticamente cero se van incorporando instrumentos y conocimientos hasta alcanzar la posición máxima.

Al proceso que hemos denominado "no material" le cabe otra lógica de movimiento. Sus extremos no son primordialmente el cero y el cien, sino la confusión y la claridad. Las instituciones, las morales y las creencias van desde la confusión originaria hasta la claridad y la distinción contemporánea.

Establecidas estas dos lógicas diferentes, según tratemos de uno u otro proceso, y teniendo en cuenta que el punto de partida, de referencia (véase el capítulo anterior), de los evolucionistas es el mundo propio, no ha de extrañarnos que el mecanismo dominante de retrospección sea la ausencia (en el caso del proceso material) y la falta de claridad (en el no material).

La inexistencia de ciertos inventos —en un caso— será una buena señal de la condición. Éste es el hecho cuando de los fenómenos materiales hablamos. La incomprensión, lo llamativo en otro caso será un signo de la condición. Éste es el hecho cuando hablamos de los fenómenos no materiales.

Sin embargo la "simplicidad-complejidad" jugará un papel en ambos casos, sustentada especialmente en la mejor o peor adecuación a los fines por parte del fenómeno (material o no material).

Tratemos de indagar en esta línea. Los evolucionistas nos proponen una historia de desarrollo, como ya vimos, gradual y sucesivo, donde en un extremo están los comienzos mismos de lo humano y en el otro la modernidad:

> ... un desarrollo gradual y progresivo desde los más rudos comienzos hasta los más avanzados perfeccionamientos de las prácticas modernas.
>
> (Tylor, 1977: 76.)

Las últimas investigaciones sobre el origen de la raza humana vienen a demostrar que el hombre empieza su vida al pie de la escala labrando su ascenso, del salvajismo a la civilización, mediante los lentos acopios de la ciencia experimental.

> (Morgan, 1987: 77.)

Punto de partida desde el nivel más bajo del salvajismo hasta los tiempos modernos de civilización:

> *Desde esta situación abyecta —tal vez el estado primitivo y universal del hombre—, se ha elevado gradualmente* hasta dominar a los animales, fertilizar la tierra, atravesar el océano y medir los cielos.
>
> (Tylor, 1977: 47.)

El salvajismo fue el período formativo del género humano. *Comenzando en la nada respecto a saber y experiencia,* carentes de fuego, de la palabra articulada y de artes, nuestros salvajes progenitores libraron la gran lucha, primero por su existencia y después por el progreso...

> (Morgan, 1987: 108.)

(De hecho, las citas precedentes se relacionan con la izquierda de nuestro cuadro anterior.)

Sin embargo, este perfeccionamiento tendrá dos vías diferenciales aunque no autónomas. Las lógicas de ambos son distintas, tienen vínculos diferentes:

> ... dos líneas independientes de investigación [...] Una nos lleva a través de los inventos y descubrimientos y la otra a través de las instituciones primitivas.
>
> (Morgan, 1987: 78.)

> Recomponiendo [...] aquellos [inventos y hallazgos] mantienen entre sí un vínculo progresivo y éstas [instituciones] una relación de desenvolvimiento.
>
> (Morgan, 1987: 77.)

Que se sustentan en formas de unión entre antecedente y consecuente particulares en los que *inventos y descubrimientos* están

... unidos a una forma más o menos directa inmediata.

(Morgan, 1987: 77.)

mientras que *las instituciones* están unidas a ciertos

... principios primarios del pensamiento.

(Morgan, 1987: 78.)

Estas dos líneas, como ya expresáramos, implican dar una pauta de desenvolvimiento (de existencia desde el inicio, aunque sea en sus gérmenes) a las instituciones:

Los gérmenes de las instituciones principales y artes de la vida se desarrollaron mientras el hombre era aún salvaje...

(Morgan, 1987: 81.)

Todas las principales instituciones del hombre han tenido su origen en los pocos gérmenes de pensamiento, concebidos en las edades primitivas.

(Morgan, 1987: 125.)

El desenvolvimiento de estos gérmenes de pensamiento, concebidos en las edades primitivas.

(Morgan, 1987: 125.)

El desenvolvimiento de estos gérmenes de pensamiento ha sido dirigido por una lógica natural, que constituía un atributo esencial del mismo cerebro.

(Morgan, 1987: 125.)

y una pauta de aparición sucesiva de los inventos y descubrimientos aunque no necesariamente preexistentes desde el comienzo, como ya citáramos.

Comenzando en la nada respecto de saber y experiencia, carentes de fuego, de la palabra articulada y de artes, nuestros salvajes progenitores libraron la gran lucha, primero por su existencia y después por el progreso...

(Morgan, 1987: 108.)

Mientras las instituciones ya están germinalmente y su camino es el desenvolvimiento, "el conocimiento" parte de la nada.

Esta doble vía lleva a considerar las situaciones iniciales como de ausencia o simplicidad, en cuanto a invenciones nos referimos, y a confusión o mezcla en cuanto a instituciones.

A medida que ascendemos en orden de tiempo y de la evolución, y descendemos en la escala de adelantos humanos, las invenciones se tornan más sencillas y más directas en su relación con necesidades primarias, y las instituciones se aproximan más y más a la forma elemental de una gens compuesta de consanguíneos...

(Morgan, 1987: 103.)

... la condición del hombre en este período primitivo de su existencia cuando se lo despoja de todo cuanto había adquirido merced a los inventos y descubrimientos, y al desarrollo de conceptos encarnados en instituciones, usos y costumbres.

(Morgan, 1987: 523.)

No siendo casual el trillado método del descarte, predominantemente usado para las invenciones, y que parte de lo acumulado actual y comienza a restar (véase el cap. III de Morgan). Asimismo, no es casual la consideración de que el "trato promiscuo".

... revela el estado de salvajismo más bajo que pueda concebirse; representa el pie de la escala.

(Morgan, 1987: 496.)

que uno puede interpretar como ausencia de reglas o mezcla de lo que se espera no sea mezclado. En realidad, ambas cosas están promovidas por contactos confusos o no esperados.

Estas diferencias de carácter entre lo material y lo no material, explícitas en Morgan, también rondan en Tylor:

Los principales criterios de clasificación son la *ausencia o la presencia, el alto o el bajo desarrollo de las artes* industriales, especialmente de la elaboración de los metales, de la manufactura de instrumentos y vasijas, de la agricultura, de la arquitectura, etc., *la amplitud del conocimiento científico, la precisión de los principios morales, el carácter de las creencias y ceremonias religiosas, el grado de organización social y política, y así sucesivamente.*

(Tylor, 1977: 41.)

En esto se puede visualizar la similitud de criterios entre artes industriales y conocimiento científico, por un lado, y por otro los principios morales, creencias y organización social y política. Para los primeros, el criterio es la presencia, la amplitud, la elevación, mientras que para los segundos prima la precisión y el grado de organización. Criterio de diferenciación para estas instancias que se corrobora en diversos momentos. Para el perfeccionamiento de la sociedad (o el individuo) la pauta es:

...una más alta organización del individuo y de la sociedad...

(Tylor, 1977: 42.)

mientras que a efectos del conocimiento el grado de adquisición o (*contrario sensu*) el grado de falta es lo que marca la condición:

Desde un punto de vista negativo los habitantes de un distrito abandonado de Whitechapel y los de una población hotentote coinciden en su necesidad del conocimiento y de los valores de la cultura superior.

(Tylor, 1977: 56.)

diferenciación ratificada de este modo:

En general resulta que donde quiera que *haya artes adelantadas, conocimientos abstrusos e instituciones complejas*, éstos son resultado de un desarrollo gradual que comenzó en los estados de vida más sencillos, rudos y primitivos. Ningún grado de civilización viene a la vida espontáneamente, sino que crece o se desenvuelve de un estado anterior.

(Tylor, 1987: 24.)

Finalmente merodea una idea de simplicidad-complejidad, atada a la adecuación a fines que rige para ambos ejes, el material y el no material:

Hasta donde la historia alcanza, ésta nos muestra artes, ciencias, instituciones políticas que comienzan en los estados más rudos, y van haciéndose con el transcurso de las edades más inteligentes y sistemáticas, llegando a estar más perfectamente dispuestas u organizadas para corresponder satisfactoriamente a sus fines.

(Tylor, 1987: 17.)

Asimismo, la idea germinal de las instituciones y creencias no es ajena a Tylor, y se halla implícita en citas como éstas:

Ninguna religión de la humanidad descansa en un total aislamiento de las demás, y las ideas y los principios del cristianismo moderno siguen *orientaciones intelectuales que se remontan*, a través de los lejanos tiempos precristianos, *hasta el origen mismo de la civilización humana, quizá incluso de la existencia humana.*

(Tylor, 1977: 24.)

Si estuviese claramente demostrado que existen o han existido salvajes no religiosos, podría pretenderse, por lo menos, razonablemente, que esos individuos son representantes de la condición del hombre, antes de que éste llegase a la situación religiosa de la cultura. Sin embargo, no es deseable que se formule este argumento, porque la afirmación de la existencia de las tribus no religiosas en cuestión se basa, como hemos visto, en documentaciones frecuentemente erróneas, y nunca concluyentes.

(Tylor, 1977: 27.)

y que lo llevaron a reconocer en el animismo su antecedente:

El animismo es, en efecto, la base de la filosofía de la religión, desde la de los salvajes hasta la de los hombres civilizados. Y aunque, a primera vista, parece que sólo puede proporcionar una simple y pobre definición de un mínimo de religión, en la práctica se encontrará que es suficiente, porque, donde hay raíz, generalmente brotan ramas.

(Tylor, 1977: 28-29.)

El animismo —con Tylor— y la familia consanguínea —con Morgan— son germinales, y ambos tenderán a la diferenciación:

El cristianismo nos facilita pruebas para establecer este principio, si comparamos, por ejemplo, sencillamente, la opinión culta de Roma en el siglo V con la de Londres en el siglo XIX, acerca de cuestiones como la naturaleza y las funciones del alma, del espíritu, de la divinidad, y observamos, a través de la comparación, en qué importantes sentidos *ha venido a diferenciarse la filosofía de la religión*, incluso entre hombres que representan, en diferentes épocas, los mismos grandes principios de la fe. El estudio general de la etnografía de la religión, a través de toda su inmensa gama, parece apoyar la teoría de la evolución en su más alto y amplio sentido.

(Tylor, 1977: 484.)

Finalmente se verá que el estado de la sociedad que indica la familia consanguínea señala con lógica precisión una condición anterior de promiscuidad.

(Morgan, 1987: 423.)

De acuerdo con esto, se comprobará que la familia ha evolucionado desde una forma más baja a una más alta, a medida que los alcances de este sistema conyugal sufrieron reducción progresiva.

(Morgan, 1987: 115.)

Dondequiera se descubra el estrato medio o inferior del salvajismo, quedan revelados regímenes de matrimonios de grupos enteros...

(Morgan, 1987: 123.)

Confusiones de ideas y de roles tan evidentemente confusos como ciertas costumbres y prácticas reñidas con las "buenas prácticas" y las "buenas costumbres", como los

... banquetes con caballos muertos y hervían pedazos de carne de vaca y de cerdo con las entrañas sin limpiar de las bestias en un árbol hueco, envueltos en una piel de vaca sin curtir, y así se sentaban junto al fuego, y bebían leche calentada con una piedra que habían metido en el fuego antes.

(Tylor, 1977: 58.)

o como las que nos contara George Buchanan en el siglo XVI:

... de que los isleños acostumbraban a cocer la carne en la panza o en la piel de las propias bestias.

(Tylor, 1977: 58.)

signos de degeneración:

La degeneración opera, probablemente, de un modo más activo aun en la cultura inferior que en la superior.

(Tylor, 1977: 59.)

o presentes en la imagen de Morgan de las prácticas religiosas:

El desarrollo de la idea religiosa se halla rodeado de tales dificultades intrínsecas que no es posible obtener una explicación completamente satisfactoria. La religión se enlaza tanto con la naturaleza imaginativa y emotiva, y, por consiguiente, con elementos tan inseguros de conocimiento, que todas las religiones primitivas son grotescas y hasta cierto punto ininteligibles. También esta materia sale del plan de la presente obra, salvo en las sugerencias incidentales.

(Morgan, 1987: 79.)

Insistimos en la idea de perfeccionamiento, dado que la de desenvolvimiento no necesariamente la incluye. Algo puede desenvolverse sin que el signo sea por fuerza positivo.

En síntesis:

... la civilización se desenvuelve procediendo de los más ínfimos estados a los superiores.

(Tylor, 1987: 24.)

pero lo hace de una manera particular, según el fenómeno que hablemos. No son lo mismo las artes o los conocimientos que las instituciones.

REGISTRO[1]

Sin embargo, ambos niveles —los materiales y no materiales— están vinculados. Son estas vinculaciones las que se indagarán en los siguientes apartados.

Si mantenemos atenta la idea de que el interés de los primitivos es por su carácter de antepasados, la fuente más directa de hacernos de ello es la arqueología:

1. En este apartado nos referiremos específicamente a la relación entre los fenómenos materiales y no materiales al efecto del registro. Los demás aspectos que se relacionan con la importancia de la prueba se tratarán en el capítulo sobre la cientificidad del evolucionismo.

Admitiendo que la arqueología, al atraer la atención del estudioso hacia las más remotas condiciones conocidas de la vida humana, demuestra que esa vida ha sido de tipo inequívocamente salvaje; admitiendo que el hacha desbastada de perdernal, recogida entre los huesos de mamuts amontonados en un lecho de grava y puesta sobre la mesa de trabajo de un etnólogo, es para él un verdadero ejemplar de la cultura primitiva, simple pero habilidoso, tosco pero utilísimo, de bajo nivel artístico pero evidentemente abierto a la posibilidad del más alto desarrollo, ¿a qué resultado se llegará? Naturalmente, la historia y la prehistoria del hombre tienen sus lugares adecuados en el esquema general del conocimiento.

(Tylor, 1981: 477.)

Sin embargo, no siempre su registro es satisfactorio. Es más, en general es insatisfactorio (más aún en los tiempos de los evolucionistas). Si esto es un reflejo razonable del resto material, es exageradamente optimista si de lo inmaterial es que hablamos. Es por ello que los aspectos deficientes del registro arqueológico tendrán dos presunciones más que interesantes, dos correlaciones que serán decisivas:

1. La correlación entre los extraños vivientes y el pasado más remoto:

Es justo sentar que la suma de sus experiencias unidas representa equitativamente la de la familia humana, desde el estadio medio del salvajismo, hasta el fin de la civilización humana. En consecuencia, las naciones arias hallarán el tipo de la condición de sus antepasados remotos, que se encontraban en el salvajismo, en la de los australianos y polinesios; los del estadio inferior de la barbarie en la de algunos indios pueblos de América, y los del estadio medio en el de los indios, pueblos con los cuales su propia experiencia en el estadio superior se vincula directamente.

(Morgan, 1987: 89.)

Se presume que los antepasados remotos de las naciones arias pasaron por una experiencia semejante a la de las tribus bárbaras o salvajes del tiempo actual. A pesar de que la experiencia de estas naciones encierra toda la información necesaria para ilustrar los períodos de la civilización, tanto antigua como moderna, su conocimiento anterior debe deducirse, sobre todo, de la visible vinculación entre los elementos de sus instituciones existentes e invenciones y de los elementos similares que todavía se conservan en las de tribus salvajes y bárbaras.

(Morgan, 1987: 80.)

2. La correlación entre aspectos materiales y no materiales con el fin de asignarlos a uno u otro estadio.

Tan esencialmente idénticas son las artes, instituciones y modos de vida en un mismo estadio en todos los continentes, que la forma arcaica de las principales instituciones domésticas de los griegos y romanos debe buscarse aún hoy en las instituciones correspondientes de los aborígenes americanos, como se demostrará más adelante. Este hecho constituye parte del testimonio acumulado, tendiente a demostrar que las instituciones principales de la humanidad se han desarrollado sobre la base de unos pocos gérmenes primarios del pensamiento; y que el curso y manera de su desarrollo estaban predeterminados como también circunscriptos dentro de límites estrechos de divergencia por la lógica natural de la mente humana y las limitaciones necesarias de sus facultades.

(Morgan, 1987: 89.)

... de la visible vinculación entre los elementos de sus instituciones existentes e invenciones y de los elementos similares que todavía se conservan en las de tribus salvajes y bárbaras.

(Morgan, 1987: 80.)

Esto aún antes de prejuzgar o arrojar alguna teoría de la causalidad respectiva.

Los registros arqueológicos son sólo materiales, y por tanto son mudos respecto de las instituciones. Pero allí se nos dice que ambos se correlacionan, y el registro etnográfico es completo. Miremos América, veamos el registro material y no material, observemos el registro material arqueológico y completemos el registro no material.

	VIVOS	MUERTOS
MATERIAL	+	+
NO MATERIAL	+	—

El que los americanos sean un muestrario de lo primitivo permite que todo registro con este origen sea transpasable al primitivo. Pero, a su vez, los registros arqueológicos son sólo materiales, y esto obliga a la transposición. La torna, más que una posibilidad, un imperativo. El ejemplo americano prominente en Locke se mantiene protagónico en la antropología clásica.

MEDICIÓN

La comparación y la medida no están implicadas. Más aún si tuviésemos en cuenta una dualización simple como la de la economía de los estados. Sin embargo:

Al considerar el problema del desarrollo de la cultura como una rama de la investigación etnológica, lo primero que se necesita es obtener un sistema de medición.

(Tylor, 1977: 41.)

¿Cómo medir las diferentes culturas? Y, en este caso, nuevamente los temas son diferentes. Mientras que la medición se hace más sencilla en la vía de inventos y descubrimientos se hace más engorrosa en la de la moral y las instituciones. Que la agricultura es más poderosa que el arte de la recolección se demuestra por el potencial de resultado en función de los fines que se buscan. Decir que tal moral es superior a otra, y en qué medida, es más que comprometido. Es que los criterios de clasificación no pueden ser idénticos ni tener el mismo grado de confiabilidad. Estrictamente, la izquierda de nuestro cuadro inicial resulta medible, mientras que la derecha sólo es comparable cualitativamente.

Es decir, tenemos dos temas: la fiabilidad (y valorización o no de lo social) de la medida y la medida misma. En cuanto a la primera, insistimos, la materialidad es más fiable. En cuanto a la segunda, los resultados marcan la materialidad, y la ininteligibilidad a la no materialidad. Desarrollemos estos aspectos.

La medida es de dos tipos diferenciales: por un lado, el acopio y la complejidad son los parámetros de los fenómenos materiales, mientras que la claridad y la organización el de los fenómenos no materiales.

Los principales criterios de clasificación son la ausencia o la presencia, el alto o el bajo desarrollo, de las artes industriales, especialmente de la elaboración de los metales, de la manufactura de instrumentos y vasijas, de la agricultura, de la arquitectura, etc., la amplitud del conocimiento científico, la precisión de los principios morales, el carácter de las creencias y ceremonias religiosas, el grado de organización social y política, y así sucesivamente.

(Tylor, 1977: 41.)

En general resulta que donde quiera que haya artes adelantadas, conocimientos abstrusos e instituciones complejas, éstos son resultado de un desarrollo gradual que comenzó en los estados de vida más sencillos, rudos y primitivos. Ningún grado de civilización viene a la vida espontáneamente, sino que crece o se desenvuelve de un estado anterior.

(Tylor, 1987: 24.)

Esta panorámica (en donde material y no material tienen diferencias de medida) se acentúa cuando tratamos cada aspecto por separado.

La medida no material de primitivismo se caracteriza por la indefinición, la fragilidad, la inestabilidad, la promiscuidad y la indiferenciación:

Las normas morales de los salvajes son bastante reales, pero son mucho más indefinidas y frágiles que las nuestras. A mi parecer, podemos aplicar la tan socorrida comparación de los salvajes con los niños, tanto a su moral como a sus condiciones intelectuales.

(Tylor, 1977: 45.)

La mejor vida social de los salvajes parece hallarse en equilibrio inestable, expuesta a ser fácilmente destruida por un arrebato de dolor, de tentación o de violencia, conviertiéndose entonces en la peor vida salvaje, que nosotros conocemos a través de tantos ejemplos funestos y monstruosos. En resumen, es admisible que algunas tribus viven de un modo que puede ser envidiado por determinados pueblos bárbaros, e incluso por los proscriptos de las naciones superiores. Pero que ninguna tribu salvaje conocida pueda ser mejorada por una civilización juiciosa es una afirmación que ningún moralista se atrevería a hacer, mientras que el tenor general de los testimonios justifica plenamente la convicción de que, en conjunto, el hombre civilizado es no sólo más prudente y más capaz que el salvaje, sino también mejor y más feliz, y que el bárbaro se encuentra entre el uno y el otro.

(Tylor, 1977: 45.)

Trato promiscuo —esto revela el estado de salvajismo más bajo que pueda concebirse; representa el pie de la escala. En esta condición el hombre se distinguía apenas de los animales que lo rodeaban.

(Morgan, 1987: 496.)

El desarrollo de la idea religiosa se halla rodeado de tales dificultades intrínsecas que no es posible obtener una explicación completamente satisfactoria. La religión se enlaza tanto con la naturaleza imaginativa y emotiva, y, por consiguiente, con elementos tan inseguros de conocimiento, que todas las religiones primitivas son grotescas y hasta cierto punto ininteligibles. También esta materia sale del plan de la presente obra, salvo en las sugerencias incidentales.

(Morgan, 1987: 79.)

Finalmente se verá que el estado de la sociedad que indica la familia consanguínea señala con lógica precisión una condición anterior de promiscuidad.

(Morgan, 1987: 423.)

De acuerdo con esto, se comprobará que la familia ha evolucionado desde una forma más baja a una más alta, a medida que los alcances de este sistema conyugal sufrieron reducción progresiva.

(Morgan, 1987: 115.)

Dondequiera se descubra el estrato medio o inferior del salvajismo, quedan revelados regímenes de matrimonios de grupos enteros...

(Morgan, 1987: 123.)

Finalmente se verá que el estado de la sociedad que indica la familia consanguínea señala con lógica precisión una condición anterior de promiscuidad.

(Morgan, 1987: 423.)

Mientras que la materia del mismo período lo hace desde la ausencia de capacidad tecnológica y científica, hasta su desarrollo basado en la capacidad, complejidad, especialidad funcional o posibilidad de sustentación.

Desde esta situación abyecta —tal vez el estado primitivo y universal del hombre—, se ha elevado gradualmente hasta dominar a los animales, fertilizar la tierra, atravesar el océano y medir los cielos. Su progreso en el perfeccionamiento y en el ejercicio de sus facultades mentales y corporales ha sido irregular y vario; infinitamente lento al principio, y aumentando sucesivamente, con redoblada velocidad: edades de laboriosa ascensión han sido seguidas por un momento de descenso rápido; y los distintos climas del globo han sufrido las vicisitudes de la luz y de las tinieblas.

(Tylor, 1977: 47.)

La invención mecánica facilita buenos ejemplos del tipo de desarrollo que caracteriza la civilización en general. En la historia de las armas de fuego, el tosco gatillo de rueda, en el que una rueda de acero dentada giraba por medio de un resorte contra una pieza de piritas hasta que una chispa alcanzaba al cebo, condujo a la invención del fusil de chispa, más útil, algunos de los cuales aún se conservan colgados en las cocinas de nuestras casas de campo para que los niños disparen con ellos contra los pajarillos en Navidad; el fusil de chispa, a su vez, se modificó, convirtiéndose en el fusil de percusión, que ahora precisamente está cambiando su vieja disposición para dejar de cargarse por la boca y pasar a ser un fusil de recámara. El astrolabio medieval se convirtió en el cuadrante, ahora desechado, a su vez, por el marinero, que utiliza el sextante, más preciso, y así ocurre a lo largo de la historia de un arte determinado y de un instrumento tras otro.

(Tylor, 1977: 31.)

... se ve que la historia de la Edad de Piedra es la historia de un desarrollo. Partiendo de la piedra puntiaguda natural, la transición al más tosco instrumento de piedra, artificialmente moldeado, es imperceptiblemente gradual, y, desde esta tosca fase en adelante, se descubre un progreso muy independiente en distintas direcciones, hasta que la elaboración, al fin, alcanza una admirable perfección artística, en la época en que es sustituida por la introducción del metal.

(Tylor, 1977: 76.)

Admitiendo que la arqueología, al atraer la atención del estudioso hacia las más remotas condiciones conocidas de la vida humana, demuestra que esa vida ha sido de tipo inequívocamente salvaje; admitiendo que el hacha desbastada de perdernal, recogida entre los huesos de mamuts amontonados en un lecho de grava y puesta sobre la mesa de trabajo de un etnólogo, es para él un verdadero ejemplar de la cultura primitiva, simple pero habilidoso, tosco pero utilísimo, de bajo nivel artístico pero evidentemente abierto a la posibilidad del más alto desarrollo, ¿a qué resultado se llegará? Naturalmente, la historia y la prehistoria del hombre tienen sus lugares adecuados en el esquema general del conocimiento.

(Tylor, 1981: 477.)

La mayoría de estos hechos pueden compararse con la canoa de un indio, que tiene la proa y la popa iguales, de modo que, con sólo mirarla, no se puede decir hacia dónde va. Pero hay algunos que, como nuestros propios barcos, señalan claramente la dirección de su verdadera marcha. Estos hechos son como indicadores en el estudio de la civilización y en todas las ramas de la investigación deben buscarse. [...] hechos-indicadores...

(Tylor, 1977: 73.)

... cómo en los estadios primitivos de las artes el mismo instrumento sirve a diferentes propósitos, como en el caso de los fueguinos, que utilizan sus puntas de lanza también como cuchillos...

(Tylor, 1977: 75-76.)

La subsistencia ha sido acrecentada y perfeccionada mediante una serie sucesiva de artes, introducidas con largos intervalos y trabadas más o menos directamente con invenciones y descubrimientos.

(Morgan, 1987: 78.)

Es probable que las sucesivas artes de subsistencia hayan influido sobre la condición del hombre y sean las que en última instancia ofrezcan bases más satisfactorias para estas divisiones.

(Morgan, 1987: 81.)

... la condición del hombre en este período primitivo de su existencia cuando se lo despoja de todo cuanto había adquirido merced a los inventos y descubrimientos, y al desarrollo de conceptos encarnados en instituciones, usos y costumbres.

(Morgan, 1987: 523.)

Sin embargo los ritmos (o valorización) no son iguales ni sostenidos de manera semejante:

Aun aceptando que, dentro de una vasta panorámica, puede observarse que la vida intelectual avanza juntamente con la vida moral y con la política, es evidente que están lejos de avanzar al mismo paso.

(Tylor, 1977: 43.)

Ahora bien, determinada la medida, diferencial según el caso sea material o no material, esto también va unido a una discriminación en cuanto a fiabilidad: es más fácil confiar en la observación de lo material que en lo no material.

... si hemos de tener en cuenta no sólo el conocimiento y el arte, sino también la excelencia moral y política, se hace más difícil todavía registrar, sobre una escala ideal, el avance o el retroceso de un estadio de cultura a otro. En realidad, una medida en que se combinen los elementos intelectuales y morales de la condición humana es un instrumento que, hasta ahora, ningún estudioso ha aprendido a manejar adecuadamente.

(Tylor, 1977: 43.)

Los griegos y los romanos conocieron tribus de salvajes y aun de bárbaros que han sido presentadas como practicando la promiscuidad. Entre ellos figuraban los auseanos de África del Norte, mencionados por Herodoto, los garamantes de Etiopía, citados por Plinio, y los celtas de Irlanda, de que habla Estrabón. Este último sostiene una afirmación semejante con respecto a los árabes. No es probable que pueblo alguno que haya caído bajo la observación haya vivido en un estado promiscuo tal como los animales gregarios. Evidentemente, hubiera sido imposible la perpetuación de un pueblo semejante desde la infancia de la humanidad. Una explicación más racional de los casos citados y de muchos otros de la familia punalúa, la que, para el observador de otras latitudes, con medios limitados de observación, ofrecería los indicios externos señalados por esos autores.

(Morgan, 1987: 497.)

Pero también es más fácil, observando bien, determinar si un arma es superior a otra que si una moral lo es respecto de otra diferente.

... cualquiera que compare un arco y una ballesta no podrá dudar de que la ballesta fue un desarrollo procedente del otro instrumento, más simple.

(Tylor, 1977: 31.)

Aunque sea nuestra propia cultura el mejor referente del punto máximo:

Desde un punto de vista ideal, la civilización [...] perfeccionamiento [...] una más alta organización del individuo y de la sociedad.

(Tylor, 1977: 42.)

Esta civilización teórica se corresponde, en no pequeña medida, con la civilización real [...] de la comparación del salvajismo con el barbarismo, y del barbarismo con la moderna vida ilustrada. Esto es especialmente cierto si solamente se tiene en cuenta la cultura material e intelectual.

(Tylor, 1977: 42.)

Es en el plano material donde uno debe sustentarse más fuertemente por su evidencia:

En las distintas ramas del problema que de ahora en adelante ocuparán nuestra atención —el de determinar la relación de la capaci-

dad mental de los salvajes con la de los hombres civilizados—, constituye una excelente guía y salvaguardia el mantener presente siempre
la teoría del desarrollo en las artes materiales.

(Tylor, 1977: 79.)

Incluso se refleja en la capacidad de enseñar algo: las revoluciones
mecánicas de antaño parecen ofrecer un campo árido, mientras que los
aspectos no materiales mantienen cierta capacidad de enseñanza:

Es cierto que las condiciones rudimentarias de las artes y de las
ciencias suelen ser curiosas, más que prácticamente instructivas, sobre todo porque el profesional moderno ha considerado como simples
procesos elementales los resultados de los más tenaces esfuerzos del
hombre antiguo o salvaje. Tal vez nuestros fabricantes de herramientas
no puedan sacar de un museo de instrumentos salvajes más que unos
pocos datos sugerentes; acaso nuestros médicos no puedan interesarse
por las recetas salvajes, más que en la medida en que implican la utilización de drogas locales; quizá nuestros matemáticos puedan relegar
a la escuela de niños los más altos vuelos de la aritmética salvaje, y es
posible que nuestros astrónomos no puedan encontrar en la ciencia
de las estrellas de las razas inferiores más que una combinación, nada
instructiva, de mitos y lugares comunes. Pero hay sectores del conocimiento, no menos importantes que la mecánica y la medicina, que la
aritmética y la astronomía, en los que el estudio de las fases inferiores,
por su influencia en la aceptación práctica de las superiores, no pueden abandonarse tan descuidadamente.

(Tylor, 1981: 478.)

Si observamos el estado de la opinión culta, no dentro de los límites de una escuela determinada, sino en la totalidad del mundo civilizado, acerca de temas especialmente relacionados con el hombre, con
su condición intelectual y moral, con su lugar y su función entre los
demás hombres y en el universo en general, veremos que coexisten,
con derechos iguales, opiniones muy diferentes en autoridad real. Algunas, confirmadas por la evidencia directa y positiva, mantienen su
terreno como verdades sólidas. Otras, aunque fundadas en muy toscas
teorías de la cultura inferior, han sido tan modificadas bajo la influencia del conocimiento progresivo que proporcionan un entramado
satisfactorio para hechos reconocidos; y la ciencia positiva, cuidadosa
del origen derecho. Otras, por último, son opiniones verdaderamente
pertenecientes a niveles intelectuales inferiores, que han mantenido
su lugar en los superiores, por la simple fuerza de una tradición an-
cestral; éstas son supervivencias.

(Tylor, 1981: 478-479.)

Lo que refleja la duda sobre el mayor valor de la civilización, al punto
de que el propio etnógrafo es requerido ante tal situación ambivalente y se
transformará en medidor y evaluador:

Ahora bien; es función práctica de la etnografía la de dar a conocer, a todos aquellos a quienes pueda interesar, la parte que a las opiniones corresponde en el pensamiento público, mostrar lo que es recibido según su propia y directa evidencia, lo que es doctrina antigua, más tosca, reelaborada para responder a propósitos modernos, y lo que no es más que superstición tradicional disfrazada de moderno conocimiento.

(Tylor, 1981: 479.)

Aunque el mismo etnólogo dude también sobre las ventajas de la vida moral contemporánea, rescatando parcialmente en varias oportunidades lo social primitivo:

La mejor vida social de los salvajes parece hallarse en equilibrio inestable, expuesta a ser fácilmente destruida por un arrebato de dolor, de tentación o de violencia, convirtiéndose entonces en la peor vida salvaje, que nosotros conocemos a través de tantos ejemplos funestos y monstruosos. En resumen, es admisible que algunas tribus viven de un modo que puede ser envidiado por determinados pueblos bárbaros, e incluso por los proscriptos de las naciones superiores. Pero que ninguna tribu salvaje conocida pueda ser mejorada por una civilización juiciosa es una afirmación que ningún moralista se atrevería a hacer, mientras que el tenor general de los testimonios justifica plenamente la convicción de que, en conjunto, el hombre civilizado es no sólo más prudente y más capaz que el salvaje, sino también mejor y más feliz, y que el bárbaro se encuentra entre el uno y el otro.

(Tylor, 1977: 45.)

El movimiento progresivo desde el barbarismo ha dejado a sus espaldas más de una cualidad de carácter bárbaro que los cultivados hombres modernos añoran con pesar, y que se esforzarán, incluso, por recuperar, mediante fútiles intentos de detener el curso de la historia y de restaurar el pasado en el ámbito del presente. Así ocurre con las instituciones sociales.

(Tylor, 1977: 43-44.)

Entre las informaciones acerca de la vida salvaje, no es raro, verdaderamente, encontrar detalles de un admirable excelencia moral y social.

(Tylor, 1977: 44.)

Hecho que muestra una nueva inequivalencia entre aspectos materiales y no materiales.[2]

2. Y que prefigura imágenes duales partitas del tipo (véase Durkheim):

	material	no material
propuesta	+	+
hoy	—	+
ayer	+	—

	MEDIBLE	FIABILIDAD
MATERIAL	+	+
NO MATERIAL	—	+ o —

En cuanto al poder de la materialidad (atada a la subsistencia), es visible en la evidencia que manifiesta Morgan en frases como:

> Y como el uso de la alfarería es menos significativo que el empleo de animales domésticos, del hierro o de un alfabeto fonético, para señalar el comienzo de períodos étnicos subsiguientes deben exponerse las razones de su adopción.

(Morgan, 1987: 85.)

¿Y no fue acaso el mismo Morgan quien apeló a la subsistencia para referenciar el nivel en todo momento?

La monstruosidad, que es una manifestación de la inteligibilidad, la incomprensión, guió a los romanos y griegos cuando observaron promiscuidad por doquier. Digamos que a los evolucionistas también los guió algo de eso cuando definieron la escala no material.

RELACIÓN CAUSAL

De diferente manera la materialidad aparece, como en Morgan, bajo el signo de la subsistencia, y ésta en una relación causal con el resto. La carga de la subsistencia aparece como detonante particularmente en el autor de *La sociedad primitiva*.

> Las últimas investigaciones sobre el origen de la raza humana vienen a demostrar que el hombre empieza su vida al pie de la escala labrando su ascenso, del salvajismo a la civilización, *mediante* los lentos acopios de la ciencia experimental.

(Morgan, 1987: 977

> ... rusticidad de la condición primitiva del hombre, de la gradual evolución de sus facultades morales y mentales, *mediante* la experiencia y de su prolongada *pugna* con los elementos que le impedían el paso al camino de la civilización.

(Morgan, 1987: 77.)

Fenómeno ya insinuado en el título del primer capítulo de Morgan: "Desenvolvimiento de la inteligencia *a través de* invenciones y descubrimientos" (Morgan, 1987: 75).

Esta mediación de la subsistencia le da un carácter no sólo de referente del estadio o medida (estratigrafía).

> Es probable que las sucesivas artes de subsistencia hayan influido sobre la condición del hombre y sean las que en última instancia ofrezcan bases más satisfactorias para estas divisiones.
>
> (Morgan, 1987: 81.)

sino que es la causa última de entendimiento, especialmente en los pueblos primitivos

> La conservación de la vida mediante la constante adquisición del alimento es la gran carga impuesta a la existencia en todo género de animales. A medida que descendemos en la escala de la organización estructural, la subsistencia se simplifica de etapa en etapa, hasta que, finalmente, desaparece. Pero en la escala ascendente, se hace cada vez más difícil, hasta alcanzar la forma estructural más elevada, la del hombre (donde marca su máximo.) De ahí en adelante la inteligencia se hace un factor más elevado.
>
> (Morgan, 1987: 91.)

Carga decisiva, que crea una estructura de necesidad casi natural y que proviene de la más amplia formulación malthuseana. Se ha dicho que la idea de lucha es el elemento más fuerte del malthuseanismo en el evolucionismo, particularmente en el spencereano.[3] Sin embargo, no debe obviarse el contenido de tal lucha, o mejor expresado, el trofeo de tal lucha: la subsistencia.

> La conservación de la vida mediante la constante adquisición del alimento es la gran carga... ʙⁱ
>
> (Morgan, 1987: 91.)

... hasta dónde llega la decadencia de la cultura humana, cuando falta el acicate de la necesidad.

> (Tylor, 1987: 23.)

Lucha que no se reduce a una carga meramente de esfuerzo por obtener el sustento sino de una escasez por naturaleza. Esa "*gran causa*", esa "*tendencia constante de toda vida a aumentar, reproduciéndose, más allá de lo que permiten los recursos disponibles para su subsistencia*" (Malthus), que coloca al hombre en obligación no sólo de actuar, sino de actuar en "contra", de luchar, en función de la tendencia reproductiva.

---

3.   Que se refleja en frases como "mediante [...] su prolongada pugna con los elementos que le impedían el paso al camino de la civilización" (Morgan, 1987: 77). "La historia dentro de su propio campo, y la etnografía en una extensión más amplia, se unen para demostrar que las instituciones que mejor pueden mantenerse por sí solas en el mundo sustituyen paulatinamente a las menos aptas, y que este incesante conflicto determina la resultante general de la marcha de la cultura" (Tylor, 1977: 79).

PREEMINENCIAS

La imagen del salvaje y del civilizado no es la misma en cuanto a la participación proporcional de las actividades de subsistencia y las de "inteligencia".

... la vida salvaje se halla esencialmente dedicada a conseguir la subsistencia en la naturaleza, a lo que la vida proletaria no está dedicada, en absoluto.

(Tylor, 1977: 56.)

El salvajismo fue el período formativo del género humano. Comenzando en la nada respecto de saber y experiencia, carecientes de fuego, de palabra articulada y de artes, nuestros salvajes progenitores libraron la gran lucha, primero por su existencia y después por el progreso...

(Morgan, 1987: 108.)

Esta idea de un salvaje cuyo tiempo se ocupa prioritariamente de la subsistencia se convalida por la misma caracterización de los estadios: los elementos de salvajismo y barbarie son primordialmente "materiales" para la subsistencia, mientras que el de civilización es "material" para la razón: la escritura.

Se adscribe al salvaje a condiciones cuasi naturales:

El profesor Nilsson, ante la notable semejanza de los instrumentos de caza y pesca de las razas inferiores de la humanidad, considera que han sido ideados instintivamente por una especie de necesidad natural.

(Tylor, 1977: 75.)

... la naturaleza, la maestra del hombre primitivo [...] tosco garrote hasta la lanza o clava perfeccionada, desde la piedra de borde puntiagudo o rodada hasta el hacha, la punta de flecha o el martillo artísticamente moldeados.

(Tylor, 1977: 75.)

A medida que ascendemos en orden de tiempo y de la evolución, y descendemos en la escala de adelantos humanos, las invenciones se tornan más sencillas y más directas en su relación con necesidades primarias, y las instituciones se aproximan más y más a la forma elemental de una gens compuesta de consanguíneos...

(Morgan, 1987: 103.)

Condición en que los elementos de la "cultura", incluso la materialidad más pobre, brillan por su ausencia,

La conservación de la vida mediante la constante adquisición del alimento es la gran carga impuesta a la existencia en todo género de animales. A medida que descendemos en la escala de la organización estructural, la subsistencia se simplifica de etapa en etapa, hasta que, finalmente desaparece. Pero en la escala ascendente, se hace cada vez más difícil, hasta alcanzar la forma estructural más elevada, la del hombre (donde marca su máximo.) De ahí en adelante la inteligencia se hace un factor más elevado.

(Morgan, 1987: 91.)

... la condición del hombre en este período primitivo de su existencia cuando se lo despoja de todo cuanto había adquirido merced a los inventos y descubrimientos, y al desarrollo de conceptos encarnados en instituciones, usos y costumbres.

(Morgan, 1987: 523.)

Subsistencia natural de frutas y raíces en una morada restringida.

(Morgan, 1987: 90.)

... primitivo del hombre [...] iniciaba apenas su nueva carrera. No existe arte ni institución que pueda referirse a este período [...] la del lenguaje [...] época tan remota.

(Morgan, 1987: 90-91.)

Casi sin necesidad de pares incluso, llega a promoverse una imagen cuasi independiente.

Afortunadamente para la humanidad, las tareas más útiles, o, por lo menos, las más necesarias, pueden ser realizadas sin talentos superiores, y sin el consenso nacional; sin los poderes de uno, y sin la unión de muchos

(Tylor, 1977: 47.)

EL CENTRO DE LA ESCENA

Al cabo de todo este capítulo hemos visto cómo el corte vertical se extiende a diferentes niveles, dibujando una cronología que va in crescendo desde la subsistencia a la inteligencia, que muestra las virtudes del registro y la medición material, y que incluso da ciertos visos del papel protagónico que como detonante trae la subsistencia en los primeros niveles.

Este dibujo prioriza el rol de la materialidad en el primitivismo. En todos los casos, la materialidad es protagónica en el primitivo, no así en el civilizado. No obstante, el interés central de nuestros antropólogos evolucionistas no es la materialidad sino la no materialidad. No es la izquierda del cuadro inicial, sino la derecha.

Los estadios de subsistencia que ya conociéramos nos hablaron como antaño de los primitivos, pero el interés "en los primitivos" correrá por el lado no material: familia, gobierno y propiedad (bajo derecho del cuadro inicial) y mitología y animismo (alto derecho del cuadro inicial). Lo más débil en cuanto a registro, lo menos medible, lo menos preeminente y lo menos causal es el tema de mayor interés de los antropólogos evolucionistas, dibujado sobre viejos estadios de subsistencia de "cazadores, pastores y agricultores" que hoy se reformulan como salvajes y bárbaros y que perdurarán como aquellos iniciales.

A los evolucionistas (y con ello inauguran un interés muy fuerte en toda la tradición de la antropología científica) les interesan las creencias primitivas, las particulares formas de organización familiar, esas instituciones diferentes. Toda la sorpresa en la extrañeza se centró en estos fenómenos más que en monótonos procesos de subsistencia, reiteradamente considerados, pero no especialmente generadores de sorpresas. No es casual que detrás de aquellas instituciones y creencias, tan distantes de las propias, haya residido la fuente de la discusión acerca de la racionalidad, tan cara a la antropología desde sus comienzos.

La subsistencia y el marco evolutivo son el preámbulo, la introducción, el escenario en que la obra, claramente no material, ocupará el centro de la escena, por importancia cualitativa y por extensión cuantitativa.[4]

Los roles de la subsistencia y el resto son inversamente proporcionales a la importancia asignada a ambos en la sociedad primitiva. La ocupación en las obras es inversa a la importancia en la vida, tal como esta vida se describe entre los otros.

Sin embargo, sin el escenario no hay obra —y es este papel, el de estructura, de esqueleto, que la subsistencia mantiene— y así como los procesos de alimentación daban cuenta de uno "comercial" (véase cap. II) hoy los mismos niveles de alimentación dan cuenta de uno "escritural".

CAPÍTULO IX

ANTROPOLOGÍA EVOLUCIONISTA.
APELACIÓN A LA ANIMALIDAD Y LA CIVILIZACIÓN
(Morgan - Tylor)

Hemos recorrido junto a nuestros antropólogos evolucionistas tanto la profundidad formal (del origen a la civilización) como el corte sincrónico (de lo material a lo no material). Es ahora el momento de reconstruir el cuadro evolutivo y, a través de su descripción, resaltar la imagen completa de la evolución humana.

La diacronía seguida en el capítulo VII intentó mostrar una particular forma de tratamiento de la diversidad en que ésta antecedía a lo idéntico. Ahora nuestro abordaje también será diacrónico, pero haciendo funcionar la complejidad del pasado en sus diferentes papeles. En alguna medida, le daremos contenido, el que le dieron los evolucionistas, a la cadena evolutiva. Veremos así cómo en el pasado se establece un cuadro completo de la historia de la humanidad. Veremos que tiene un tiempo específico y una velocidad diferencial. Veremos que los valores relativos de los ascensos no son homogéneos. Veremos que la subsistencia será la mejor estratigrafía, que a su vez nos dice acerca de la cualidad. También observaremos que los extremos externos al primitivismo juegan dos papeles y que en ellos desempeñará su rol el punto de ascenso real y el descenso metodológico. Asimismo, los extremos internos del primitivismo harán su aparición dispar y complejamente inquietante. Veremos que el salvaje adquirirá un rol de todo lo primitivo cada vez que lo idéntico se compare con su antítesis. Veremos, finalmente, que las disciplinas se asientan sobre este cuadro en campos claramente delimitados.

EL CUADRO HUMANO DEL EVOLUCIONISMO

Los antropólogos evolucionistas dividieron el mundo humano en tres grandes estadios: salvaje, bárbaro y civilizado. Tres estadios que serán considerados en un orden basado en la condición social de cada uno, su relativo nivel de desarrollo.

... tratar una sociedad en particular según su condición de relativo adelanto...

(Morgan, 1987: 85.)

Sobre la base de estos estadios se puede volcar los caracteres más distintivos de cada uno de ellos (véase cuadro en página siguiente):

Cada uno de estos períodos posee una cultura distinta y exhibe modos de vida más o menos especiales y peculiares.

(Morgan, 1987: 85.)

Es así como el esquema general de los evolucionistas se mueve en un sentido jerárquico. Desde un punto, imaginario, como partida del desarrollo propiamente humano, al que se denomina *salvajismo inferior*, resalta la partida del camino a recorrer. Pasando luego a dos subestadios más que completan esta etapa primitiva, llamados *salvajismo medio* y *superior*. Desde el imaginado grado cero hasta la finalización del salvajismo se dibuja el período más primigenio del hombre, el más primitivo. Los selváticos buscadores de comida, los cercanos a la animalidad, son los prototipos de este período.

El ingreso a la barbarie anuncia el pase a una instancia intermedia entre aquel salvaje prototípico y la civilización tan cotidiana. Los dos primeros subestadios, inferior y medio, de la barbarie, serán la otra cara del primitivismo. Me animo a decir que es en esos dos apartados donde finaliza la otredad.

El cuadro descripto es ascéptico en cuanto a una serie de aspectos que merecen ser considerados para entender el papel argumental de cada uno de sus componentes. Los tiempos, las velocidades, los valores y los roles de cada uno de los casilleros es diferente. Y esto le da al cuadro un dinamismo más que interesante.

TIEMPO Y VELOCIDAD

Estos estadios, en principio, son de carácter jerárquico:

... muy bajos entre los salvajes, medianos entre los bárbaros, y muy altos entre las modernas naciones ilustradas.

(Tylor, 1977: 42.)

y con el objetivo de lograr que

... las tribus principales del género humano puedan ser clasificadas, según los grados de sus relativos progresos, en condiciones que puedan reconocerse como distintas.

(Morgan, 1987: 82.)

	MORGAN (1877)				TYLOR (1881)			
	Signos	Subsistencia	Lengua	Otros	Signos	Subsistencia	Lengua	Otros
INFERIOR	Infancia del hombre	Recolección			Madera, piedra y hueso	Caza y recolección		
MEDIO	Fuego	Pesca						
SUPERIOR	Arco y flecha	Caza						
INFERIOR	Alfarería					Cultivo y domesticación		Adelanto en artes, maneras y gobierno
MEDIO	Constr. vvda. de adobe y piedra	Pastoreo - Cultivo						
SUPERIOR	Hierro							
CIVILIZACIÓN	Escritura		Escritura y alfabeto fonético		Escritura		Escritura	

Basado exclusivamente en las síntesis de Morgan y Tylor (véase Apéndice I).

Sin embargo, el orden meramente jerárquico comienza a tener una cronología. De hecho, los estadios guardarán una íntima relación con un orden cronológico: el salvajismo antecede y antecedió a la barbarie, y ésta a la civilización. Ésta es una cronología ordinal que permite aseveraciones de este carácter: donde hay civilización ha habido antes barbarie y salvajismo y donde hay barbarie ha habido antes salvajismo.

> Les era evidente que existía cierta *sucesión* en la serie de invenciones y descubrimientos, como también cierto orden en el *desenvolvimiento* de instituciones a través de las cuales *la humanidad había adelantado desde el estado salvaje hasta la era de Homero...*
> (Morgan, 1987: 111.)

La civilización ha crecido efectivamente en el mundo pasando por estos tres estadios.
> (Tylor, 1987: 29.)

Una cronología ordinal en que cada estadio antecede al, o procede del, otro pero sin intentar en principio ir más allá:

> ... el inmenso intervalo de tiempo entre las dos condiciones no parece haber sido siquiera materia de consideración especulativa.
> (Morgan, 1987: 111.)

Sin embargo, a esta cronología ordinal (que va en igual sentido que el orden del desarrollo) se le agrega otra cardinal: hay una época salvaje, una bárbara y una tercera civilizada, con una datación cierta que comienza para cada uno de los estadios "con la aparición del primer exponente de su tipología", y finaliza con "el primer exponente de la siguiente". Es en esta línea donde es posible afirmar que

> ... la aria y la semítica [...] fueron las primeras en salir de la barbarie. Fueron sustancialmente las fundadoras de la civilización.
> (Morgan, 1987: 106 -107.)

Una cronología que permite datar el curso entero de la humanidad con fecha cierta y atribuir el carácter de retrasado a quien, aparecido un nuevo estadio, "todavía" tenga condiciones del anterior. La existencia del primer exponente del estadio siguiente coloca *ipso facto* a los otros estadios en situación de atraso.

> Esto nos da la medida del tiempo en que se habían retrasado respecto de la familia aria en la carrera del progreso, a saber: la duración del período superior de la barbarie, a la que habrá que añadir los años de la civilización.
> (Morgan, 1987: 108.)

   La humanidad tipificada tiene así no sólo un orden tipológico, o un orden de precedencias y sucesiones, sino que se asienta en una datación cierta basada en la primera aparición tipológica en el tiempo. La primera aparición humana daría cuenta del inicio temporal del salvajismo inferior, así como la primera aparición de la alfarería o el cultivo da cuenta del inicio temporal de la barbarie y, finalmente, la primera aparición de la escritura da cuenta del inicio temporal de la civilización. Es en estos términos como podemos afirmar con los evolucionistas del siglo XIX que el hombre comienza en el cuaternario, hace unos cien mil años, y pasó a la barbarie hace unos cuarenta mil años para finalmente acceder a la civilización (los tiempos históricos) hace unos cinco mil años.[1]

   ... cazadores y pescadores, análogos a los que hoy clasificamos de salvajes. Conviene sin embargo no aplicarles el término de hombres primitivos, pues esto podría significar que ellos, o al menos otros semejantes a ellos, fueron los primeros hombres que aparecieron en la tierra. La vida que los hombres del período del mamut hacían en Abbeville o Torquay contradice la idea de que ésta haya sido la vida primitiva humana. Los hombres de la antigua Edad de Piedra parecen más bien pertenecer a tribus cuyos antepasados, viviendo en un clima medio, alcanzaron cierta ruda destreza en las artes que tenían por objeto proporcionarse el alimento y defenderse, de suerte que después se capacitaron por una ruda lucha para combatir contra las inclemencias del tiempo y las bestias feroces del *período cuaternario*.
                                                                (Tylor, 1987: 38-39.)[2]

   Basado en la teoría de progresión geométrica, el período del salvajismo necesariamente fue más dilatado que el de la barbarie, como así también éste fue más prolongado que el de la civilización. Si partimos de la base de cien mil años [...] sesenta mil años al período del salvajismo.
                                                                (Morgan, 1987: 106.)

   La relativa duración del período del salvajismo está probablemente computada más bien en menos que en más.
                                                                (Morgan, 1987: 106.)

   ... veinte mil [...] al período inferior de la barbarie. Para los períodos medio y superior quedan quince mil años, y restan más o menos cinco mil años para el período de la civilización.
                                                                (Morgan, 1987: 106.)

---

1.   La importancia de estas dataciones es difícil de imaginar hoy, pero si tenemos en cuenta que hasta el primer cuarto del siglo XIX la remisión a la Biblia ubicaba la antigüedad en cinco mil años, se entenderá mejor que la mayor diversidad apareciera como degradación y no como evolución. El tiempo de la humanidad en pocos años se multiplicó por veinte y trasladó lo diverso al comienzo, lugar ya prefigurado en Locke, Rousseau, y aun antes en los iusnaturalistas.
2.   Período al cual le asigna una duración entre veinte mil y cien mil años o más (Tylor, 1987: 39).

Delimitados los períodos temporales de los estadios, es posible hablar de períodos salvajes, bárbaros o civilizados, en función de esas dataciones. Períodos progresivamente más rápidos a medida que se acercan a la civilización.

> Es una conclusión de mucha importancia en etnología que la experiencia del hombre en el salvajismo fue más prolongada que toda su experiencia posterior, y que el período de civilización cubre solamente una porción de la vida de la humanidad.
>
> (Morgan, 1987: 106.)

Hecho que deriva en el concepto de lentitud (o su inversa, celeridad), asignable a cada período. Y es esto lo que ocurre:

> ... en las etapas inferiores de cultura, el progreso tiene que ser extremadamente lento, en comparación con el que la experiencia muestra entre pueblos ya muy avanzados.
>
> (Tylor, 1977: 67.)

Si pudiésemos valorar las adquisiciones o incorporaciones de cada estadio, y estimáramos ese valor uniformemente (supongamos cien) y lo relacionáramos con el tiempo datado del párrafo anterior, notaríamos una aceleración de los inventos:

salvaje	bárbaro	civilizado
100/60	100/35	100/5
1,66	2,86	20,0

Lentitud en el progreso inicial que reflejamos a modo de ejemplo en la serie precedente, cuando se muestra que a iguales valores absolutos de inventiva, el largo tiempo inicial ofrece una lentitud enormemente mayor que la producida en el último período. Hecho que Morgan gusta fundamentar en una especie de ley de la razón geométrica:

> Las sucesivas formas de las familias ofrecen un ejemplo que resalta [...] ley del progreso, que obra en razón geométrica, se encuentra una prueba suficiente de la prolongada duración del período del salvajismo.
>
> (Morgan, 1987: 105.)

> ... la importante cuestión de la razón de este progreso, que se vincula directamente con la de la relativa duración de los diferentes períodos étnicos.
>
> (Morgan, 1987: 105-106.)

... desde un estado de ignorancia e inexperiencia [...] en progresión geométrica.

(Morgan, 1987: 523-524.)

La velocidad de la inventiva es cada vez mayor: en menos años se producen la misma o mayor cantidad de desarrollos. Aun cuando los desarrollos posteriores no se consideren más importantes que los primeros, sino constantes (como en el ejemplo precedente), esta cualidad se sostiene. No obstante, mientras esta velocidad de evolución se hace cada vez más rápida en la historia de la humanidad, lo cierto es que —en valores relativos— lo inicial fue más importante que lo final. Entendiéndose por valor relativo la comparación del estadio con la situación estadial anterior.

Por consiguiente, mientras el progreso era lo más lento en el período primero, y lo más rápido en el último, la suma relativa puede haber sido la mayor en el primero, cuando se cotejan las conquistas de cada período. Se puede sugerir, como de no improbable reconocimiento ulterior, que el progreso del hombre en el período del salvajismo, con relación a la suma del progreso humano, fue mayor en grado de lo que fue después en los tres subperíodos de barbarie; y que el progreso conquistado en el período de la barbarie fue, de la misma manera mayor en grado de lo que haya sido, después, en el período entero de la civilización.

(Morgan, 1987: 106.)

Siguiendo nuestro ejemplo y partiendo del presalvaje igual a cero, podemos expresar:

100/0	200/100	300/200
infinito	2	1.5

El salvajismo empieza de la nada mientras que los demás comienzan a partir de ese primer paso tan difícil. El valor relativo de las variaciones es decreciente (aunque las cifras de la barbarie y la civilización fuesen muchísimo más altas, la condición de mayor crecimiento relativo del salvajimo se mantendría).

Quedan así incorporados los primeros desajustes o atributos no expresados en nuestro prolijo cuadro inicial, basado en un concepto estadial en el que el tiempo no jugaba papel alguno. Ahora, y gracias al tiempo, nuestros estadios tendrán datación, retrasos y velocidades. Asimismo nos ha permitido constatar que frente a la lentitud inicial los valores relativos marginales son más significativos al comienzo que al final. Y todo esto es una parte sustancial de la historia humana desde la perspectiva evolucionista.

LA SUBSISTENCIA ESTRATIGRÁFICA Y CALIFICADORA

Los estadios se han dibujado sobre una serie de aspectos, con un criterio que podríamos denominar, como lo hizo la antropología a posteriori, *holístico*. Es decir, fueron integradas en la descripción de los estadios todas las instancias, sean éstas la subsistencia, la organización familiar o social, las creencias, etc.[3] Sin embargo, la subsistencia, su caracterización, jugó un papel no simétrico puesto que en Morgan se insinuó[4] como la posible mejor estratigrafía o definitivamente como la mejor (en Tylor). En este sentido, los estadios recogieron el pasado de la teoría de los cuatro estadios con alguna modificación. La caza, menos importante en los evolucionistas para dirimir una característica diagnóstica, deja cierta prevalecencia a la pesca. Asimismo, el pastoreo, según sea el lugar geográfico del cual estemos hablando —Oriente u Occidente— comparte la atribución bárbara con la agricultura. Es posible leer esto sin problemas en nuestro cuadro inicial.

El segundo papel que aquí mencionaremos, y que fuera ya tratado en el capítulo anterior, es que la subsistencia suele ser calificadora, sea por su prevalencia (en el mundo primitivo),

> ... la vida salvaje se halla esencialmente dedicada a conseguir la subsistencia en la naturaleza.
>
> (Tylor, 1977: 56.)

O sea por su modo, que suele ser tan dispar según sea que nos acerquemos a lo primigenio o nos acerquemos a lo civilizado. En lo primigenio se aproxima a modos precarios, cuasi animales:

> El hombre es el único ser de quien se puede decir que ha logrado el dominio absoluto de la producción de alimentos que, *en el punto de partida, no era más suya que de otros animales.*
>
> (Morgan, 1987: 90.)

> La inferioridad del hombre salvaje en la escala mental y moral, no desarrollado, sin experiencia, *sojuzgado por sus bajos apetitos y pasiones animales...*
>
> (Morgan, 1987: 108-109.)

3.   En el cuadro inicial, obtenido de la descripción seca de los estadios, en Morgan prácticamente no se da cuenta de otra cosa que de la subsistencia para salvajismo y barbarie. Sin embargo, al cabo de su obra se dibuja una completud holística que Tolosana refleja excepcionalmente (véase Apéndice III).
4.   Morgan en su cuadro abierto en tres subestadios diluye el papel constante de la subsistencia como estratigrafía, pero no sólo lo considera sino que le dedica el "primer capítulo específico" dándole el carácter de referente (véase Apéndice II, donde transcribimos las principales citas de este autor).

La subsistencia es una función imprescindible en la especie animal y por ello en el género humano. La conservación de la vida mediante la constante adquisición del alimento es la gran carga impuesta a la existencia en todo género de animales.

(Morgan, 1987: 91.)

Carga que, sin embargo, se diluye al arribar al civilizado prevaleciendo la inteligencia.

A medida que descendemos en la escala de la organización estructural, la subsistencia se simplifica de etapa en etapa, hasta que, finalmente desaparece. Pero en la escala ascendente se hace cada vez más difícil, hasta alcanzar la forma estructural más elevada, la del hombre (donde marca su máximo). De ahí en adelante la inteligencia se hace un factor más elevado.

(Morgan, 1987: 91.)

Línea evolutiva y sustitutiva que halla su punto culminante en el gran dominio de la inteligencia en la civilización (véanse los atributos de la civilización ya mencionados).

La imprescindibilidad se trasluce así no en su universalidad como estratigrafía sino en su exclusividad en los estadios inferiores. Nadie duda de que, de todas las partes componentes del holismo, la subsistencia es la que ofrece menos dudas y es fundamental en el estadio inferior. No sólo presente sino, quizá, como en el estadio salvaje inferior, lo único presente. A la subsistencia no le caben las dudas que sí le caben a la religión o al gobierno[5] por esos tiempos. Prueba de ello es que al momento de presentar el cuadro se completa fundamentalmente con subsistencia e inventos y descubrimientos (predominantemente para la subsistencia), y sólo en otros momentos se va completando con los de no subsistencia.

No obstante que resulta difícil distinguir, por la precariedad de la subsistencia humana, el estadio más inferior de la misma animalidad: recolector imprevisor de alimentos,

... elementos de subsistencia [...] desde los frutos espontáneos de una región limitada hasta los peces y mariscos de las costas del mar, y, por último, hasta las raíces panificables y la caza.

(Morgan, 1987: 524.)

5.   Ejemplo de dudas al respecto es la siguiente cita de Tylor, entre otras muchas: "Si estuviese claramente demostrado que existen o han existido salvajes no religiosos, podría pretenderse, por lo menos, razonablemente, que esos individuos son representantes de la condición del hombre, antes de que éste llegase a la situación religiosa de la cultura. Sin embargo, no es deseable que se formule este argumento, porque la afirmación de la existencia de las tribus no religiosas en cuestión se basa, como hemos visto, en documentaciones frecuentemente erróneas, y nunca concluyentes" (Tylor, 1981: 27).

El salvaje de los bosques, olvidadizo del ayer y sin cuidado por el mañana, tendido en su hamaca cuando sus necesidades están satisfechas [...] carecen hasta tal punto de previsión...

(Tylor, 1987: 481.)

resulta ser, sin embargo, la subsistencia la única referencia significativa, hecho que no ocurre en el estadio civilizado, en el que se manifiesta la pérdida de importancia relativa: prácticamente, la subsistencia desaparece de la escena, quizá por obvia, y deja el protagonismo a otros aspectos, como la escritura.

Tenemos así una subsistencia que nos marca por cuál estadio caminamos, y otra que, por su misma determinación, nos dice que no estamos en la civilización. Modos de subsistencia que van desde la precariedad más animal hasta la pérdida de significación más civilizada. El acto y la potencia una vez más muestran al salvaje inferior y a la civilización como su mejor tipo: la alimentación y la inteligencia.

LOS LÍMITES EXTERNOS INMEDIATOS

El cuadro se mueve en un mundo primitivo y dos externalidades. Existen dos aspectos externos pero inmediatos a la sociedad o cultura primitiva: un extremo superior que se denomina *civilización*[6] y un extremo inferior que se denomina *animalidad*. Son extremos externos porque exceden el fenómeno antropológico, pero son parte ineludible del argumento porque juegan un papel clave en la explicación.

La civilización es el parámetro superior. El punto alcanzado (en el nivel de la humanidad en general) o a alcanzar (en el nivel del atrasado primitivismo). Es un parámetro porque a partir de la civilización comienza la metodología del "descarte"[7] hasta alcanzar el punto de partida por sustracción.

[estado de salvajismo] ...la condición del hombre en este período primitivo de su existencia cuando *se lo despoja* de todo cuanto había adquirido merced a los inventos y descubrimientos, y al desarrollo de conceptos encarnados en instituciones, usos y costumbres.

(Morgan, 1987: 523.)

Cuando este trabajo de eliminación haya sido realizado en el orden en que las diversas adquisiciones fueron logradas, nos habremos

---

6. Una muestra del papel de externo y no de centro es el escaso contenido de la civilización en el momento de describirla, a pesar de ser la más significativa en el momento de comparar.

7. Morgan da innumerables ejemplos del proceso de "descarte", pero sería monótono y redundante citar aquí a todos ellos (véase 1987: III).

aproximado muy cerca del período de la infancia de la existencia del hombre.

(Morgan, 1987: 105.)

Los principales criterios de clasificación son la *ausencia* o la *presencia...*

(Tylor, 1977: 41.)

... el grado de cultura que alcanzaron sus habitantes. Así si se hallan armas de bronce o hierro, fragmentos de hermosa vasijería, huesos de ganado doméstico, trigo quemado y pedazos de tela, vemos una prueba de que la gente que allí vivía se hallaba en un estado de semicivilización, o de barbarie ya bastante adelantada. Si sólo se encuentran rudos utensilios de piedra y hueso, pero *no metal, ni vasos de tierra, ni restos algunos* que indiquen que se cultivaban los campos o se criaban ganados, debemos adquirir la evidencia de que allí habitaba una tribu salvaje.

(Tylor, 1987: 30.)

... historia retrospectiva desde su época de mayor auge hasta su principio en la vida de las más rudas tribus humanas.

(Tylor, 1987: 19-20.)

Pero a su vez es también un parámetro porque es el objetivo, la valorización máxima está puesta en la civilización. Esto, más allá de las dudas parciales acerca de la positividad de algunos atributos.

El tenor general de los testimonios justifica plenamente la convicción de que, en conjunto, el hombre civilizado es no sólo más prudente y más capaz que el salvaje, sino también mejor y más feliz, y que el bárbaro se encuentra entre el uno y el otro.

(Tylor, 1977: 45.)

Aleccionados con los acontecimientos y sus consecuencias en todos los ámbitos del mundo, nos hemos capacitado para dirigir nuestro propio rumbo con más confianza hacia el adelanto; en una palabra: la humanidad está pasando del período del progreso inconsciente al período del progreso consciente.

(Tylor, 1977: 519.)

Es cierto que estas excepciones rara vez anulan la regla general; y *el inglés*, admitiendo que él no trepa a los árboles como el salvaje australiano, ni rastrea la caza como el salvaje de los bosques brasileños, ni compite con el antiguo etrusco ni con el chino moderno en la delicadeza de los trabajos de orfebrería y en el cincelado del marfil, ni alcanza el clásico nivel griego en la oratoria y en la escultura, puede afirmar, sin embargo, que *su situación, en general, es superior a la de cualquiera de esos pueblos.*

(Tylor, 1977: 42.)

Por su parte la animalidad es el parámetro inferior. El punto de partida histórico y que tiene por supuesto que es lo dado. Es el grado cero, la nada humana, a partir del cual comienza el ascenso evolutivo.

> ... salvajismo [...] hacer surgir el invento más sencillo de *la nada o de casi nada*, que auxiliara el esfuerzo mental; y de descubrir alguna sustancia o fuerza natural aprovechable en tan ruda condición de vida. No era menos difícil organizar la forma más sencilla de sociedad sobre la base de materiales tan poco dóciles y salvajes.
>
> (Morgan, 1987: 105.)

> [La humanidad es un] encadenamiento de deducciones necesarias [...] sin [...] sin [...] sin [...] estaba sujeta como los animales salvajes, a los productos espontáneos de la tierra.
>
> (Morgan, 1987: 524.)

El salvajismo se alcanza metodológicamente o por la vía del despojo total de la civilización, hasta tocar casi la animalidad o partiendo de la misma animalidad más el atributo mínimo humano (todo lo que lo excede, excepto honrosas excepciones —como la razón—, es adquisición, es cultura). La civilización despojada de toda adquisición o cultura es casi animalidad.

> Cuando este trabajo de eliminación haya sido realizado en el orden en que las diversas adquisiciones fueron logradas, nos habremos aproximado muy cerca del período de la infancia de la existencia del hombre, cuando la humanidad iba aprendiendo el uso del fuego, que hacía imposible una subsistencia basada en pescado y el cambio de residencia, y se ensayaba en la construcción de un lenguaje articulado. En una condición tan absolutamente primigenia, el hombre aparece no sólo como un niño en la escala de la humanidad, sino también poseedor de un cerebro en el que ni un solo destello o concepto traducido por estas instituciones, invenciones y descubrimientos, ha penetrado; en una palabra, se halla al pie de la escala, pero, potencialmente, es todo lo que ha llegado a ser después.
>
> (Morgan, 1987: 105.)

Pero la animalidad más algo es el punto de reconocimiento de la hominidad.

Una identidad con la civilización, un largo camino de descartes para reconstruir una cronología hacia la civilización. Éste es el límite externo superior. Por otra parte, un punto de partida, lo dado, en el que la animalidad es prácticamente el cero, la naturaleza. El punto de partida y el punto del abismo.

LOS LÍMITES INTERNOS

Quizá se resuman en estas frases los límites que ahora trataremos. Por un lado esa siniestra cercanía del salvaje inferior a la animalidad:

En los siguientes capítulos exponemos por qué modo el hombre *ha pasado del estado salvaje al de civilización.* Pero no hay pruebas convincentes para salvar el golfo intelectual que media entre los salvajes inferiores y los monos más elevados.

(Tylor, 1987: 65.)

pero también esa cercanía con la barbarie superior de los umbrales de la civilización:

Las postrimerías del período de la barbarie habían conducido a esta parte de la familia humana hasta los umbrales de la civilización, alentada por las grandes conquistas del pasado, hecho notable e inteligente de la experiencia.

(Morgan, 1987: 111.)

en que, por un lado, se nos habla de la ruptura hombre-animal, y, por otro, de la ruptura nosotros-otros.

Existen dos límites decisivos en el mundo antropológico: la barbarie superior y el salvajismo inferior. Uno representa la cercanía con la barrera nosotros-otros, mientras que el segundo representa la cercanía con el eslabón perdido.

LÍMITE NOSOTROS-OTROS

La barbarie superior no se expresa tanto en la comparación con la civilización sino en la inquietud con la civilización. La barbarie superior es ese punto en el que la civilización y el fenómeno antropológico se tocan, se inquietan. Es difícil delimitar si el mundo homérico está más cerca de la civilización que de la barbarie, pero en definitiva se acerca a la barbarie. Pero es mucho más difícil pensar que un maya es civilizado y un griego un bárbaro. Este trastabilleo es el que muestra un nuevo requisito. El primero de ellos fue la escritura, la segunda exigencia será el océano. Es que todo comenzó con la diversidad de los pueblos transatlánticos, y son esos pueblos los descriptos y explicados. El encuentro con el mito de origen fue su ámbito de recepción, no la primera pregunta. El océano se impone sobre las condiciones o adquisiciones. Este límite es el de la otredad, es el de la delimitación de la antropología en un universo, el humano.

Sin embargo, la necesidad y el uso de la antropología como ciencia del mundo no llegó a ser evidente hasta el período moderno, en que los descubrimientos de las Indias orientales y occidentales colocaron a los europeos frente a pueblos hasta entonces desconocidos, cuyos estados sociales comprendían desde el más rudo del salvaje hasta el *semicivilizado* de México y el Perú.

(Tylor, 1987: V-VI.)

La palabra *civilización* sería muy fuerte, y se recurre a una intermedia, *semicivilizado*, más cerca de la barbarie superior, evitando traslapes.

Las tribus griegas y latinas de los períodos de Homero y de Rómulo ofrecen el más alto ejemplo del estadio superior de la barbarie. Sus instituciones eran también puras y homogéneas, y su experiencia está vinculada directamente con las conquistas finales de la civilización.

(Morgan, 1987: 89.)

Hecho que se resume en la inclusión de América en el primitivismo.

Comenzando, pues, con los australianos y polinesios, continuando con las tribus indias americanas, y concluyendo con el romano y el griego, que suministran, respectivamente, los más altos ejemplos de las seis grandes etapas del progreso humano.

(Morgan, 1987: 89.)

El problema es el de incluir dos fenómenos que en otra perspectiva pertenecen a dos estadios diferentes. El *casi* es el problema.

La indagación acerca de la relación del salvajismo con la barbarie y con la semicivilización se realiza casi enteramente en regiones prehistóricas o extrahistóricas.

(Tylor, 1977: 52.)

El estadio superior de barbarie se confunde con la Biblia, y ésta con la historia. Muchos bárbaros superiores pisan la prehistoria por el solo hecho de ser americanos, mientras muchos pares pisan la historia por el solo hecho de ser occidentales. El límite superior de la barbarie tiene la inconveniencia atribuible a todos los límites: poner en apuros cuando se los interroga. No han sido inventados para contestar, sólo para contener.

Siguiendo en la relación nosotros-otros, se manifiesta otro fenómeno: así como la barbarie es el turbio cercano a la civilización (y en ello vemos la relación nosotros-otros en los términos más cercanos), lo cierto es que cuando se compara la civilización con el mundo primitivo suele hacérselo en su conjunto bajo la denominación "salvajes" (o "condición primitiva"). Aquí se torna más evidente el *panantropos* antropológico como un todo en el que salvajismo y barbarie no se distinguen.

El conocimiento que poseemos de la *condición primitiva* de la humanidad es aún tan limitado que debemos fiarnos en las mejores indicaciones asequibles. La serie que va a presentarse es en parte hipotética, pero se apoya en un cúmulo de pruebas tan suficiente como para que se le pueda tener en cuenta. Su establecimiento definitivo debe quedar sujeto a las conclusiones de las futuras investigaciones etnológicas.

(Morgan, 1987: 408.)

Lo que conocemos de la *vida salvaje* nos impedirá caer en las imaginaciones de los filósofos del último siglo, que presentaban al *noble salvaje* como un verdadero modelo de virtud, digno de ser imitado por las naciones civilizadas.

(Tylor, 1987: 481.)

Fuerzas reprimentes sociales actúan entre *los salvajes*, sólo que en un grado más rudimentario que entre nosotros. La opinión pública...

(Tylor, 1987: 482.)

En todas las partes del mundo, cuando hay guerra, se necesita un gobierno más fuerte e inteligente que los mencionados. Los cambios introducidos por los descendientes de *hordas salvajes* en las naciones civilizadas han sido debidos en gran parte a la obra del jefe guerrero.

(Tylor, 1987: 509.)

Es cierto que, tanto *entre los salvajes como entre los pueblos civilizados*, se verifica el adelanto en la cultura; pero no bajo las mismas condiciones. El salvaje en modo alguno vive con la intención de acumular más conocimientos y hacer leyes mejores que sus padres. Por el contrario, su tendencia es considerar que sus antepasados han dejado establecida la perfección del saber, y que es una verdadera impiedad introducir sobre lo hecho por aquéllos la menor alteración. De aquí que entre las razas inferiores hay obstinada resistencia a las más apetecibles reformas, y el progreso sólo se hace camino con una lentitud y dificultades tales, que nosotros, de este siglo, apenas las podemos imaginar. Mirando la condición del hombre rudo se comprende que su aversión al cambio no siempre fue irracional, y que a menudo puede haber procedido de un verdadero instinto. Al conocer y estimar otra vida distinta de la suya, se hubiera apresurado a soltar la vieja y antigua maquinaria social, sumergiéndose en un cambio revolucionario que le hubiera hecho perder su bien presente, sin saber reemplazarlo por otro. Si la experiencia de los hombres antiguos hubiera sido más amplia hubieran visto el camino por donde se va más de prisa a la cultura, pero nosotros tenemos precisamente este más amplio conocimiento de que los rudos antiguos carecían.

(Tylor, 1987: 519.)

... esta relación de la *vida salvaje* con la civilizada [...] miles de hechos...

(Tylor,1977: 37.)

... *la vida salvaje* y la civilizada [...] las divisiones de la especie humana.

(Tylor, 1977: 61.)

Una y otra vez se verá, al examinar materias como el lenguaje, la mitología, las costumbres y la religión, que el *pensamiento salvaje* se encuentra en un estado más o menos rudimentario, mientras la inteligencia civilizada conserva todavía vestigios —y no pocos ni leves— de una situación pasada, sobre la que los salvajes representan el menor avance, y los hombres civilizados, el mayor.

(Tylor, 1977: 79).

Cada vez que lo primitivo se aglutina parece hacerlo prioritariamente bajo la denominación de *salvaje*, en oposición a civilización.

LÍMITE HOMBRE-ANIMAL

El otro límite es el inferior. Tan importante que, aun cuando es dudosa su precisión, se reconstruye hipotéticamente:

El método y las pruebas aquí utilizados no son, sin embargo, adecuados para la discusión de esta remota parte del problema de la civilización. Tampoco es necesario investigar cómo, según ésta o cualquier otra teoría, apareció sobre la Tierra el estado salvaje. Basta con que, por unos u otros medios, haya existido realmente y, en la medida en que pueda servir como guía para deducir una situación primitiva de la raza humana en general, el razonamiento adquiere la forma verdaderamente viable de una discusión centrada más bien sobre estados reales que sobre estados imaginarios de la sociedad.

(Tylor, 1977: 51.)

El período del salvajismo, todavía poco conocido.

(Morgan, 1987: 87.)

Y es que aun apelaciones también imaginarias sirven de prueba como la de Lucrecio, en *De Rerum Natura* (v. 1281):

Las armas antiguas fueron las manos, las uñas y los dientes, y las piedras y también los pedazos de las ramas de los árboles.

(Cit. en Tylor, 1977: 72.)

Es que este límite no es menos cultural y clasificatorio que el superior. La arbitrariedad nosotros-otros no es mayor que la arbitrariedad animal-hombre, ni menos significativa.

Si el hombre no hubiera sido su propio clasificador, jamás habría soñado en fundar un orden separado para colocarse en él.

(Darwin, 1985: 124.)

De difícil detección en un lugar preciso pero de existencia universal, aunque sea presunta:

¿Dónde está actualmente la zona de la Tierra que puede señalarse como la "primitiva patria" del hombre, y que nos muestra, por medio de los toscos utensilios de piedra enterrados en su suelo, la condición salvaje de sus primeros pobladores? Difícilmente se encontrará en el mundo una región conocida de la que no podamos decir con seguridad que allí, en otro tiempo, vivieron salvajes...

(Tylor, 1977: 72.)

Es en el límite de esos homínidos cuasi animales en donde debe observarse el más ínfimo detalle para recoger la más mínima diferencia, la que lo separa del animal.[8]

... los defensores de esta teoría de la progresión pueden aceptar condiciones originales de la humanidad, aun más bajas. Se ha señalado acertadamente que la moderna doctrina de los naturalistas del desarrollo progresivo ha estimulado una corriente de pensamiento especialmente acorde con la teoría epicúrea de *una primera existencia del hombre sobre la Tierra, en una situación no muy lejana de la que corresponde a los animales inferiores*. Según este punto de vista, la vida salvaje misma sería una situación muy avanzada. Si se considera que el avance de la cultura se verifica a lo largo de una línea general, *entonces el salvajismo existente se encuentra directamente situado entre la vida animal y la civilizada*; si se considera que se verifica a lo largo de diferentes líneas, entonces el salvajismo y la civilización pueden entenderse como, por lo menos, indirectamente relacionados a través de su origen común.

(Tylor, 1977: 50-51.)

El género *hombre* halla en este estadio su identidad dentro de la especie animal. El hombre[9] se compara aquí con sus siniestros (pero no iguales) semejantes. Y de todos los animales será el mono el exponente más apropiado al efecto:

Según la teoría de la descendencia, cuando varias especies de animales contemporáneos manifiestan estrecha correspondencia en su estructura, se infiere que este parecido debe haber sido heredado por todos de una especie anterior común. Ahora bien, *de todos los mamíferos o animales* que amamantan a sus hijos, *los más semejantes en estructura al hombre son los monos*, entre éstos los catarinos o monos de nariz comprimida del antiguo mundo, y entre éstos a su vez el grupo

---

8.   Recordemos la inquietud de Rousseau (cap. III).
9.   Buen ejemplo de que es el hombre en su integridad el comparado se manifiesta en la apelación a un extraterrestre para dirimir: "El viajero que viniera de otro planeta a visitar la Tierra, y que tuviese que formar su juicio por lo que viera, descubriría en la diferencia entre la cara del hombre y el hocico del gorila una norma para apreciar su discrepancia anterior" (Tylor, 1987: 54).

llamado antropoideo, que habita los bosques tropicales desde África hasta el archipiélago oriental.

(Tylor, 1987: 47.)

y, de todos los hombres, será el salvaje inferior el exponente más natural:

En la comparación del hombre con otros animales, la norma debe ser naturalmente el hombre de más bajo nivel, el salvaje; pero éste posee la razón y el lenguaje humano, y su poder cerebral, aunque no haya bastado para elevarlo a la civilización, le permite recibir en mayor o menor grado la educación que ha de transformarlo en hombre culto (Tylor, 1987: 65.)

Detectado el más cercano, los atributos diferenciados (que constituyen la delimitación) comienzan a ser indagados. En el evolucionismo antropológico estos atributos son dos: las extremidades y la inteligencia.

Se equivocaría quien, comparando al hombre con los animales inferiores, atribuyese toda la superioridad de aquél a su inteligencia, sin fijarse en la superioridad de sus extremidades como instrumentos para las artes prácticas.

(Tylor, 1987: 50.)

Si el hombre es el animal que emplea herramientas, lo debe a tener manos tan aptas para el uso de ellas como inteligencia a propósito para inventarlas...

(Tylor, 1987: 51.)

O a veces un instrumento, efecto de la inteligencia:

En realidad, la facultad del lenguaje hablado suministra la distinción más clara que puede establecerse entre la acción intelectual de los hombres y de los animales.

(Tylor, 1987: 64.)

El poder del hombre de valerse de una palabra o un gesto como símbolo de sus ideas y medio de darlas a conocer, es uno de los puntos en que más lo vemos diferenciarse de las especies inferiores...

(Tylor, 1987: 64.)

Sin embargo, y a pesar de la claridad de los atributos, la cercanía crea permanentes inquietudes, ahí, justamente en el límite. Donde los animales superiores (particularmente los monos), ahí donde los hombres salvajes (particularmente los salvajes inferiores).

Trato promiscuo. Esto revela el estado de salvajismo más bajo que pueda concebirse; representa el pie de la escala. En esta condición el hombre se distinguía apenas de los animales que lo rodeaban.

(Morgan, 1987: 496.)

Delimitación que ofrece atributos (manos y lengua) y exponentes (monos y salvajes), y que a veces cae en la tentación de resolverlos, como la trampa de Rousseau, por medio de la mera observación científica de los exponentes:

> El historiador y el etnógrafo deben ser requeridos para mostrar la vigencia hereditaria de cada opinión y de cada práctica, y su investigación debe remontarse tan lejos como sea necesario para que la antigüedad o el salvajismo puedan revelar un vestigio, pues no parece que exista ningún pensamiento humano tan primitivo que haya perdido su relación con nuestro propio pensamiento, ni tan antiguo que haya roto su conexión con nuestra propia vida.
>
> (Tylor, 1980: 485.)

Así como el "océano" zanjó el debate de la asignación de los semicivilizados americanos entre barbarie y civilización, así en este extremo la "razón" zanjará la disputa entre el mono y el salvaje inferior. Ambos constituyen condimentos apriorísticos.

El punto de partida de nuestro apartado fue la construcción —aunque sea hipotética— del hombre primigenio. Ahora se muestra que tal construcción no era arbitraria sino que se entendía como un diferimiento del conocimiento, como un mal indeseable producto de una ignorancia provisoria. Sin embargo, insistimos, aun con el conocimiento la delimitación es a priori. La humanidad y la animalidad no se separan gracias a simples y claros atributos, ni a complejos conceptos como cultura y naturaleza. Y ello porque la división entre ambas costas no es discreta ni fija. Recordemos la siniestra semejanza ya considerada en oportunidad de hablar de la subsistencia como carga salvaje por excelencia, y que mostraba un ejemplo de cercanía a componentes prioritariamente naturales, y en consecuencia, a la animalidad.

> Si puede encontrarse entre tribus salvajes algún arte en un estadio tan rudimentario que su invención no parezca sobrepasar las posibilidades intelectuales de tales individuos, y, sobre todo, si puede producirse imitando a la naturaleza o siguiendo la sugestión directa de la naturaleza, hay razón suficiente para suponer que se ha alcanzado el verdadero origen del arte.
>
> (Tylor, 1977: 75.)

El profesor Nilsson, ante la notable semejanza de los instrumentos de caza y pesca de las razas inferiores de la humanidad, considera que han sido ideados instintivamente por una especie de necesidad natural.

> (Tylor, 1977: 75.)

Esta preocupación por las semejanzas y las mínimas diferencias ha convocado al salvaje inferior. Pero esto vale si hablamos exclusivamente de semejanzas o diferencias mínimas, pues si habláramos de grandes diferencias nada mejor que un civilizado:

> El dibujo de la figura (mano y pie de chimpancé y mano y pie de hombre) está tomado de propósito, no del pie libre del salvaje, sino del europeo aprisionado por el duro cuero de la bota, por ser éste el pie que manifiesta en el mayor grado posible el contraste entre el hombre y los monos.
>
> (Tylor, 1987: 51-52.)

Pero, además, es la hominidad la que adquiere el rol completo en instancias como la inteligencia:

> Lo que ocurre en la inteligencia de los monos sólo podemos presumirlo observando sus acciones; pero éstas son tan parecidas a las nuestras que podemos explicarlas más fácilmente considerando la obra de su cerebro como humana, aunque menos clara y perfecta.
>
> (Tylor, 1987: 58.)

> ... todas las gentes que observan las acciones de los animales las explican por facultades más o menos semejantes a las nuestras.
>
> (Tylor, 1987: 59.)

> ... casi humanos...
>
> (Tylor, 1987: 59.)

> Un tal señor Cops, que tenía un orangután joven, le dio un día media naranja, colocó la otra media fuera del alcance de su vista sobre una alta prensa, y se echó sobre el sofá; llamando entonces su atención los movimientos del mono, se fingió dormido; el orangután se acercó a él cautelosamente, y cerciorado de que su amo dormía, trepó sobre la prensa, se comió el resto de la naranja, ocultó cuidadosamente las cáscaras entre algunas cenizas en el brasero, y se fue a acostar a su propia cama. Tal proceder puede sólo explicarse por una serie de pensamientos que implican algo de lo que en nosotros se llama razón.
>
> (Tylor, 1987: 60.)

> Apreciar las diferencias entre los animales y el hombre es en realidad mucho más difícil que señalar sus semejanzas.
>
> (Tylor, 1987: 60.)

Los filósofos han intentado trazar una línea divisoria acentuada y profunda entre la inteligancia del hombre y la de los animales. El más celebrado de estos ensayos es el de Locke, quien, en su obra *Essay concerning Human Understanding*, establece que los animales tienen realmente ideas; pero que carecen de la facultad humana de formar las abstractas o generales.

Ahora bien, es cierto que hemos aprendido a raciocinar con ideas abstractas, tales como solidez y fluidez, cantidad y cualidad, vegetal y animal, valor y cobardía, y que no hay la menor razón para suponer que los monos o los perros formen semejantes abstracciones. Mas, aunque esta facultad de abstraer y generalizar es algo que se levanta a las más altas regiones del pensamiento filosófico, debe tenerse presente que empieza en actos intelectuales fáciles, que casi parecen posibles en los animales. La abstracción se forma tomando lo que tienen de común los objetos y prescindiendo de sus diferencias; de este modo la idea general se obtiene no prestando una atención excesiva a los detalles. La forma más simple de abstraer es el atender solamente a un sentido, y así, en el ejemplo de Locke, la idea de blancura es aquello que tienen en común la tiza, la nieve y la leche. Pero los animales, a juzgar por sus actos, atienden también a un solo sentido, como sucede al toro excitado por algo rojo.

(Tylor, 1987: 62-63.)

De este modo la extrema simplicidad del pensamiento animal hace entrever los resultados de la más elevada generalización y abstracción de que es capaz el hombre.

(Tylor, 1987: 63.)

En síntesis, cuando el hombre se quiere comparar con el animal en su mínima diferencia, lo hace con el estado salvaje inferior; cuando quiere mostrar la "gran" diferencia lo hace con la civilización; y cuando se compara en general, acentuando la inteligencia, lo hace con el hombre en general.

TIPOS

Si tenemos en cuenta que el punto de partida de la pregunta fue la "extrañeza" por esos pueblos diferentes, debería sorprendernos menos que hablemos de pueblos contemporáneos que de pueblos prehistóricos. Sin embargo, solemos ver a los contemporáneos como "casos aislados" representantes de los primitivos más que la primitivización como una forma de identificar lo contemporáneo. Es que una vez que se ha extrañado del transocéanico, se reconstruye una historia del origen de la humanidad que excede a aquella extrañeza originaria, pasando a ser jerárquicamente la pregunta más importante. Nos habíamos preguntado: ¿por qué estos pueblos son diferentes de nosotros?, pero jerárquicamente este interrogante ha quedado relegado ante la pregunta derivada: ¿cómo eramos en el pasado o en el origen? Y, ahora, cada vez que me encuentro con un extraño, más que hacerme la pregunta inicial, tal situación me convoca a responder la pregunta derivada. Ya no pregunto "¿por qué son diferentes?" sino que me respondo "son retrasos del salvajismo o la barbarie". La sorpresa por los extraños contemporáneos es sustituida por la inquietud por nuestro pasado y nuestros pasados, y saldada con esta respuesta.

El hecho de que haya una tipología y que a ésta se le adscriba ciertos pueblos lleva a una identificación de tal pueblo con X estadio, de modo que

—además de una cronología— el estadio comienza a tener nombre y apellido. Pueblos prototípicos e incluso continentes prototípicos. De manera que cada vez que encuentre un pueblo como tal ya sé que estoy ante el estadio respectivo. Así como los estadios, tipológicos, tienen su tiempo histórico, también los estadios tienen sus tipos diagnósticos: los casos representativos. Y los casos representativos son visualizaciones de los estadios (véase Apéndice III).

Si fuese por la lectura del pasado *in situ*, la pobreza de nuestro relato del pasado más remoto sería tal que prácticamente no podríamos emitir juicio alguno. Sin embargo, la gran supervivencia de Oceanía, África y América nos permite revertir aquella orfandad y nos da una visión directa de ese pasado. Una lejanía espacial y cultural que nos relata en vivo la lejanía temporal.

Merece que hagamos ahora un breve recorrido ya conocido por nosotros (véase cap. I). Decíamos con Locke, oportunamente, que en algun tiempo todo fue América, y ahora confiamos:

> ... en todas las regiones del antiguo mundo habitado se hallan utensilios de piedra en el suelo, utensilios que muestran que *sus habitantes fueron en algún tiempo a este respecto como los modernos salvajes.*
> (Tylor, 1987: 30.)

Esta identificación permite a estos modernos salvajes ser excelentes sustitutos, ante la ausencia de información sobre aquellos remotos tiempos:

> Esta hipotética situación primitiva corresponde, notablemente, a la de las modernas tribus salvajes.
> (Tylor, 1977: 36-37.)

> Los etnógrafos que, entre los salvajes modernos, buscan tipos de remota antigüedad de la raza humana en general...
> (Tylor, 1977: 44.)

Son informantes gracias a que éstos han permanecido aislados:

> Considerando la *ausencia de todo vínculo* con la parte más adelantada de la familia humana en el hemisferio oriental, su progreso en el propio desarrollo, sin ayuda desde el estado salvaje, debe tenerse por notable.
> (Morgan, 1987: 108.)

> Otra ventaja de fijar períodos étnicos definidos es la de encaminar la investigación especial a aquellas tribus y naciones que ofrezcan la mejor ejemplificación de cada estadio, a fin de que cada una sirva de muestra y de ilustración. Algunas tribus y familias han sido dejadas en el *aislamiento* geográfico para resolver los problemas del progreso

por el esfuerzo mental original; y, por consiguiente, han conservado sus artes e instituciones puras y homogéneas, mientras las de otras tribus y naciones han sido adulteradas por influjos externos. Así, mientras África era y es un caos étnico de salvajismo y de barbarie, Australia y Polinesia se hallan en el salvajismo puro y sencillo, con las artes e instituciones correspondientes a esa condición [...] la familia india de América [...] representaba la condición del hombre en tres períodos étnicos sucesivos [...] los estadios inferior y medio de la barbarie...

(Morgan, 1987: 88.)

De tal manera que podamos dibujar la historia completa de la evolución.

Las familias aria y ganowaniana juntas ejemplifican la entera experiencia del hombre en los cinco períodos étnicos, con excepción de la primera parte del período superior del salvajismo.

(Morgan, 1987: 108.)

Posibilidad de los cientos de ejemplos que pululan por todo el globo terráqueo, dando nombres propios a los representantes salvajes y bárbaros, y, sin lugar a dudas, al civilizado.

... ha crecido efectivamente en el mundo pasando por estos tres períodos; el representado por un salvaje de las selvas del Brasil, por un bárbaro de la Nueva Zelanda o del Imperio de Dahomey y por un europeo civilizado; los cuales pueden ser los mejores tipos para el investigador que desee entender la marcha de la civilización, teniendo en cuenta que la comparación es sólo un guía, pero no un modo de explicarlo todo.

(Tylor, 1987: 29.)

... las tribus costeras de norte y del sur de América [...] estadio superior del salvajismo [...] estadio inferior de la barbarie [...] estadio medio. Semejante oportunidad para reunir una información plena y detallada del curso de la experiencia humana y su progreso en el desarrollo de sus artes e instituciones a través de estas condiciones sucesivas no ha sido ofrecida dentro del período histórico. Debe agregarse que ha sido mejorada muy medianamente. Nuestras mayores deficiencias se relacionan con el último de los períodos mencionados.

(Morgan, 1987: 88.)

Las tribus griegas y latinas de los períodos de Homero y de Rómulo ofrecen el más alto ejemplo del estadio superior de la barbarie. Sus instituciones eran también puras y homogéneas, y su experiencia está vinculada directamente con las conquistas finales de la civilización.

(Morgan, 1987: 89.)

Comenzando, pues, con los australianos y polinesios, continuando con las tribus indias americanas, y concluyendo con el romano y el

griego, que suministran, respectivamente, los más altos ejemplos de
las seis grandes etapas del progreso humano.

(Morgan, 1987: 89.)

Desde el período medio de la barbarie, sin embargo, las familias
aria y semítica parecen representar satisfactoriamente las hebras
centrales de este progreso, que en el período de la civilización han sido
gradualmente asumidas por la familia aria sola.

(Morgan, 1987: 107.)

Un hecho contemporáneo desde el observador al observado se convierte en un hecho del pasado (el observado) del hablante (el observador). A
partir de su dinámica cada vez que convoquemos a uno de estos observados, será parte del pasado, y cada vez que convoquemos al pasado, estarán en nuestras mentes los movimientos de estos observados.

LAS DISCIPLINAS

En este esquema las disciplinas hallan sus propios fenómenos e, incluso, los tipos definen el fenómeno mismo. La historia se quedará con la
civilización, los naturalistas con los animales y los antropólogos con dos
aspectos íntimamente relacionados (incluso hasta mimetizarse): la prehistoria y la etnografía.

... entre los pueblos históricamente conocidos, con la ayuda de *las*
deducciones arqueológicas a partir de los vestigios de las tribus prehis-
tóricas, parece posible establecer, de un modo elemental, una primera
situación general del hombre, que, desde nuestro punto de vista, debe
ser considerada como una situación primitiva, cualquiera que fuese el
estado anterior que, en realidad, hubiera podido precederla. *Esta hi-*
potética situación primitiva corresponde, notablemente, a la de las mo-
dernas tribus salvajes.

(Tylor, 1977: 36-37.)

Los vestigios prehistóricos y las tribus contemporáneas serán las dos
fuentes de la antropología y su mundo. Y es por ello que historiador y
etnógrafo son convocados, y divididos sus trabajos:

El historiador y el etnógrafo deben ser requeridos para mostrar la
vigencia hereditaria de cada opinión y de cada práctica, y su investigación debe remontarse tan lejos como sea necesario para que la antigüedad o el salvajismo puedan revelar un vestigio, pues no parece
que exista ningún pensamiento humano tan primitivo que haya perdido su relación con nuestro propio pensamiento, ni tan antiguo que
haya roto su conexión con nuestra propia vida.

(Tylor, 1981: 485.)

Un etnógrafo para las tribus contemporáneas, y un historiador particular para el salvajismo y la barbarie, el prehistoriador.

La indagación acerca de la relación del salvajismo con el barbarismo y con la semicivilización se realiza casi enteramente en regiones prehistóricas o extrahistóricas.

(Tylor, 1977: 52.)

La *arqueología prehistórica* dispone de la llave maestra para la investigación de la situación primitiva del hombre. Esta llave es el testimonio de la Edad de Piedra, que demuestra que los hombres de la remota antigüedad se hallaban en estado salvaje. Desde el reconocimiento largo tiempo aplazado de los descubrimientos de M. Boucher de Perthes...

(Tylor, 1977: 70.)

Historia, por un lado, y etnografía y arqueología, por el otro, se reparten la investigación del mundo humano, en una división diacrónica y en un corte sincrónico, ambos sumados. Y, con relación a los animales, serán los naturalistas quienes nos ofrecerán la información.

Sin embargo, si bien esto habla de alguna percepción intuitiva, no necesariamente surge con claridad la misma especialización. Esto puede observarse cuando se abordan las obras de los autores evolucionistas en general. Se advierte que todos tratan profusamente el primitivismo, sea Darwin, Spencer, Tylor o Morgan. No obstante, lo hacen con un estilo diferente: para Darwin, es un camino que emprendió con la naturaleza (*El origen de las especies*) y lo completa con "la especie" justamente menos natural (*La ascendencia del hombre*). *La ascendencia del hombre* es la culminación, es una proyección de su *El origen de las especies*, es el pase de posta. Para Spencer (*Tratado de sociología*), toda la antesala primitiva es el fundamento de su sociología, y el tema central no es lo primitivo sino lo civilizado, no como parámetro, no como ideal, sino como centro. Usa al primitivo como los economistas lo hicieron. Tylor y Morgan son totalmente diferentes. Abordan al primitivo como tema central, ése es su interés, ese segmento oculto de la evolución. Sus temas son los temas salvajes, y los extremos animales y civilizados son eso mismo, extremos, límites, externos e inmediatos. Un elemento más en tal sentido es el que trataremos en el próximo capítulo: la obsesión probatoria de este segmento por los que llamamos antropólogos.

El mismo Tylor aclara que van por caminos más paralelos que cruzados:

Puede haber sorprendido a algunos lectores como una omisión que en una obra acerca de la civilización en la que tanto se insiste sobre una teoría del desarrollo o evolución, se haya mencionado tan escasamente a míster Darwin y a míster Herbert Spencer, cuya influencia en el desenvolvimiento general del pensamiento moderno acerca de tales materias no puede menos que ser formalmente reconocida. La falta de una especial referencia se debe a que la presente obra, dispuesta según sus propias líneas, escasamente entra en contactos de detalle con las precedentes obras de estos eminentes filósofos.

(Tylor, 1977: 17.)

Estamos ahora en condiciones de dinamizar el cuadro que expusiéramos ascéticamente al principio. Ahora contiene tiempo, velocidades, estratigrafía, límites externos e internos, tipos y disciplinas.

CUADRO DINÁMICO

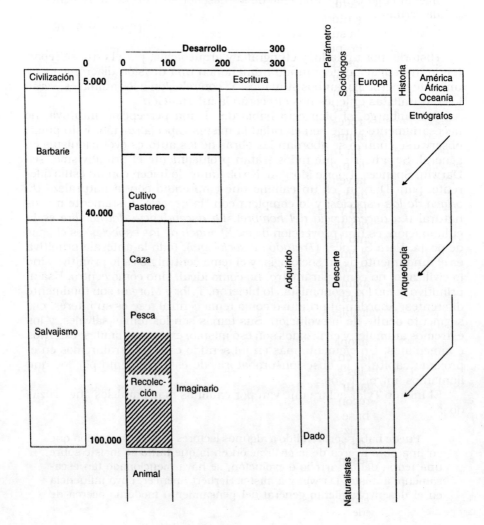

El cuadro precedente es una apretada síntesis de la imagen evolucionista, y se lee de la siguiente manera: el hombre inicia con dos recursos su largo derrotero hacia la civilización hace aproximadamente cien mil años: sus manos y su inteligencia incipiente; y con un gran desafío: todo por hacerse. La imagen mosaica que nos remontaba a sólo cinco mil años ha perdido predicamento, y la de un hombre inicial más desarrollado que se abría en dos líneas —la civilizada y la degradada— es sustituida por la generalización de la evolución. La descompresión temporal permitió el tiempo necesario para una alineación evolutiva única. El mundo era por lo menos veinte veces más antiguo de lo que se pensaba, y hallaba sus antepasados más remotos en esos precarios recolectores frugívoros. Hombres primarios que primero, muy lentamente, y luego más a prisa, van produciendo descubrimientos e invenciones, conminados por esa carga de la naturaleza que es la subsistencia, y, a través de ellos, logrando aquel germen de inteligencia, pura potencia, que comienza a desenvolverse hacia formas cada vez más complejas, más potentes, más especializadas. Mientras el hombre va obteniendo una acumulación mayor de generación tecnocientífica, una acumulación cada vez mayor de conocimiento, va generando instituciones cada vez más apropiadas. La civilización es la mejor muestra de este proceso. Sin embargo, el punto de partida es tan bajo (y está tan cerca de la misma animalidad) que el primer descubrimiento, por pequeño que sea, ha tenido un valor marginal impresionante, quizá produciendo el cambio más espectacular. Pero con el tiempo, si bien marginalmente menor, la velocidad y el cúmulo de cambios fue cada vez mayor, en algo así como una progresión geométrica, se pasó de un estadio a otro con mayor velocidad y con una acumulación de inventos aceleradamente superior. Este largo tiempo se dibuja así irregularmente desde el largo lapso del salvajismo (sesenta mil años) pasando por otro más corto, la barbarie (treinta y cinco mil años), hasta el breve lapso de la civilización (cinco mil años). Desde aquel primero, la mínima expresión humana, hasta este último, su máxima realización. Es decir un largo tiempo con mínimos descubrimientos (aunque relativamente más importantes), hasta uno breve con innumerables acopios (aunque relativamente menos importantes).[10]

El criterio de acopio o adquisición permite ir imaginando una escala creciente, de suma, en la que los estadios inferiores tienen menos contenido material que los superiores. Este criterio es compatible con el de reconstrucción. A partir de la civilización, "descartando", por detección de ausencias, se va reconstruyendo el pasado hasta el grado cero en el que prácticamente la base coincide con la animalidad, excepto, como ya dijimos, manos y la raíz de la inteligencia. Así queda delineado el mundo evolucionista, desde un punto dado, cuasi animal, hasta la progresiva adquisición y el desenvolvimiento. Sin embargo, se trata de un mundo

---

10. Entendamos lo relativo como la relación entre el nuevo descubrimiento y el inmediato anterior de la serie.

mudo, oscuro, que requiere reconstruirse. Y para ello, ya no se parte de lo dado sino del parámetro, la civilización, y ya no por adquisición sino por descarte (pequeños e infinitos noes) se avanza hasta alcanzar el punto cero, lo dado. Así se establecen dos extremos, el civilizado por lo más y el animal por lo menos, que delimitan lo reconstruido, el salvajismo y la barbarie. Y será este reconstruido el verdadero mundo antropológico. Estos noventa y cinco mil años de prehistoria, con dos extremos de gran significación pero de difícil delimitación. Uno, el eslabón perdido, el mito de origen más caro a la modernidad, más aún después de la caída del mito bíblico. Otro, el salto más allá de la civilización, que es lo mismo que decir el pase a la "otredad". En un caso se está frente al precipicio de la hominidad y, en el otro, la civilización cruza el océano a la extrañeza. El estadio inferior del salvajismo y el superior de la barbarie son los ámbitos de estos límites, la nebulosa, la atracción mayor. Animales cercanos inquietan la claridad humana.[11] A veces sus manos hacen dudar de la exclusividad de las nuestras, y a veces sus actos inteligentes hacen tambalear la especificidad de nuestra razón. Es un límite clasificatorio turbio, nublado. Pero no lo es menos el otro extremo. La escritura (tan material, tan objetiva) se vuelve inquietante cuando aparece más allá del océano. ¿Es el océano o la escritura la que delimita la otredad? Parece cierto que delimita la civilización de la barbarie, pero parece también que es el océano el que delimita la otredad. Por tanto, mejor ejemplificar poco y nada con quien cumple un requisito y no el otro. Los mayas son un problema.Y hemos tocado un punto clave. El océano fue el detonante de la pregunta por la diversidad, y es ese detonante el que mantendrá el discurso antropológico, aun desafiando los límites de la evolución. En estos términos, los mayas serán "otros".[12] Y es esa diversidad contemporánea la que rellenará hasta el hartazgo los niveles de evolución. Habrá hasta continentes especializados. Oceanía para el salvajismo, África (una mezcla molesta), América de casi todo. Y, como veremos en el próximo capítulo, una de las claves de la cientificidad antropológica.

Decíamos de la importancia del océano. Una buena arqueología nos podría proveer (como hoy lo hace, mejor que antaño) de excelentes "yacimientos" que completaran el mundo prehistórico, esos pueblos desaparecidos que dejaron señales. Pero el registro se duplica. América, África y Oceanía serán otros tantos pueblos en esos estadios, que nos han quedado en vivo como esa gran supervivencia que es América.

---

11. No nos consta la credibilidad de Tylor (en la primera obra considerada, *Cultura primitiva*, 1871, simultánea a la teoría de la descendencia de Darwin) en cuanto a la antecedencia genealógica del animal, que no es lo mismo que decir antecedencia cronológica. Por ejemplo, los mayas anteceden cronológicamente a España, pero no son su antecedente genealógico. Sin embargo, Morgan sí tiene tal conocimiento (puesto que había leído *La descendencia...* de Darwin, como lo hizo el segundo Tylor, el de *Antropología*).
12. El mono está condenado a ser animal, como el maya a ser primitivo, hagan lo que hicieran.

Historia, etnografía, arqueología y naturalistas se moverán en los trabajos de los evolucionistas antropológicos por doquier, pero no en cualquier lado. En todos lados pero no en cualquier lugar. Los naturalistas y los historiadores, para la animalidad y la civilización. Sólo los etnógrafos y los arqueólogos, para el salvajismo y la barbarie. Así como los economistas trataron el valor de cambio y apelaron a lo primitivo, así como los politicólogos trataron la sociedad civil y apelaron a lo primitivo, inversamente los antropólogos tratan los primitivos y apelan a la civilización. La civilización, que hasta ahora tuvo la palabra principal, en la antropología evolucionista es apelación. Los antropólogos no se ocupan de ella pero la usan. Y, como ya venía por tradición, tal como lo hicieron economistas y politicólogos, el antropólogo traspasó el mundo humano y apeló a la animalidad. Decir del hombre que no es ángel ni animal es parte de la delimitación del universo humano. Decir quién es civilizado o quién es primitivo es la delimitación intrahumana.

Transpuesto este límite, la civilización. Ya estamos en casa, y por tanto, fuera de la antropología. La sociología y la historia toman la posta. Transpuesto el límite inferior, la animalidad. Nos fuimos del mundo humano, y por tanto, fuera también de la antropología. Los naturalistas toman la posta.

Salvajismo y barbarie, cuya fachada holística se muestra permanentemente, sin embargo tienen, como todo edificio, una estructura, una columna. La columna vertebral del salvajismo y la barbarie son los modos de subsistencia. Como nuestros viejos estadios, ya vestidos y maquillados, reaparece este pilar del primitivismo. La caza, el pastoreo y la agricultura, entrelazados por un inicio de recolección y una importancia mayor de la pesca, conforman estos basamentos que, dicho sea de paso, son los más importantes del primitivismo. Porque si la escritura, símbolo de lo intelectual, es el símbolo de la civilización; la subsistencia, símbolo de lo estomacal, es el símbolo del primitivismo. Ya hemos tratado esta progresividad en el capítulo anterior.

APÉNDICE I
(Síntesis de los estadios)

Tylor (1987)

La vida humana puede clasificarse toscamente en tres grandes estados, *salvaje, bárbaro y civilizado*, que pueden definirse como tipos (p. 28).

El estado inferior o salvaje es aquel en el que el hombre se alimenta sólo de plantas y animales silvestres, sin cultivar la tierra ni criar en domesticidad animales para su alimento. Los salvajes debieron habitar en las selvas tropicales, donde la abundancia de frutos y de caza permitía que pequeñas familias viviesen en un pequeño espacio merodeando todo el año a su alrededor; mientras que en las regiones más frías y más pobres tendrían que llevar una vida errante buscando alimento silvestre, que bien pronto agotaban en cada sitio. Los materiales empleados por los salvajes para hacer sus rudos utensilios son los que se encuentran más fácilmente a mano, tales como madera, piedra y hueso; pero ellos no pueden extraer los metales del mineral, y permanecen por tanto en la Edad de Piedra (p. 28).

Los hombres pueden considerarse elevados al estado siguiente o bárbaro cuando empiezan a cultivar los campos. Con seguras provisiones de alimento que pueden ser almacenadas hasta la cosecha siguiente, se establece la vida regular y estable de los pueblos y ciudades, con grandes beneficios para el adelanto de las artes, de los conocimientos, de las maneras y del gobierno. Las tribus pastoriles se cuentan entre las que pertenecen al estado bárbaro; pues, aunque su vida errante en busca de pasto para sus ganados se opone a la vida estable de la habitación y la agricultura, tienen en sus rebaños una provisión constante de carne y leche. Algunas naciones bárbaras no han llegado a dar un paso más allá de los utensilios de piedra; pero, en su mayor parte, se han elevado a la edad de los metales (pp. 28-29).

Por último, el estado civilizado puede considerarse que comienza con el arte de la escritura, la cual, archivando la historia, la ley, los conocimientos y la religión para el servicio de las edades venideras, enlaza lo pasado a lo por venir en una no interrumpida cadena de progreso intelectual y moral (p. 29).

Morgan (1987)

El período del salvajismo, todavía poco conocido, puede ser dividido provisionalmente en tres subperíodos. Éstos podrán ser designados, respectivamente, el *inferior*, el *medio* y el *superior*, y la condición de la sociedad en cada uno, respectivamente, puede distinguirse como el "estadio" inferior, medio y superior del salvajismo (pp. 81 y 82).

De igual manera, el período de la barbarie se divide, naturalmente, en tres subperíodos, que se llamarán, respectivamente, el inferior, el medio y el superior; y la condición de la sociedad en cada uno se distinguirá como el "estadio" inferior, medio y superior de la barbarie (p. 82).

Es difícil, si no imposible, fijar comprobaciones de progreso que señalen el comienzo de estos diversos períodos. Tampoco es necesario, para los fines que se tiene en vista, que no existan excepciones. Bastará que las tribus principales del género humano puedan ser clasificadas, según los grados de sus relativos progresos, en condiciones que puedan reconocerse como distintas (p. 82).

1. Estadio inferior del salvajismo

Este período comenzó con la infancia del hombre y puede darse por terminado con la adquisición de una subsistencia basada en pescado y el conocimiento del uso del fuego. El hombre vivía entonces en su morada originaria y restringida y subsistía de frutas y nueces. Corresponde a este período el comienzo de la palabra articulada. No hay ejemplos de tribus de la humanidad en estas condiciones que hayan llegado hasta el período histórico (p. 82).

2. Estadio medio del salvajismo

Comenzó con la adquisición de una subsistencia basada en pescado y el conocimiento del uso del fuego, y terminó con la invención del arco y flecha. Mientras perduraba en esta condición, el hombre se diseminó desde su morada originaria por la mayor parte de la tierra. De las tribus que todavía existen, colocaré en el estadio medio del salvajismo, por ejemplo, a los australianos y la mayor parte de los polinesios, al tiempo de ser descubiertos. Será suficiente con presentar uno o más ejemplos de cada estadio (p. 82).

3. Estadio superior del salvajismo

Comenzó con la invención del arco y la flecha y terminó con la invención del arte de la alfarería. Colocó en el estadio superior del salvajismo a las tribus athapascan, del territorio de la bahía del Hudson, las tribus del valle de Colombia y ciertas tribus de la costa de América del Norte y del Sur, pero con relación a la época de su descubrimiento. Este estadio clausura el período del salvajismo (pp. 82 y 83).

4. Estadio Inferior de la Barbarie

La invención o práctica del arte de la alfarería, considerando todas las conquistas, es posiblemente la prueba más efectiva y concluyente que puede elegirse para fijar una línea de demarcación, necesariamente arbitraria, entre el salvajismo y la barbarie. Desde tiempo atrás se ha reconocido la distinción entre las dos condiciones, pero hasta ahora no se ha propuesto ninguna conquista de progreso que señalara el paso del primero al segundo. Así, pues, todas aquellas tribus que nunca alcanzaron el arte de la alfarería serán clasificadas como salvajes, y las que conquistaron este arte, pero que nunca llegaron a tener un alfabeto fonético y a poseer el arte de la escritura, serán clasificadas como bárbaras.

El primer subperíodo de la barbarie comenzó con la alfarería, sea por invención original o bien por adopción. Al tratar de fijar su término y el comienzo del estadio medio, se tropieza con la dificultad de las dotaciones desiguales de los dos hemisferios, que comenzaron a influir sobre los destinos humanos después de que hubo pasado el período del salvajismo. Puede solucionarse, entretanto, mediante el empleo de equivalentes. Para el hemisferio oriental, la domesticación de animales, y, para el occidental, el cultivo del maíz y plantas mediante el riego, juntamente con el uso de adobe o piedra en la construcción de casas, han sido elegidos como testimonios suficientes de progreso para jalonar una transición del estadio inferior al superior de la barbarie.

Sitúo, por ejemplo, en el estadio inferior a las tribus indias de Estados Unidos, al este del río Missouri, y a aquellas tribus de Europa y Asia que practicaban el arte de la alfarería, pero sin poseer animales domésticos.

5. Estadio Medio de la Barbarie

Comenzó en el hemisferio oriental, con la domesticación de animales, y en el occidental, con el cultivo basado en el riesgo y con el empleo del adobe y de la piedra en la arquitectura, como se ha dicho anteriormente. Su término puede fijarse en la invención del procedimiento de fundir el hierro mineral.

Se pueden situar en el estadio medio, por ejemplo, a tribus de Nuevo México, Centroamérica y Perú, y aquellas tribus del hemisferio oriental que poseyeron animales domésticos, pero sin conocer el hierro. Los antiguos bretones, aunque familiarizados con el empleo del hierro, lógicamente forman parte de esta clasificación.

La vecindad de tribus continentales más avanzadas había hecho progresar entre ellos las artes de la vida mucho más allá del estado de desarrollo de sus instituciones domésticas (pp. 83-84).

6. EL ESTADIO SUPERIOR DE LA BARBARIE

Comenzó con el trabajo del hierro y terminó con la invención de un alfabeto fonético y el uso de la escritura en la composición literaria. Aquí comienza la civilización. Fijo en el estadio superior, por ejemplo, a las tribus griegas de la edad de Homero, a las tribus italianas, poco antes de la fundación de Roma, y a las tribus germánicas de la época de César (p. 84).

7. ESTADIO DE LA CIVILIZACIÓN

Comenzó, como ya se ha dicho, con el uso de un alfabeto fonético y la producción de registros literarios, y se divide en *antigua* y *moderna*. Puede ser admitida como equivalente la escritura jeroglífica en piedra (p. 84).

APÉNDICE II
(Subsistencia)

Morgan (1987: III)

Artes de subsistencias

Subsistencia natural de frutas y raíces en una morada restringida

... frugívoro...

Este modo de subsistencia corresponde al período estrictamente primitivo (p. 91).

Subsistencia de pesca

El pescado debe ser reconocido como la primera clase de alimentación artificial desde que no era completamente aprovechable sin ser cocinado (p. 91).

Los peces eran universales en su distribución, ilimitados en cantidad, y la única clase de alimento que podía obtenerse en todo tiempo. Los cereales [...] no [...] la caza... precaria... (p. 91).

... independiente del clima y del lugar...

... migraciones...
... las frutas y subsistencia espontánea... (p. 92).

Entre la introducción del pescado, seguida por las amplias migraciones indicadas, y el cultivo de alimentos farináceos, el intervalo de tiempo fue inmenso (p. 92).

... las raíces farináceas cocinadas en hornos en el suelo, y la adición permanente de caza mediante armas perfeccionadas [...] el arco y la flecha (p. 92).

... la caza apareció en las postrimerías del salvajismo (p. 92).

Debe haber comunicado una poderosa influencia del progreso a la sociedad antigua ocupando, con relación al período del salvajismo, el mismo sitio que la espada de hierro con relación al período de la barbarie, y las armas de fuego con relación al período de la civilización (p. 92).

... carácter precario de todas estas fuentes de alimentos [...] la antropofagia... (p. 92).

Subsistencia mediante los cultivos de farináceas

... el estadio inferior de la barbarie (p. 92).

... americanos [...] horticultura... (pp. 92-93).

... dotación despareja de los dos hemisferios... (p. 93).

En aquél tendía a prolongar el período de barbarie más antiguo, y, en éste, a abreviarlo... (p. 93).

... cuando las tribus más adelantadas del hemisferio oriental, en los comienzos del período medio de la barbarie, hubieron domesticado animales que les proveían de leche y carne... (p. 93).

La diferenciación de las familias arias y semíticas de la masa de los bárbaros parece haberse iniciado con la domesticación de animales (p. 93).

Que el descubrimiento y cultivo de los cereales por la familia aria fue posterior a la domesticación de animales es evidente, por el hecho de que en los diversos dialectos de la lengua aria existen términos comunes para estos animales, y no existen para los cereales o plantas cultivadas (p. 93).

La horticultura precedió a la labranza de los campos, así como la huerta (*hortos*) precedió al campo (*ager*); y si éste implica lindes, aquélla significa directamente "espacio cercado". La labranza, entretanto, tiene que haber sido más antigua que la huerta cercada; siendo el orden natural, primero, labranza de pedazos abiertos de tierra de aluvión; segundo, de espacios cercados, huertas; y, tercero, del campo por medio de un arado, arrastrado por fuerza animal. Si el cultivo de plantas, tales como arveja, poroto, nabo, chirivía, remolacha, calabaza y melón, una o varias de ellas, precedió al cultivo de los cereales, carecemos de medios para indagarlo (pp. 93-94).

La horticultura parece haber surgido más bien de las necesidades de los animales domésticos, que de las del hombre. En el hemisferio occidental comenzó con el maíz (p. 94).

Desde que en América condujo a la localización y vida del pueblo, tendió, especialmente entre los pueblos indios, a reemplazar al pescado y la caza. El hombre obtuvo su primera impresión de la posibilidad de una abundancia de alimentos, de los cereales y plantas cultivadas (p. 94).

La adquisición en América de alimentos farináceos y, en Asia y Europa, de animales domésticos, fue el medio de librar a las tribus adelantadas así provistas del flagelo de la antropofagia que, como antes se ha dicho, hay razones para creer que era practicada universalmente durante todo el período del salvajismo a costa de los enemigos cautivos, y, en tiempo de escasez, con amigos y parientes. La antropofagia en la guerra, practicada por bandas armadas en el campo, subsistió entre los aborígenes americanos, no solamente durante el estadio inferior, sino también en el estadio medio de la barbarie, como, por ejemplo, entre los iroqueses y los aztecas; pero la práctica general había desaparecido. Esto demuestra eficazmente la gran importancia del aumento permanente de la alimentación en el mejoramiento de la condición del género humano (p. 94).

Subsistencia basada en carne y leche

... esta desigualdad de dones era indiferente para el hombre en el período del salvajismo [...] una diferencia esencial con aquella porción que había alcanzado el estadio medio (p. 95).

La domesticación de animales suministraba una subsistencia permanente basada en carne y leche, que tendía a diferenciar a las tribus así dotadas de la masa de los demás bárbaros (p. 95).

En el hemisferio occidental la carne quedaba circunscripta a los suministros precarios de la caza (p. 95).

En el hemisferio oriental, la domesticación de animales permitía a los hacendosos y económicos... (p. 95).

... las familias arias y semíticas deben sus condiciones preeminentes al alto grado en que, hasta donde alcanzan nuestros conocimientos, se han identificado con la manutención basada en productos de animales domésticos (p. 95).

... La domesticación de animales [...] la pastoril [...] salvajes o bárbaros en el estadio inferior [...] zonas selváticas eran la habitación natural... (p. 95).

Parece, por consiguiente, sumamente probable, como ya se ha dicho, que el cultivo de los cereales tuviera su origen en las necesidades de los animales domésticos... (p. 95).

En el hemisferio occidental, los aborígenes en general pudieron avanzar hasta el estadio inferior de la barbarie, y algunos de ellos hasta el estadio medio, sin animales domésticos, salvo la llama del Perú, y con un solo cereal, el maíz, además de porotos, calabazas y tabaco, y, en algunas regiones, cacao, algodón y pimienta (p. 96).

Subsistencias ilimitadas por medio de la labranza de campos

... fuerza muscular humana [...] fuerza animal... (p. 96).

... por vez primera, subsistencias ilimitadas. El arado arrastrado por fuerza animal puede ser considerado como la inauguración de un nuevo arte (p. 96).

... se hace posible reunir poblaciones más o menos densas en áreas limitadas. Con anterioridad a la labranza de los campos, no es probable que se haya reunido y mantenido, en parte alguna de la tierra, una población de medio millón de almas bajo un solo gobierno (p. 6).

ESQUEMA DE LA SOCIEDAD PRIMITIVA (según Morgan)
(Tomado de L. Tolosana, 1987.)

	COMIENZO	SUBSISTENCIA	VIVIENDA	CARACTERISTICAS	PROPIEDAD	FAMILIA	GOBIERNO	PUEBLOS QUE LO REPRESENTAN	FIN
SALVAJISMO Inferior	Infancia del hombre.	Frutas y nueces propias de selvas.	Cavernas y árboles bajo clima tropical o subtropical.	Comienza la palabra articulada, no hay arte.	Efectos personales. Se entierran con su poseedor.	Consanguínea.	Pacto entre varones.	Ninguno.	Con el uso del fuego y con la pesca.
SALVAJISMO Medio	Con el fuego y pesca.	Frutas, nueces y pescado.	Se disemina por otras zonas.	Uso del fuego y lanzas.	De la gens.	Punalúa.	Gens.	Australianos, polinesios.	Con invención del arco y de la flecha.
SALVAJISMO Superior	Con el uso del arco y de la flecha.	Raíces farináceas cocidas.	Continúa la expansión.	Uso del arco y de la flecha. Escritura en imágenes.	De la gens.	Punalúa.	Gens.	Athapascos; tribus costeras de América (norte y sur).	Con la invención de la alfarería.
BARBARIE Inferior	Alfarería.	Idem.	Arquitectura de porciones, aldeas con empalizada.	Arte de alfarería. Maza de guerra. Tejidos. Escudo.	Se reconoce al individuo un derecho posesorio.	Punalúa. Sindiásmica.	Fratria. Confederación. Consejo de jefes. Un jefe de guerra.	Tribus del este del Missouri. Tribus de alfareros europeos y asiáticos.	Europa: domesticación de animales. América: riegos y cultivo del maíz.
BARBARIE Medio	Domesticación de animales y horticultura.	Porotos, calabazas, cacao y maíz (América). Leche, carne de animales (Europa).	Arquitectura de adobe y piedra. Vivienda colectiva.	Europa: modo de vida pastoril. América: horticultura. Uso del bronce.	Individual, comunitaria y religiosa (paraculto).	Sindiásmica.	Consejo de jefes y comandante militar.	Tribus de Nuevo México, México, Centroamérica y Perú.	Con la fundición del hierro mineral.
BARBARIE Superior	Trabajo del hierro.	Productos agrícolas.	Edificios comunales; habitaciones lacustres. Villas.	Uso del hierro. Caminos pavimentados, jerarquía religiosa.	Del estado y del individuo. Esclavos como propiedad.	Sindiásmica. Patriarcal. Monógama.	Consejo de jefes, asamblea del pueblo y comandante militar.	Los griegos de Floremo; tribus italianas antes de Roma; tribus germánicas de César.	Alfabeto fonético y uso de escritura.

CAPÍTULO X

LOS EVOLUCIONISTAS.
PRUEBAS
(Morgan - Tylor)

CIENCIA

Si bien el concepto de ciencia ha ido cambiando a través del tiempo, mantuvo una relación estrecha con el modelo científico por excelencia, el de las ciencias naturales. Esta relación se extiende al campo de las ciencias sociales, aun en el extremo más radical que pretende diferenciarse de las ciencias duras. Precisamente, tal distinción se hace a la luz de lo que estas ciencias consideran como ciencia.

Los antropólogos evolucionistas, una de cuyas características más relevantes es la pretensión de cientificidad, no serán una excepción en este sentido: mirarán hacia las ciencias naturales para establecer su modelo de ciencia. Y, como lo hicieron las ciencias sociales en su conjunto durante la segunda mitad del siglo pasado, contemplarán ese modelo, no para diferenciarse sino para imitarlo.

¿Imitarlo en qué? En principio, en el porqué de las cosas. Se desecha la causación divina definitivamente, y, con ella, sus fuentes de información. Así como la astronomía escolástica miraba al cielo y su fuente más rica era Aristóteles, la supuesta antropología escolástica miraba también al cielo y su fuente más rica era la Biblia. Esto es válido también para la economía. La discusión de la condición de los americanos por parte de Las Casas y Sepúlveda halla su fuente en la Biblia y la percepción escolástica del justo precio sustentaba su inamovilidad justamente en el carácter divino del mismo.[1]

El antropólogo evolucionista reniega de tal fuente, entrando totalmente, en este sentido, dentro del modelo científico. La naturaleza y no Aris-

---

1. Es interesante ver el inicio del *Ensayos sobre el gobierno civil* de Locke, donde apela al origen bíblico para asentar que no lo contradice. Se trata de un texto de transición entre la religión y la ciencia, que terminará plasmándose en el predominio absoluto de la ciencia en los evolucionistas que consideramos.

tóteles fue la fuente de los físicos, así como el registro etnológico lo será de los antropólogos, y no la revelación bíblica.

> ... en la investigación del problema de la civilización primitiva, la pretensión de asentar la opinión científica sobre una base de revelación es, en sí misma, objetable. Y sería, a mi modo de ver, imperdonable que unos estudiosos que han visto en astronomía y geología los desastrosos resultados de intentar basar la ciencia en la religión, favoreciesen un intento análogo en etnología.
>
> (Tylor, 1977: 50.)

Crítica a un viejo modelo que miraba la religión o el pasado en lugar de mirar escrupulosamente hacia afuera con el fin de aumentar el conocimiento real.

> El período llamado escolástico, predominante en Europa, fue desfavorable para la cultura humana, en parte porque el excesivo respeto a la autoridad del pasado encadenaba la inteligencia de los hombres, y en parte porque los instruidos sucesores de Aristóteles concedieron tan extraordinaria importancia a la argumentación que llegaron a figurarse que los problemas del mundo podían resolverse sin más que devanarse los sesos y argumentar sobre las cosas sin aumentar el caudal de conocimientos reales. El gran movimiento de la filosofía moderna, al que va asociado el nombre de Bacon como su principal expositor, volvió a los hombres al antiguo y seguro método de trabajar experimentando y teorizando simultáneamente y sin otra diferencia respecto del tiempo pasado, sino que ahora los experimentos son más prolijos y escrupulosos, y los pensamientos se ordenan sistemáticamente. Los que vivimos en una época en que todas las semanas se descubren nuevas riquezas de hechos naturales y nuevas analogías en las leyes que los ligan, tenemos la prueba práctica mejor posible de que la ciencia marcha ahora directamente a su fin por el camino verdaderamente derecho.
>
> (Tylor, 1987: 393-394.)

Precisamente, la agudización de la observación será el segundo punto de imitación de las ciencias duras. La fundamentación basada en los hechos observados se volverá el centro de los evolucionistas. Datos por doquier se transforman en información, y esos mismos datos se vuelven la prueba evidente de las tesis sustentadas.

Es necesario informarse por medio de los hechos:

> ... comparar, mediante positivos ejemplos, la civilización verdaderamente existente en la humanidad en sus diferentes grados.
>
> (Tylor, 1977: 41.)

> ... sobre la base concreta de los hechos...
>
> (Tylor, 1977: 41.)

y probar por medio de los hechos:

> Mi propósito es presentar algunas pruebas del progreso humano a
> lo largo de estas diversas líneas y a través de períodos étnicos sucesi-
> vos, según se halla revelado por invenciones y descubrimientos y por
> el crecimiento de las ideas de gobierno, de familia y de propiedad.
>
> (Morgan, 1987: 79.)

En tercer lugar, los evolucionistas enunciaron leyes, generalizaciones
de carácter universal, basándose en sus observaciones y/o abriendo el
campo para otras nuevas. Asentados en la uniformidad y regularidad del
universo, basal de la física newtoniana, trasladaron estos criterios al
mundo humano y avanzaron deductiva e inductivamente. Tales leyes de
carácter universal acercaron una vez más a los evolucionistas al modelo
de las ciencias naturales. Se sujetará la diversidad en el eje de una misma
tendencia para toda la humanidad y, con ello, bajo una sola norma de
carácter universal:

> ... la tendencia de la sociedad humana...
>
> (Tylor, 1977: 46.)

> ... esta sucesión ha sido históricamente cierta en la totalidad de la
> familia humana...
>
> (Morgan, 1987: 77.)

Finalmente, dejaron a un lado cualquier posibilidad de aleatoriedad.

> ... en todas las épocas los historiadores, en cuanto han pretendido ser
> más que simples cronistas, se han esforzado por revelar no solamente
> la sucesión, sino la conexión entre los hechos por ellos registrados...
>
> (Tylor, 1977: 22.)[2]

> Comprenderemos que aquellos [inventos y hallazgos] mantienen
> entre sí un vínculo progresivo y éstas [instituciones], una relación de
> desenvolvimiento.
>
> (Morgan, 1987: 77.)

Todo tendrá su vínculo aunque no lo conozcamos aún. Justamente,
las leyes generales sujetas a prueba y el principio de causalidad universal
serán dos provocadores para la investigación en el mundo de los evolucionistas.[3]

---

2.   Tylor recordará la observación de un jefe bechuana: "Un hecho es siempre hijo de
otro, y nunca debemos olvidar el parentesco" (Tylor, 1977: 22).
3.   Hallar la causalidad es siempre una provocación a la investigación: "... y si la historia aún más remota es menos fácil de descifrar, no digamos que allí no hay historia de
ninguna clase por el simple hecho de que no podemos percibirla claramente" (Tylor,
1977: 33). Vale la pena mencionar que es equivalente, en otra línea, a la provocación
entre los funcionalistas de la aseveración: "Todo lo que está, lo está porque cumple una
función".

A pesar de lo rudimentaria que es aún la ciencia de la cultura, cada vez son más claros los síntomas de que incluso los que parecen sus más espontáneos e infundados fenómenos acabarán, de todos modos, revelándose como pertenecientes a la categoría de causas y efectos bien precisos, tan claramente como los hechos de la mecánica

(Tylor, 1977: 34.)

La pretensión de algunos de mantener separada las ciencias naturales y las de la conducta, a través de una pretendida inasibilidad cognitiva de las segundas, queda desechada. Pero también queda desechada la consideración de una pretendida incausalidad de la conducta.

La gente suele estar poco dispuesta a considerar el estudio general de la vida humana como una rama de la ciencia natural y a cumplir, en sentido amplio, el mandamiento del poeta de "explicar la conducta como las cosas naturales". Para muchos espíritus ilustrados, parece haber algo insolente y repulsivo en el concepto de que la historia de la humanidad es parte y parcela de la historia de la naturaleza, de que nuestros pensamientos, voluntades y acciones se rigen por leyes tan definidas como las que gobiernan el movimiento de las olas, la combinación de ácidos y bases y el crecimiento de las plantas y de los animales.

(Tylor, 1977: 20.)

Secularización o naturalización de la causación, cambio correlativo de las fuentes de información y sustentación, asociado a la observación como referente de validez, la uniformidad de las leyes que rigen el fenómeno y la causación como principio universal son, sin lugar a dudas, los elementos centrales de la cientificidad entre los antropólogos evolucionistas. Prueba de ello son las aseveraciones universales de la evolución humana y, como contrapartida, el profuso relato de hechos informativos y probatorios a lo largo de sus obras junto con la ausencia de cualquier remisión a la Biblia.[4] Cuatro principios terminan delineando de esta manera la ciencia evolucionista:

— La explicación es secular.
— La explicación se sustenta en los hechos.
— La explicación se sustenta en leyes universales.
— Todo fenómeno está gobernado por leyes.

Dos de estos principios, los referidos a la sustentación de la explicación, ocuparán el resto de este capítulo bajo los tres ejes que siguen:

— La prioridad inductiva o deductiva del evolucionismo.
— La indagación de lo que no está sujeto a observación directa.

4.   Es más, la religión más que fuente se vuelve objeto de indagación.

— La calidad de los datos.[5]

LA PRIORIDAD INDUCTIVA Y DEDUCTIVA DEL EVOLUCIONISMO

Para el inductivismo, el proceso científico comienza con la observación. Ésta se vuelve la fuente inapelable de cualquier aseveración, y justamente la multiplicación de tales observaciones es lo que permite que cualquier tipo de generalización se vuelva ley y teoría. Generalización que no deviene dogma sino que está a prueba permanente gracias a nuevas observaciones, que la ratifican, la contradicen o, en todo caso, la modifican.

Esta sencilla presentación es la que rondaba el pensamiento científico del siglo pasado. Esta imagen de que el inductivismo era el producto de una ida hacia las leyes, y la deducción no era más que sus consecuencias lógicas, quedando abiertos permanentemente los sentidos a nuevas observaciones que consolidaran o refutaran lo afirmado.

Los hechos indican la formación gradual y el desarrollo...
(Morgan, 1987: 78.)

En definitiva, el objetivo no era otro que el de "la verdadera filosofía de la historia", que

... consiste en extender y perfeccionar los métodos de la gente sencilla que forma sus juicios sobre hechos, y los pone a prueba frente a nuevos hechos.
(Tylor, 1977: 22.)

y que implica un proceso inductivo que va desde los hechos, pero bajo la rigurosa mirada de la razón.

De esta rápida ojeada acerca de las varias ramas de la ciencia, resulta claro que sus adelantos se han verificado con el transcurso de los tiempos mediante la observación, cada vez más prolija y completa, de los hechos, y el raciocinio, cada vez más escrupuloso y severo, que sobre ellos recae.
(Tylor, 1987: 392.)

Sin embargo, no debemos creer que este inductivismo es tan prudente que no generaliza hasta reunir una importante cantidad de hechos, sino que lo hará, sin dudarlo, a medida que va reuniendo información, indicios aún precarios, sólo que lo hará con el condicionante de que nuevas pruebas ratifiquen o rectifiquen sus hipótesis.

5. Se ha dicho que los positivistas ingenuos no distinguían entre hecho y dato.

El conocimiento que poseemos de la condición primitiva de la humanidad es aún tan limitado que debemos fiarnos en las mejores indicaciones asequibles. La serie que va a presentarse es en parte hipotética, pero se apoya en un cúmulo de pruebas tan suficiente como para que se la pueda tener en cuenta. Su establecimiento definitivo debe quedar sujeto a las conclusiones de las futuras investigaciones etnológicas.

(Morgan, 1987: 408.)

Esta doble relación de los hechos como información, que va generando la posibilidad de generalizaciones, y como pruebas (o contrapruebas, según el caso), que garantizan o refuerzan aquellas generalizaciones, parece presentarse abstractamente como de dos tiempos diferentes: una ida inductiva y otra deductiva.[6]

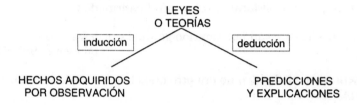

Sin embargo, en las exposiciones de los evolucionistas resulta prácticamente imposible determinar con precisión la cronología de la investigación y, por tanto, el carácter informativo o probatorio que los datos han jugado. De hecho, entre los evolucionistas todos los datos parecen ser simultáneamente informativos y probatorios.

Asimismo, resulta muy difícil detectar entre ellos la prioridad del dato o la prioridad de la ley. En este sentido, parece arduo determinar si el proceso original fue inductivo o deductivo. Ya vimos al comienzo de este libro los inconvenientes de definir una prioridad entre la idea de un estado de naturaleza con características particulares y la existencia de ciertos grupos lejanos con esas mismas características. No era posible endosar al descubrimiento de América el origen de la idea de un estado de naturaleza, pero tampoco era posible endosar linealmente a los americanos a una idea previa de estado de naturaleza. De igual manera, resulta muy difícil saber, por ejemplo, si el debilitamiento de la hegemonía religiosa favoreció la investigación del origen por otras vías o si la investigación por otras vías debilitó la fuente bíblica. En este mismo sentido, es muy difícil determinar si la afirmación de una ley de evolución precedió a cualquier contenido, o si la acumulación de contenidos fue generando una idea evolutiva. La retroalimentación parece ser lo que más se ajusta a la verdad, sin poder dar

6.   Cf. el gráfico en Chalmers, 1984: 17.

prioridad a uno u otro. En realidad, depende del momento en el que la indagación se mueve, no ya en un ordenamiento de principio y fin como el anterior, sino en un rombo sin fin que se va fortaleciendo.

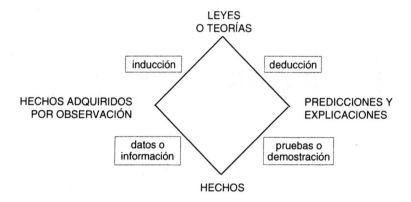

En este rombo es casi arbitrario en principio definir si el primer paso fue estrictamente inductivo o deductivo o si los datos juegan el papel de información o prueba.

LA INDAGACIÓN DE LO QUE NO ESTÁ SUJETO A OBSERVACIÓN DIRECTA

Los hechos a los que la etnología se dedica no son de directa percepción y esto, sin lugar a dudas, complica el inocente principio de la sustentación por medio de los hechos.

> Y con la filosofía de la vida humana remota parece ocurrir algo semejante a lo que ocurre con el estudio de la naturaleza de los cuerpos celestes. El proceso a descubrir en los primeros estadios de nuestra evolución mental queda tan distante de nosotros en el tiempo como distantes de nosotros quedan las estrellas en el espacio, pero las leyes del universo no están limitadas por la directa observación de nuestros sentidos.
>
> (Tylor, 1977: 39-40.)

Es necesario basarse en algún mecanismo intermedio de tal manera que los hechos imperceptibles se vuelvan de alguna manera visibles. Por suerte, existen antecedentes.

Los astrónomos salvaron este escollo por medio del criterio de la uniformidad de las leyes del cielo y la Tierra, y así lograron extrapolar aspectos terrenos perceptibles al campo de los planetas. Esta uniformidad (que terminará plasmada totalmente en el uniforme mundo newtoniano) será adoptada por los evolucionistas. Cualquiera que pretenda sustentar saltos, irregularidades o arbitrariedades en las tendencias, deberá hacerse cargo de las pruebas que convaliden tal afirmación. Caso contrario, la presunción será la uniformidad, la idea de un principio permanente.

Si alguien sostiene que el pensamiento y la conducta humana se produjeron, en los primeros tiempos, según unas leyes esencialmente distintas de las del mundo moderno, a él corresponde demostrar, mediante una argumentación válida, este anómalo estado de cosas; de otro modo, habrá que dar por buena la doctrina del principio permanente, como en astronomía o en geología.

(Tylor, 1977: 46-47.)

Pero ¿cuál principio permanente?

Así como las leyes terrenas son un trampolín para los físicos, la historia conocida lo será para los evolucionistas. La historia (desde griegos y romanos hasta nuestros tiempos, del medioevo a la modernidad, incluso la que podamos recordar en nuestras vidas) será buena prueba de la tendencia: evolutiva y progresiva. Esta tendencia casi perceptible por nuestros sentidos, la histórica, puede extenderse al imperceptible campo prehistórico, gracias a la uniformidad de las leyes.

Que la tendencia de la cultura haya sido similar a lo largo de la existencia de la sociedad humana, y que nosotros podamos deducir correctamente de su desarrollo histórico conocido lo que puede haber sido su desarrollo prehistórico, es una teoría que tiene perfecto derecho a prevalecer como principio fundamental de la investigación etnográfica.

(Tylor, 1977: 47.)

Extensión que incluso encuentra puntos de soldadura, puntos de contacto, en los extremos, al punto de que es posible constituir un continuo de historia y prehistoria: *modernos-griegos* y *romanos-primitivos*, en que griegos y romanos son la conexión.

Tan esencialmente idénticas son las artes, instituciones y modos de vida en un mismo estadio en todos los continentes que la forma arcaica de las principales instituciones domésticas de los *griegos y romanos*, debe buscarse aún hoy en las instituciones correspondientes de los aborígenes americanos, como se demostrará más adelante. Este hecho constituye parte del testimonio acumulado, tendiente a demostrar que las instituciones principales de la humanidad se han desarrollado sobre la base de unos pocos gérmenes primarios del pensamiento; y que el curso y manera de su desarrollo estaban predeterminados como también circunscriptos dentro de límites estrechos de divergencia, por la lógica natural de la mente humana y las limitaciones necesarias de sus facultades.

(Morgan, 1987: 89.)

Así como, en su momento, la cara oculta del planeta Tierra era completada armónicamente[7] por su cara no visible sobre la base de los movimientos en la cara visible:

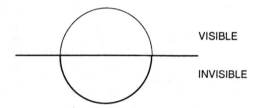

De manera análoga, el período histórico, visible, se extiende con igual forma tendencial al período prehistórico, inaccesible.

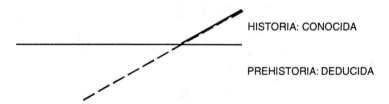

La ciencia antropológica se mueve como lo hizo la ciencia natural: de lo conocido a lo desconocido, y basada en lo conocido. Y realiza ese recorrido con un criterio: la uniformidad de las leyes que han regido el recorrido histórico de la humanidad y, por tanto, la posibilidad válida de extrapolar la tendencia histórica a la oculta prehistoria.

Referida a la historia propiamente dicha, una gran sección de ella demuestra que pertenece no al campo de la especulación sino al del conocimiento positivo. Es una simple cuestión de fechas confirmar que la civilización moderna es un desarrollo de la civilización medieval, que, por otra parte, es un desarrollo de la civilización del orden representado en Grecia, en Asiria o en Egipto. Así, al relacionarse claramente la cultura superior con lo que puede llamarse la cultura media, la cuestión que sigue en pie es la de si esta cultura media puede relacionarse con la cultura inferior, es decir, con el salvajismo. Afirmar esto es, sencillamente, asegurar que el mismo tipo de desarrollo de la

7. Decimos "armónicamente" porque la imagen a priori circunferencial (por su armonía) favoreció la visión del recorrido oculto en su momento.

cultura que se ha producido dentro de nuestro campo de conocimiento se ha producido también fuera de él, siendo la marcha de su avance independiente de que nosotros tengamos o no tengamos informadores actuales.

(Tylor, 1977: 46-47.)

Si la tendencia histórica es de una determinada manera, la prehistórica lo será también. Y la tendencia histórica es progresiva.

Conocemos estos ejemplos de progresión como historia directa, pero esta noción de desarrollo está tan profundamente arraigada en nuestras inteligencias que gracias a ella reconstruimos sin escrúpulos la historia perdida, confiando en el conocimiento general de los principios del pensamiento y de la conducta humanos como en un guía para situar los hechos en su adecuado orden.

(Tylor, 1977: 31.)

Lo prueban múltiples ejemplos históricos:

La invención mecánica facilita buenos ejemplos del tipo de desarrollo que caracteriza a la civilización en general. En la historia de las armas de fuego, el tosco gatillo de rueda, en el que una rueda de acero dentada giraba por medio de un resorte contra una pieza de piritas hasta que una chispa alcanzaba el cebo, condujo a la invención del fusil de chispa, más útil, algunos de los cuales aún se conservan colgados en las cocinas de nuestras casas de campo para que los niños disparen con ellos contra los pajarillos en Navidad; el fusil de chispa, a su vez, se modificó, convirtiéndose en el fusil de percusión, que ahora precisamente está cambiando su vieja disposición para dejar de cargarse por la boca y pasar a ser un fusil de recámara. El astrolabio medieval se convirtió en el cuadrante, ahora desechado, a su vez, por el marinero, que utiliza el sextante, más preciso, y así ocurre a lo largo de la historia de un arte determinado y de un instrumento tras otro.

(Tylor, 1977: 31.)

El cristianismo nos facilita pruebas para establecer este principio, si comparamos, por ejemplo, sencillamente, la opinión culta de Roma en el siglo V con la de Londres en el siglo XIX, acerca de cuestiones como la naturaleza y las funciones del alma, del espíritu, de la divinidad, y observamos, a través de la comparación, en qué importantes sentidos ha venido a diferenciarse la filosofía de la religión, incluso entre hombres que representan, en diferentes épocas, los mismos grandes principios de la fe. El estudio general de la etnografía de la religión, a través de toda su inmensa gama, parece apoyar la teoría de la evolución en su más alto y amplio sentido.

(Tylor, 1977: 484.)

Y lo convalida incluso la memoria de vida del individuo:

Fijémonos ahora en la cultura, a ver si ésta da también indicios de la existencia y del trabajo del hombre en edades más remotas que la más primitiva en nuestros recuerdos históricos. Para este objeto es necesario comprender cuál ha sido el curso general de las artes, de los conocimientos y de las instituciones. Es una buena y antigua regla la que aconseja proceder de lo conocido a lo desconocido, y todas las personas inteligentes tienen mucho que decirnos por su propia experiencia, respecto de cómo progresa la civilización. El relato que un viejo puede hacernos de la cultura de Inglaterra cuando él iba a la escuela, y de los adelantos y mejoras en las cosas que él propio ha presenciado desde entonces, es en sí una buena lección. Así, cuando sale de Londres en el tren expreso para llegar a Edimburgo a la hora de comer, piensa en los tiempos en que era hacer un viaje feliz en coche llegar a dicho punto en dos días con sus noches correspondientes. Mirando un disco de señales en la línea, recordará que los semáforos constituían el mejor medio de telegrafiar, y se mantenían balanceando sus brazos en los cerros, entre Londres y Plymouth, transmitiendo los despachos del Almirantazgo. Pensando en el telégrafo eléctrico que ha hecho inútiles aquellos semáforos, recuerda que éste arranca de un descubrimiento hecho en su juventud con motivo de la conexión entre la electricidad y el magnetismo. Esto lo lleva a pensar de nuevo en otros descubrimientos científicos modernos que nos han revelado los secretos del universo, tales como el análisis espectral, que ahora descubre los elementos con que están formadas las estrellas con seguridad tanta como era la que nuestros padres tenían de que esto jamás llegaría a saberse. Este mismo anciano puede informarnos, además, no sólo que los conocimientos se han acrecentado, sino que se han extendido mucho más de lo que estaban antes, cuando el hijo del labrador acaudalado apenas podía adquirir en la escuela los conocimientos prácticos que hoy tiene derecho a que le enseñen el hijo del más miserable jornalero. Puede llegar a explicar a sus oyentes cómo, a partir de su tiempo, las leyes del país han adelantado y mejorado hasta el punto de que los hombres no son ya ahorcados por hurtos, que las leyes tienden más a reformar a los criminales que a castigarlos meramente, y que la vida y la propiedad están más aseguradas que en los antiguos tiempos. Últimamente, y no es lo menos, puede enseñarnos de su propia cosecha que las gentes son algo más morales de lo que fueron, que la opinión pública exige una más elevada norma de conducta que las pasadas generaciones, según podemos ver en la reprobación más severa que recae sobre los petardistas y borrachos. De tales ejemplos de adelanto en la cultura, realizados en un solo país y durante la vida de un individuo, se deduce con toda claridad que el mundo no se ha estacionado con nosotros, sino que artes nuevas, nuevos pensamientos, instituciones nuevas, nuevas reglas de vida han surgido del antiguo estado de cosas.

(Tylor, 1887: 15, 16-17.)

La historia conocida ofrece así la información de una tendencia progresiva que por este principio de uniformidad es extensible a los tiempos de la prehistoria.

> ... uniendo la experiencia del presente al recuerdo y a la deducción del pasado...
>
> (Tylor, 1977: 72.)

Este paso, aparentemente empírico (dado que se basa en "hechos históricos"), nos arroja inductivamente una especie de "ley histórica de evolución" que por una presunción —obtenida de una analogía con las ciencias naturales— se extrapola a los tiempos originarios y se transforma así en la "ley evolutiva de la humanidad" desde sus comienzos hasta el presente.

> Para pasar de lo conocido a lo desconocido y adquirir conocimientos nuevos, la inteligencia ha aceptado como guía natural para la investigación de la verdad el establecer analogías y razonar por semejanza, sometiendo sus resultados, únicos que pueden comprobarse, a la piedra de toque de la experiencia.
>
> (Tylor, 1987: 394.)

El escenario prehistórico queda elaborado como producto de una presunción, la uniformidad, y la inducción de una tendencia histórica que gracias a la presunción se universaliza. Sobre esta base los datos observacionales, específicamente antropológicos, se incorporarán como información y prueba que retroalimentará la ley general evolutiva que ha surgido, insistimos, de este proceso inductivo cuyo punto de partida fue un supuesto "hecho": la *progresión histórica* y una presunción: *la uniformidad de la tendencia en toda la humanidad.*

La calidad de los datos

Esta tendencia tendrá una importante incidencia sobre los datos. La teoría se inmiscuye en los datos y éstos en la teoría. Aquella circularidad a que hacíamos referencia entre teoría y hechos vuelve a aparecer cuando nos preguntamos sobre las pruebas específicas de los evolucionistas.

Con la universalización de la tendencia podemos imaginar la tendencia en la cara oculta, pero aún nos faltarán datos de la vida en esa cara oculta. Sin embargo, éstos no están ausentes entre los etnólogos evolucionistas, quienes justamente hicieron un dogma de la presentación de los hechos. Son prolíferos en hechos probatorios, más allá de la validez metodológica de los mismos.

¿Cómo ha sido posible acceder a hechos insensibles a nuestros sentidos y qué hechos han sido relevantes de una cara que no se muestra a nuestros ojos, y ello por no pertenecer a nuestro tiempo, o a los registros intencionales dejados por otros tiempos?

Aun reconociendo las limitaciones del caso,

... admitiendo la imperfección del testimonio histórico cuando se trata de los más bajos estadios de la cultura.

(Tylor, 1977: 54-55.)

los evolucionistas no dudaron de la posibilidad de obtener innumerables testimonios:

... todos los miles de hechos discutidos.

(Tylor, 1977: 37.)

Testimonios no del orden de la imaginación sino de la comprobación:

... su comprobación directa.

(Tylor, 1977: 37.)

Y ello gracias a que:

Las supervivencias en la cultura, al colocar a todo lo largo del camino de la civilización progresiva *mojones cargados de significación para quienes puedan descifrar sus signos*, aún ahora levantan en nuestro ambiente monumentos primitivos del pensamiento y de la vida de los tiempos bárbaros. La investigación de éstos aduce poderosos testimonios en favor del punto de vista de que el europeo puede encontrar entre los groenlandeses y los maoríes muchos rasgos que le permiten reconstruir la descripción de sus propios y primitivos antepasados.

(Tylor, 1977: 37.)[8]

Pero ¿cuándo se sabrá que tales mojones están ante uno y cómo se hará para descifrarlos?

Evidentemente, los datos serán signos de aquellos hechos de los que queremos dar cuenta, y sólo una teoría de estos signos puede darles validez. La teoría de la evolución uniforme y la caracterización de esa evolución son lo que nos enuncia los posibles signos. Así como imaginamos "circulación oculta" con objetos planetarios inalterados, sólo que, en otro lugar de la circunferencia, del mismo modo la tendencia evolutiva da pautas para la imaginación en el "tiempo oculto" de los orígenes. La diferencia está en que, en este caso, por la misma lógica de la tendencia (no circular sino progresiva), el tiempo oculto implica modificaciones de los sujetos, alteraciones de los sujetos, en un sentido degradatorio. La tendencia condiciona los casos. La tendencia no pintará los tiempos primitivos pero

---

8. Aun limitando la omnipotencia del propio método: "Para el investigador que desee entender la marcha de la civilización, teniendo en cuenta que la comparación es sólo un guía, pero no un modo de explicarlo todo" (Tylor, 1987: 29).

sí delineará su silueta, y esto es lo que hace posible avanzar en la indagación a pesar de la imperfección del testimonio. Será esa silueta la que se volverá signo, o, mejor dicho, la que dará señales del signo. Cada vez que se encuentre una silueta así, se tomará ello como una supervivencia del pasado y se volverá información y prueba de sus modos de vida.

> ... como la experiencia nos demuestra que las artes de la vida civilizada se han desarrollado a través de sucesivas fases de perfeccionamiento, podemos suponer que también el primer desarrollo de las artes salvajes hubo de producirse de un modo semejante, y por ello, al encontrar diversos estadios de un arte entre las razas inferiores, podemos disponer esos estadios en una sucesión que, probablemente, representará su auténtica sucesión a lo largo de la historia. Si puede encontrarse entre tribus salvajes algún arte en un estadio tan rudimentario que su invención no parezca sobrepasar las posibilidades intelectuales de tales individuos, y, sobre todo, si puede producirse imitando a la naturaleza o siguiendo la sugestión directa de la naturaleza, hay razón suficiente para suponer que se ha alcanzado el verdadero origen del arte.
>
> (Tylor, 1977: 75.)

Y, ¿cuáles son los signos que darán cuenta de la prehistoria, completud de la evolución humana?

El concepto de significación es el de supervivencia. Justamente algo que, si bien es del pasado más remoto, ha pervivido hasta nuestro tiempo para darnos señales de aquel pasado. Como la luz estelar que llega a nosotros incluso cuando el cuerpo desapareció, y nos da información sobre aquella estrella muerta, así las supervivencias serán esas señales, aparentemente intrascendentes, que en su función de signos de la prehistoria son decisivas.

> Entre los testimonios que ayudan a descubrir el curso que realmente ha seguido la civilización del mundo figura ese gran grupo de hechos para cuya denominación yo he considerado conveniente introducir el término "supervivencias".
>
> (Tylor, 1977: 32.)

Las supervivencias serán de dos tipos: vivas y muertas. Aquellas, las que aún perviven en seres vivientes contemporáneos. Éstas, las que perviven en restos materiales prehistóricos.

Tylor remite su concepto de supervivencia a lo que nosotros denominamos *supervivencias vivas* exclusivamente:

> Son procesos, costumbres, opiniones, etc., que han pasado, por la fuerza del hábito, a un nuevo estado de la sociedad, distinto de aquel en que tuvieron su marco original, y así perduran como pruebas y

ejemplos de una situación cultural más antigua, que ha evolucionado
hacia otra más nueva.

(Tylor, 1977: 32).

Supervivencias que estarán asentadas, no casualmente, en niños,
campesinos, marginales y salvajes contemporáneos. Sin embargo, es posible englobar como supervivencias también a los restos materiales inertes
sin violentar de manera sustancial la definición anterior: restos materiales
que han perdurado hasta nuestro tiempos (debido exclusivamente a su
materialidad), y que lo hacen como prueba, y ejemplos de una situación
cultural más antigua, que ha evolucionado hacia otra más nueva.

Las supervivencias muertas se refieren a una incipiente rama de la
etnología, la arqueología, a la que en el tiempo de los evolucionistas, y a la
luz de los adelantos metodológicos de aquella época, le alcanzaban las
mismas presunciones que a las supervivencias vivas.

Tanto las supervivencias propiamente dichas, las vivas, como las supervivencias de restos materiales prehistóricos nos darán señales más que
interesantes del mundo prehistórico, y esto será posible por algunas consideraciones acerca del mundo prehistórico mismo. Consideraciones que
se derivan de la misma extensión de la ley de la evolución. Casi como si la
ley de la evolución fuese una prueba de que estas señales son confiables,
pero también señales que se usan para hacer confiable la ley de la evolución.

Veamos las supervivencias vivas o propiamente dichas.

... los casos de supervivencia [...] por sí mismos insignificantes, su
estudio es tan eficaz para la averiguación del curso del desarrollo histórico —sólo a través del cual es posible comprender su significado...

(Tylor, 1977: 33.)

Este resto que ha sobrevivido a su mundo de origen es, justamente,
una supervivencia, y éste no es un hecho excepcional sino muy común.

Cuando, al paso del tiempo, se produce un cambio general en la
condición de un pueblo, suelen encontrarse, sin embargo, muchas
cosas que, evidentemente, no tuvieron su origen en las nuevas circunstancias, sino que, sencillamente, han perdurado en éstas.

(Tylor, 1977: 82.)

... cómo las viejas costumbres conservan su vigencia en el ámbito de
una nueva cultura que, desde luego, nunca las habría producido, sino
que, por el contrario, ejerce una fuerte presión para desecharlas.

(Tylor, 1977: 82.)

Pero este pasaje no es inocuo: implica que un fenómeno, en el mundo
que le da origen, tenía un "uso serio" mientras que, pasado al nuevo
mundo (al nuevo estadio) sobreviviendo a su tiempo, se puede tornar lúdico, inútil:

... si se acepta como norma que el uso serio precede al lúdico, los juegos de azar pueden ser considerados como supervivencias...

(Tylor, 1977: 92.)

Ésta es una de las pautas de transformación de los fenómenos en supervivencias.

La simple conservación de antiguos hábitos es sólo una parte de la transición de los viejos tiempos a los tiempos nuevos y cambiantes. Los quehaceres serios de la sociedad antigua pueden convertirse en el deporte de las generaciones posteriores...

(Tylor, 1977: 32.)

... es un fenómeno perfectamente normal que un juego sobreviva a la costumbre seria de la cual es imitación.

(Tylor, 1977: 83.)

Así como los juegos conservan, de este modo, la historia de las primitivas artes bélicas, reproducen también, en lo que son al mismo tiempo deportes y pequeñas instrucciones de niños, las primeras fases de la historia de las tribus que pertenecen a la infancia de la humanidad.

(Tylor, 1977: 84.)

Es notable que la forma de detección de una supervivencia tenga íntima relación con el sinsentido para la modernidad. Y este sinsentido ya le da el sentido de ser antiguo.

Su inutilidad e incomprensión se nota en forma destacada en su asimilación a la superstición:[9]

... la mayor parte de lo que nosotros llamamos superstición está incluida entre las supervivencias, y de este modo se halla expuesta al ataque de su más terrible enemigo: una explicación razonable.

(Tylor, 1977: 33.)

De todos modos, para los propósitos del etnógrafo, es conveniente introducir un término como "supervivencia", sencillamente para designar el hecho histórico que el vocablo "superstición", deteriorado, ya no puede expresar ahora. Además, tienen que ser incluidos, como supervivencias parciales, los numerosísimos ejemplos en los que aún

---

9.   El prototipo de la superstición: "La brujería es parte y parcela de la vida salvaje. Hay razas primitivas de Australia y de América del Sur cuya profunda creencia en la brujería las ha llevado a declarar que, si los hombres nunca hubieran sido embrujados, ni muertos violentamente nunca, no habrían muerto, en absoluto" (Tylor, 1977: 142). "El hombre no civilizado cree que el azar o los dados se acomodan en su caída al significado que él quiera atribuirles, y, sobre todo, está dispuesto a suponer que seres espirituales actúan sobre el adivino o el jugador, barajando el azar o haciendo girar los dados para obligarlos a dar sus respuestas" (Tylor, 1977: 89).

perduran suficientes costumbres antiguas para ser reconocibles por
sus orígenes, aunque, al adoptar una nueva forma, se han adaptado a
las nuevas circunstancias, hasta el punto de que todavía mantienen
su lugar por sus propios méritos.

(Tylor 1977: 83.)

Y es que la supervivencia tiene que ver con la falta de significación
actual pero con la información de una significación pasada:

La estrecha relación de la doctrina de la supervivencia con el estudio de las formas y costumbres se manifiesta constantemente en la
investigación etnográfica. No parece aventurado asegurar, de una vez
y para siempre, que las costumbres carecientes de significación deben
ser supervivencias, que tuvieron un propósito práctico, o, al menos,
ceremonial, cuando y donde surgieron por primera vez, pero que ahora resultan absurdas por haber sido trasplantadas a una nueva fase
de la sociedad, en la que su sentido original se ha perdido.

(Tylor, 1077: 103.)

La significación originaria va muriendo gradualmente, cada generación va recordándola un poco menos, hasta que desaparece de la
memoria popular, y, posteriormente, la etnografía tiene que intentar,
con mayor o menor éxito, restaurarla mediante la reunión conjunta de
diversas líneas de hechos aislados u olvidados. Los juegos de los niños,
los dichos populares, las costumbres absurdas, pueden ser prácticamente insignificantes, pero filosóficamente no lo son, pues guardan,
en realidad, relación con las más instructivas fases de la cultura primitiva.

(Tylor, 1977: 117-118.)

Este lastre se mantiene aun en ejemplos sencillos pero importantísi-
mos:

Por cierto que la razón de nuestro sistema de numeración decimal,
en cuya virtud contamos por decenas en vez de docenas, que serían
más convenientes, está en que nuestros mayores conservaron el hábito
de contar por decenas, hábito contraído por valerse de los dedos de la
mano, y es por tanto una inalterada reliquia del hombre primitivo.

(Tylor, 1987: 21.)

La pauta de inutilidad (o utilidad) y de sinsentido (o sentido) es la que
delimita la supervivencia de una vivencia, y así señala el iceberg de la
indagación. Lo inútil se vuelve un medio, como el resto fósil, y una extensión de lo "insignificado".

Pero para definir el sinsentido se utiliza el parámetro de la modernidad
y la presunción de irrazonabilidad de la prehistoria. Lo que no condice con
la pauta de progresión en el presente es signo del pasado y lo que condice
en el presente con aquella pauta, lo razonable, es presente sin más.

Así, la etnología evolucionista basó su capacidad informativa y probatoria en estos signos puestos en los niños como ejemplos vivientes del inicio de un proceso evolutivo, asimilables a los hombres primigenios, en los campesinos y marginales, especie de sobrevivientes de viejas costumbres y pensamientos; y en los salvajes contemporáneos, verdaderas pervivencias de tiempos remotos.

A estas significaciones, por medio de sinsentidos para la modernidad, se le asocian ciertos sujetos (campesinos y salvajes contemporáneos) que aparecen como verdaderos exponentes de situaciones de estancamiento que los catapultan a los tiempos contemporáneos con todo el acervo de supervivencias de viejos tiempos o sujetos (niños) en los inicios de sus desarrollos, análogos a los de la humanidad, y que son buena muestra de comportamientos acordes con su estadio. Sujetos todos que serán exponentes privilegiados de la observación evolucionista y, por tanto, del uso como dato y prueba.

Veamos la cuestión de los niños; primero, como representantes del límite mismo de la hominidad:

> Si pasamos a las acciones voluntarias hechas con propósito y pensamiento conscientes, los animales inferiores presentan hasta cierto punto semejanzas con el género humano. En el jardín zoológico, si se reparte un puñado de nueces entre los monos de la jaula y los niños que están por la parte de afuera, es curioso observar cuán análogos son los movimientos que unos y otros ejecutan [...] monos [...] [y] niños...
>
> (Tylor, 1987: 57.)[10]

> De lo que pasa en la inteligencia del niño podemos formar juicio, aunque no con entera claridad, por lo que sabemos, de nuestros propios pensamientos y lo que otros nos han dicho de los suyos. Lo que ocurre en la inteligencia de los monos sólo podemos presumirlo observando sus acciones; pero éstas son tan parecidas a las nuestras que podemos explicarlas más fácilmente considerando la obra de su cerebro como humano, aunque menos clara y perfecta.
>
> (Tylor, 1987: 58.)

Debemos tener en cuenta que la idea prevaleciente, convalidada por Haenkel, colega de Darwin, era que "la ontogénesis reproduce la filogénesis", lo que va inaugurar una época en que los niños permanentemente son comparados con los salvajes (el punto culminante es Freud en *Tótem y tabú*). Esta pauta coloca al niño, estadialmente, muy cerca del salvaje, ambos infantes de la humanidad, cuasi animales, donde la información de uno es válida como información para el otro. Y éste es el caso.

> Las normas morales de los salvajes son bastante reales, pero son mucho más indefinidas y frágiles que las nuestras. A mi parecer, po-

---

10. Recordemos que el mono es el pie de la escala en el Tylor de la *Antropología*.

demos aplicar la tan socorrida comparación de los salvajes con los niños, tanto a su moral como a sus condiciones intelectuales.

(Tylor, 1977: 45.)

... como los niños que son crueles...

(Tylor, 1987: 481.)

Queda así integrado el trío mono-salvaje-niño, que dará referencias al punto más natural, al más primario. Justamente, donde no sólo se encontrarán similitudes de conductas también se dará la referencia universal:

... en la base de nuestra ciencia aritmética, se encuentra la costumbre infantil y salvaje de contar con los dedos de las manos y de los pies.

(Tylor, 1977: 258-259.)

Sosteniéndose la idea de que en la conducta prototípica infantil, los juegos, hay información de un pasado remoto:

Así como los juegos conservan, de este modo, la historia de las primitivas artes bélicas, reproducen también, en lo que son al mismo tiempo deportes y pequeñas instrucciones de niños, las primeras fases de la historia de las tribus que pertenecen a la infancia de la humanidad.

(Tylor, 1977: 84.)

transformándose en informaciones claras para reconstruir lo primario.

Veamos a los campesinos:

Los niños, por su carácter de primarios y lúdicos, han sido fuente clara de detección de las supervivencias. Pero los grupos más tradicionales conservan testimonios del mismo tipo a través de diversas manifestaciones:

... de dichos tradicionales...

(Tylor, 1977: 92.)

... El proverbio...

(Tylor, 1977: 99.)

... Las adivinanzas...

(Tylor, 1977: 99.)

que abren el paso a la provocación de una lectura sistemática de las comunidades tradicionales.

Parece obligado pensar que el folclore se encuentra más cerca de su origen, allí donde conserva un lugar y un significado más altos.

(Tylor, 1977: 96.)

que retiene el presupuesto de que las viejas tradiciones dan cuenta de las viejas costumbres, aún vivientes en la campiña[11] o en grupos marginales.[12]

Veamos a los salvajes contemporáneos:

Si hay un signo con mayúsculas para el etnógrafo evolucionista,[13] es el de esos pueblos primitivos aún vivientes. Justamente esos pueblos que los convocaron, que ofrecen una muestra de algo anterior, de notables inutilidades, supersticiones y rastros de un pasado remoto para la civilización. Ésos son los salvajes contemporáneos, la fuente más prolífica, seguramente, de nuestros antropólogos.

> ... los españoles [...] aún hoy, países que hablan el español, ofrecen uno de los más amplios campos para las observaciones antropológicas.
>
> (Tylor, 1987: VI.)

En general, la inutilidad actual pero con referencias a otro momento lleva el rótulo de antigüedad para anticuario. Sin embargo, gracias a que es información, particularmente de nuestro pasado (hasta el origen), cobra la supervivencia (incluso de pueblos enteros) un valor muy especial

> ... no es ya un asunto de mera curiosidad para los anticuarios, sino que comienza a afectar práctica y profundamente las creencias y costumbres de los hombres.
>
> (Tylor, 1987: VI.)

Justamente ese cielo primigenio, tan inaccesible, ha resultado ser progresivamente un buen laboratorio, gracias a un supuesto aislamiento:

> Exámenes periódicos de razas inferiores, por otra parte abandonadas y aisladas en la creación de sus propios destinos, serían inte-

---

11. "... moderno campesino europeo..." (Tylor, 1977: 24); "... un labrador inglés y un negro del África central" (Tylor, 1977: 24).

12. Desde un punto de vista negativo los habitantes de un distrito abandonado de Whitechapel y los de una población hotentote coinciden en su necesidad del conocimiento y de los valores de la cultura superior (Tylor 1977: 56).

13. Quizá la siguiente cita aclara el carácter de signo de los salvajes contemporáneos en boca de un evolucionista aunque las aclaraciones no logran borrar la identificación, en el sentido común, de salvaje contemporáneo y primitivo: "... cazadores y pescadores, análogos a los que hoy clasificamos como salvajes. Conviene sin embargo no aplicarles el término de hombres primitivos, pues esto podría significar como que ellos, o al menos otros semejantes a ellos, fueron los primeros hombres que aparecieron en la Tierra. La vida que los hombres del período del mamut hacían en Abbeville o Torquay contradice la idea de que ésta haya sido la vida primitiva humana. Los hombres de la antigua Edad de Piedra parecen más bien pertenecer a tribus cuyos antepasados, viviendo en un clima medio, alcanzaron cierta ruda destreza en las artes, que tenían por objeto proporcionarse el alimento y defenderse, de suerte que después se capacitaron por una ruda lucha para combatir contra las inclemencias del tiempo y las bestias feroces del período cuaternario" (Tylor, 1987: 38-39).

resantes pruebas para el estudioso de la civilización, si fuesen facti-
bles, pero, desgraciadamente, no lo son.

(Tylor, 1977: 52.)

Algunas tribus y familias han sido dejadas en el aislamiento geográfico para resolver los problemas del progreso por el esfuerzo mental
original; y, por consiguiente, han conservado sus artes e instituciones
puras y homogéneas, mientras las de otras tribus y naciones han sido
adulteradas por influjos externos. Así, mientras África era y es un caos
étnico de salvajismo y de barbarie, Australia y Polinesia se hallan en el
salvajismo puro y sencillo, con las artes e instituciones correspondientes a esa condición [...] la familia india de América [...] representaba la condición del hombre en tres períodos étnicos sucesivos [...] los
estadios inferior y medio de la barbarie...

(Morgan, 1987: 88.)

Todavía hay vestigios en el estado actual de tribus salvajes de poco
desarrollo, olvidadas en regiones aisladas de la tierra como recuerdos
del pasado. Y, sin embargo, a este gran período de salvajismo pertenece
la formación de la palabra articulada y su perfeccionamiento hasta el
grado silábico, la implantación de dos formas de la familia, y, posiblemente, de una tercera, y la organización en gentes, que dio la primera
forma de sociedad digna del nombre.

(Morgan, 1987: 109.)

Este aislamiento —azaroso pero científicamente ventajoso— es el que
ha colocado a este laboratorio en escena para que dé cuenta de situaciones prehistóricas, de otra manera borradas para siempre;

Esta hipotética situación primitiva corresponde, notablemente, a
la de las modernas tribus salvajes, que a pesar de su diferencia y de su
distancia, tienen en común ciertos elementos de la civilización, que
parecen vestigios de un primer estado de la raza humana en general.

(Tylor, 1977: 36-37.)

La investigación de éstos aduce poderosos testimonios en favor del
punto de vista de que el europeo puede encontrar entre los groenlandeses y los maoríes muchos rasgos que le permiten reconstruir la
descripción de sus propios y primitivos antepasados.

(Tylor, 1977: 37.)

... como aún se practica hoy entre los salvajes.

(Tylor, 1987: 21.)

... semejantes a los que los indios norteamericanos emplean en nuestros días.

(Tylor, 1987: 32.)

... las tribus costaneras del norte y del sur de América [...] estadio
superior del salvajismo [...] estadio inferior de la barbarie [...] estadio
medio. Semejante oportunidad para reunir una información plena y

detallada del curso de la experiencia humana y su progreso en el desarrollo de sus artes e instituciones a través de estas condiciones sucesivas no ha sido ofrecida dentro del período histórico. Debe agregarse
que ha sido mejorada muy medianamente. Nuestras mayores deficiencias se relacionan con el último de los períodos mencionados.

(Morgan, 1987: 88.)

La correlación no es del todo caprichosa: o se basa en restos fósiles
similares (de hecho, la analogía etnográfica es hoy usual):

... en todas las regiones del antiguo mundo habitado se hallan utensilios de piedra en el suelo, utensilios que muestran que sus habitantes
fueron en algún tiempo a este respecto como los modernos salvajes.

(Tylor, 1987: 30.)

o con menos sustentos, debido a la imposibilidad de detectar en fósiles las
instituciones:

Se presume que los antepasados remotos de las naciones arias
pasaron por una experiencia semejante a la tribus bárbaras o salvajes
del tiempo actual. A pesar de que la experiencia de estas naciones
encierra toda la información necesaria para ilustrar los períodos de la
civilización, tanto antigua como moderna, su conocimiento anterior
debe deducirse, sobre todo, de la visible vinculación entre los elementos de sus instituciones existentes e invenciones y de los elementos
similares que todavía se conservan en las tribus salvajes y bárbaras.

(Morgan, 1987: 80.)

Volvamos ahora sobre la otra gran fuente de los evolucionistas, la de
los restos materiales o, como hemos denominado, las supervivencias
muertas.

Si hay una fuente directa, ésa es la arqueológica, y, aunque precaria
en épocas de nuestros evolucionistas, fue un recurso utilizado cada vez
que se pudo:

La arqueología prehistórica dispone de la llave maestra para la investigación de la situación primitiva del hombre. Esta llave es el testimonio de la Edad de Piedra, que demuestra que los hombres de la
remota antigüedad se hallaban en estado salvaje. Desde el reconocimiento largo tiempo aplazado de los descubrimientos de M. Boucher
de Perthes...

(Tylor 1977: 70.)

Sin adentrarnos aquí en cuestiones plenamente discutidas en especializadas obras modernas, baste afirmar el apoyo general otorgado
por la arqueología prehistórica a la teoría del desarrollo de la cultura.

(Tylor, 1977: 73.)

... la arqueología y la geología respecto de la edad del hombre.

(Tylor, 1987: 29.)

Aparente objetividad de los datos ofrecidos por los restos materiales pero que no dejan de estar condicionados por la visión evolutiva previa. La progresión prefigura el escenario de los datos.

... la arqueología ha descubierto muy pocos testimonios aceptables de la degeneración.

(Tylor, 1977: 69.)

... los términos introducidos por el señor John Lubbock *paleolítico* y *neolítico*, esto es, de la piedra antigua y de la piedra moderna...

(Tylor, 1987: 35.)

Utensilios de la edad de piedra [neolítica].

(Tylor 1987: 32.)

... se ve que la historia de la Edad de Piedra es la historia de un desarrollo. Partiendo de la piedra puntiaguda natural, la transición al más tosco instrumento de piedra, artificialmente moldeado, es imperceptiblemente gradual, y, desde esta tosca fase en adelante, se descubre un progreso muy independiente en distintas direcciones, hasta que la elaboración, al fin, alcanza una admirable perfección artística, en la época en que es sustituida por la introducción del metal.

(Tylor, 1977: 76.)

... el grado de cultura que alcanzaron sus habitantes. Así, si se hallan armas de bronce o hierro, fragmentos de hermosa vasijería, huesos de ganado doméstico, trigo quemado y pedazos de tela, vemos una prueba de que la gente que allí vivía se hallaba en un estado de semicivilización, o de barbarie ya bastante adelantada. Si sólo se encuentran rudos utensilios de piedra y hueso, pero no metal, ni vasos de tierra, ni restos algunos que indiquen que se cultivaban los campos o se criaban ganados, debemos admitir la evidencia de que allí habitaba una tribu salvaje.

(Tylor, 1987: 30.)

Y fuertemente asociado con una posible analogía con el salvaje contemporáneo que ya hemos mencionado.[14]

La supervivencia viva de los salvajes contemporáneos y la muerta de los restos fósiles no serán para nada independientes sino que una y otra se retroalimentarán.

---

14. "... en todas las regiones del antiguo mundo habitado se hallan utensilios de piedra en el suelo, utensilios que muestran que *sus habitantes fueron en algún tiempo a este respecto como los modernos salvajes*" (Tylor, 1987: 30). Nótese la similitud de esta aseveración con la de Locke, desarrollada en el capítulo I, pero nótese también que la demostración de tal analogía pretende ser más cientificista: sobre la base de restos arqueológicos. Son dos épocas diferentes de la antropología.

... se intenta esbozar una teórica ruta de la civilización entre la humanidad, tal como resulta del conjunto más acorde con las informaciones. Mediante la comparación de los diversos estadios de la civilización entre los pueblos históricamente conocidos, con la ayuda de las deducciones arqueológicas a partir de los vestigios de las tribus prehistóricas, parece posible establecer, de un modo elemental, una primera situación general del hombre...

(Tylor, 1977: 36.)

Deducciones en las que es difícil detectar cuál de los hechos es el original y en las que parece prevalecer la mutua convalidación.

Es que la misma precariedad de la arqueología del siglo pasado se abastecía enormemente de los datos mismos de las supervivencias vivas y sus presunciones. La precariedad estratigráfica daba prevalencia a la posibilidad tipológica, y la escasez de contextualización a la apelación a los salvajes vivientes. Ambos recursos reforzaban, sin lugar a dudas, la teoría que los unía.

Aunque la historia no puede justificar directamente la existencia ni explicar la situación de los salvajes, facilita, al menos, un testimonio que se relaciona estrechamente con esta cuestión. Además, disponemos de diversos medios de estudiar el curso inferior de la cultura, de acuerdo con un testimonio que no puede haber sido violentado para apoyar una teoría. El viejo saber tradicional, por poca confianza que nos merezca como prueba inmediata de los hechos, contiene las más fidedignas descripciones incidentales acerca de los comportamientos y de las costumbres; la arqueología descubre antiguas estructuras y vestigios sepultados del pasado remoto; la filosofía saca a luz la historia oculta en el lenguaje que las generaciones sucesivas han ido transmitiéndose, ignorantes de que el lenguaje tuviese tal importancia; el examen etnológico de las razas del mundo es muy revelador, y la comparación etnográfica de sus circunstancias es más reveladora todavía.

(Tylor, 1977: 55.)

A esta altura podemos tener más clara la lógica de todo el esquema probatorio de los evolucionistas: una ley evolutiva, producto de una aparente inducción histórica, y de una presunción teórica, la uniformidad de la pauta. Pero, a su vez, una pauta que tiene una tendencia con fuertes implicancias, entre las cuales la más importante es la progresión. Este hecho condiciona la característica del mundo originario e incluso los caracteres de sus protagonistas. Todo signo de premodernidad, por sin sentido o por entrar en la escala regresiva hacia el origen, será buen referente de aquellos estadios, pero también los sujetos prototípicos de esos sinsentidos o atributos regresivos, por definición de los modernos, serán exponentes inmejorables de aquellos sujetos primigenios. Esta circularidad que ofrece una coherencia difícil de romper es el reflejo en el nivel de las pruebas del cuadro de la evolución que construyéramos en el capítulo anterior. Aquél es el marco en que las comprobaciones, innumerables entre los evolucionistas, se despliegan. Comprobaciones que no se debilitan por el solo hecho de ofrecer una débil metodología, sino en todo caso lo harían si se debilitara el marco que le da cabida. La teoría y el dato evolucionista ofrecen una alta coherencia y sólo el reconocimiento de su circularidad puede abrir la puerta hacia sus fisuras. La pretensión de ciencia originaria ha pasado su examen; en todo caso, valdría la pena preguntarse si aquel concepto de ciencia es válido. Pero esta validación sería una medición con ventaja, es decir, un siglo después.[15]

El carácter de disciplina gracias a la cientificidad y a la especificidad

La especificidad de una porción histórica única, la prehistoria, y la de sus signos sociales más relevantes, los salvajes contemporáneos, dieron a la antropología un objeto de estudio específico, y su adscripción a la ciencia una metodología particular, lo que contribuyó a que se delineara una disciplina única que en términos contemporáneos agrupa tanto a la etnología como a la arqueología.

La antropología científica[16] fue de esta manera teniendo su específica forma que la separa y por tanto distingue de otras formas de antropología precientíficas.

> [Aunque] desde los primeros tiempos, la raza ha llamado mucho la atención por sus relaciones con las cuestiones políticas de nacionales y extranjeros, conquistadores y conquistados, hombres libres o esclavos...
>
> (Tylor, 1987: 3.)

> Hasta nuestros días no se han establecido y estudiado las distinciones que existen entre las razas con arreglo a procedimientos científicos.
>
> (Tylor, 1987: 3.)

La antropología de Las Casas y Sepúlveda estaba aún atada a la religiosidad; la de Jaldun y Condorcet, menos adscripta a la religiosidad, cercana al evolucionismo, pero aún estaba lejos de ninguna pretensión metodológica, o, por lo menos, de algún intento sistemático de una metodolo-

---

15. Podríamos en este sentido decir que la crítica merecería la misma condescendencia que el mismo Tylor tiene para con sus antecesores: "Criticar a un etnólogo del siglo XVII es como criticar a un geólogo del mismo siglo. El escritor antiguo puede haber sido mucho más capaz que su crítico moderno, pero no tenía los mismos materiales" (Tylor, 1977: 66), y, agreguemos, ni la epistemología ni la ciencia natural habían aún provocado revoluciones como las de Koyré, Khun o Lakatos, o las de Einstein o Heisenberg.
16. "La ciencia es conocimiento exacto, regular, ordenado" (Tylor, 1987: 358).

gía científica. La necesidad de probación sistemática sobre la base de hechos es lo que separa al evolucionismo antropológico.

... y cuando la materia puede someterse a una prueba práctica por medio de la experimentación, este método es enteramente científico.

(Tylor, 1987: 395.)

	científicos	precientíficos	
antropología del nosotros	Tylor Morgan	Jaldun Condorcet	Las Casas Sepúlveda
antropología de los otros		Moctezuma	

Sin embargo, existe otra diferencia más: la especificidad del objeto. Los antropólogos del siglo XVIII todavía se movían en un amplio campo en que la contemporaneidad era lo explicado y arrastraba lo más extenso del texto. Sin embargo, con los evolucionistas antropológicos el objeto se recorta en un tiempo determinado, el salvajismo y el barbarismo, escindiéndose definitivamente de los tiempos civilizados, tiempos sociológicos, y los tiempos prehumanos, tiempos naturalistas. Spencer y Darwin son dos buenos exponentes, respectivamente.

Un mundo que se inauguraba simultáneamente cuatro mil años atrás, aumenta estrepitosamente su extensión, y se ve generando diferentes nacimientos en diferentes momentos. Lo que antes fue en un instante, o quizá en días (fuente bíblica), se abre en una gran profundidad temporal:

De una imagen en el siglo XVIII

Tiempo único

A una imagen abierta en el siglo XIX

Tiempo histórico

Tiempo humano

Tiempo viviente

Tiempo del universo

De entre todos estos tiempos, la antropología científica se ubicará en el tiempo humano no histórico. Y ciertas disciplinas conexas, la del tiempo viviente no humano y las del tiempo histórico, completarán el arco temporal.

Disciplinas conexas que no estarán para nada independizadas de la antropología. Al punto que la antropología, para poder extender su mirada a los tiempos perdidos, apela a la tendencia de los tiempos recuperados (históricos), transponiendo la forma en éstos a aquéllos. Sin embargo, la sociología traerá a colación la existencia de la tendencia evolutiva en los tiempos primigenios como ratificación de la ley evolutiva ya verificada en tiempos modernos (recuérdese la fascinación de Marx y Engels por Morgan). La disciplina naturalista había desarrollado casi exclusivamente su explicación en el campo prehumano. Sin embargo, fuente de inspiración de un Tylor y un Morgan, luego se adentrará en el campo de lo humano, y no dudará en hacer una reconstrucción similar a la de los antropólogos evolucionistas.

Disciplinas científicas cuyos partos ocurren durante el siglo pasado, y que se retroalimentan mutuamente, cada una en su mundo, pero que son partes de un mundo mayor en el que las demás están integradas y por tanto, la modificación en una necesariamente modifica en algo a las otras.

CAPÍTULO XI

LA EXISTENCIA DE ATRIBUTOS
EN EL MUNDO ANTROPOLÓGICO
(Tylor)

AMPLIACIÓN DE LOS CONCEPTOS

Comúnmente, cuando se indaga sobre la existencia o inexistencia de algunos atributos diagnósticos de los pueblos civilizados respecto de los primitivos, los antropólogos, casi por definición, se encuentran con que el fenómeno en principio no existe o, por lo menos, no existe tal como se da en la civilización. Es así como, cuando se pretende que el primitivo tenga algún atributo de este tipo, el investigador se ve obligado a una ampliación de conceptos.

Comenzamos con un concepto amplio de economía y antropología, y luego críticamente lo restringimos. Sin embargo, paradójicamente, tenemos ahora que introducirnos en un proceso inverso: cuando se pretende encontrar un concepto en una cultura inicialmente caracterizada por la ausencia del mismo, se requiere que el concepto sea ampliado para hallarlo en ese ámbito extraño. La existencia o inexistencia deja de ser un fenómeno de observación para ser un derivado: primero el concepto, luego la observación. Éste es el caso de Tylor y la religión.

La primera discusión consiste en determinar si el primitivo *tiene o no tiene* religión.

> ¿Hay o ha habido tribus de hombres de cultura tan inferior que no tengan o hayan tenido concepciones religiosas de ninguna clase?
> (Tylor, 1981: 21.)

Ante esta duda existen dos afirmaciones posibles. Una alternativa es la respuesta positiva: inclinarse por la existencia de la religión entre los primitivos,[1] como se sustenta en el parráfo que sigue:

---

1. Lo mismo ocurre en relación con la organización, la normativa, la policía, etc., en estas citas: "La humanidad nunca ha podido vivir como una turba de hombres que combaten cada uno para sí. La sociedad ha estado siempre compuesta de familias que

Si estuviese claramente demostrado que existen o han existido salvajes no religiosos, podría pretenderse, por lo menos, razonablemente, que esos individuos son representantes de la condición del hombre, antes de que éste llegase a la situación religiosa de la cultura. Sin embargo, no es deseable que se formule este argumento, porque la afirmación de la existencia de las tribus no religiosas en cuestión se basa, como hemos visto, en documentaciones frecuentemente erróneas, y nunca concluyentes.

(Tylor, 1981: 27.)

La otra alternativa es la de inclinarse por la negativa, es decir, por la idea de que entre los primitivos la religión está ausente.

En nuestro tiempo no pueden existir tribus no religiosas, pero este hecho no influye en el desarrollo de la religión de un modo más decisivo que la imposibilidad de encontrar un pueblo inglés moderno sin tijeras, o sin libros, o sin cerillas, influye en el hecho de que hubo un tiempo en que tales cosas no existían en el mundo.

(Tylor, 1981: 28.)

La decisión en uno u otro sentido, sin embargo, no depende sólo del acceso o la falta de acceso a documentación fidedigna, sino que es conceptualmente a priori; es decir, una definición en uno u otro sentido no es un mero producto de la observación sino de la consideración previa a tal observación.

La primera decisión es renunciar a la ceguera de esta negación, para lo cual es necesario ampliar la imaginación y consecuentemente la norma:

... evitar el error a que llama el proverbio "medir el trigo ajeno con fanega propia". Ni ha juzgarse de las costumbres de las naciones en otros estados de cultura por la norma moderna, sino traer los conocimientos en auxilio de la imaginación para ver dónde existían las instituciones y su modo de funcionar. Sólo así puede ponerse en claro

---

viven unidas por los vínculos de parentesco y regidas por las reglas del matrimonio y los deberes de padres e hijos" (Tylor, 1987: 474).

"Contrasta singularmente con la idea vulgar de que la vida salvaje no se rige por regla alguna..." (Tylor, 1987: 475).

"Una de las enseñanzas que nos ofrece la vida de las rudas tribus es cómo la sociedad puede existir sin policía que conserve el orden" (Tylor, 1987: 478).

"Fuerzas reprimentes sociales actúan entre los salvajes, sólo que en un grado más rudimentario que entre nosotros. La opinión pública..." (Tylor, 1987: 482).

"Los exploradores de los países salvajes, no hallando la maquinaria de la policía organizada que estaban acostumbrados a ver en su país, dedujeron con harta ligereza que aquéllos vivían sin otro freno que el de su propia voluntad; pero ya hemos visto que esta conclusión es equivocada, puesto que la vida en el mundo no civilizado está a su vez aprisionada por las cadenas de la costumbre" (Tylor, 1987: 483).

"Así las comunidades, por antiguas y rudas que fuesen, tuvieron siempre sus reglas acerca de lo justo y de lo injusto" (Tylor, 1987: 483).

que las reglas de lo bueno y de lo malo, de lo justo y de lo injusto, no se han fijado de la misma manera para todos los hombres y todos los tiempos.

(Tylor, 1987: 483-484.)

Esforzándose a priori por reconocer religión entre los primitivos.[2]

El caso es, en cierto modo, semejante al de las tribus de las que se asegura que existen sin lenguaje o sin el uso del fuego; nada, en la naturaleza de las cosas, parece impedir la posibilidad de esa existencia, pero lo cierto es que tales tribus no se encuentran. Así pues, la afirmación de que se han conocido, en existencia real, tribus primitivas no religiosas, aunque es posible en teoría, y tal vez verdaderamente cierta, no descansa en la actualidad, sobre esa prueba suficiente que, por un excepcional estado de cosas, tenemos derecho a exigir.

(Tylor, 1981: 21.)

Nótese que el criterio hipotético de la decisión se hace manifiesto allí donde los referentes empíricos están ausentes, particularmente en los ejemplos más extremos.[3]

Más allá de este extremo, en donde el dato sí sería posible, si la presunción que gobierna la observación fuese: "No digamos que no por el hecho de que no sea tal como es entre nosotros", rige la mencionada ampliación de la norma.

Declaran irreligiosas a tribus cuyas doctrinas son distintas de las suyas, de igual modo que los teólogos declaran ateos a los que tienen divinidades diferentes de las propias, desde los tiempos en que los antiguos arios invasores describían a las tribus aborígenes de la India con *adeva*, es decir, *atheos*, y los griegos asignaban el correspondiente término de ateos a los primeros cristianos porque no creían en los dioses clásicos, hasta los siglos comparativamente modernos en que eran denunciados como ateos los que no creían en la brujería y en la sucesión apostólica; y también en nuestro tiempo, cuando los polemistas se sienten inclinados a deducir, como en los siglos pasados,

---

2. Sea la razón que fuere y sin negar razones arbitrarias o incluso intencionales como las que están detrás de afirmaciones como "ninguna religión de la humanidad descansa en un total aislamiento de las demás, y las ideas y los principios del cristianismo moderno siguen orientaciones intelectuales que se remontan, a través de los lejanos tiempos precristianos, hasta el origen mismo de la civilización humana, quizá incluso de la existencia humana" (Tylor, 1981: 24).
3. Esta ausencia o presencia hipotética en las tribus primigenias sobre las que no hay probación empírica es válido también en Morgan, quien imagina una situación de promiscuidad originaria, una especie de prefamilia que, en términos del autor, es un prematrimonio: relaciones sexuales sin reglas.

que los naturalistas que apoyan una teoría del desarrollo de la especie sostienen, por lo tanto, necesariamente, opiniones ateas.

(Tylor, 1981: 23.)

... las precipitadas negaciones de otros, que han juzgado incluso sin datos, no pueden tener gran consistencia. Un viajero del siglo XVI dio un informe de los nativos de Florida, que es típico de estos últimos: "En cuanto a la religión de este pueblo, que nosotros hemos encontrado, a causa del desconocimiento de su lenguaje no podemos comprender, ni por signos ni por gestos, que tengan ninguna religión ni ley, en absoluto [...] Suponemos que no tienen religión, en absoluto, y que viven a su entera libertad".

(Tylor, 1981: 24.)

No quedarse ni con una primera incomprensión ni con esos atributos específicos de nuestro culto es el mandato. Seamos más amplios es la consigna y reconoceremos el fenómeno en muchos casos a los que previamente le negamos entidad. Para que esto ocurra se requiere hacer previamente una definición rudimentaria:

El primer requisito para un estudio sistemático de las religiones de las razas inferiores consiste en establecer una definición rudimentaria de religión.

(Tylor, 1981: 26.)

El primer acto no es mirar y mirar, no es una agudización del ojo sino del concepto que permita iluminar en la oscuridad de lo desconocido. Mas, si la definición fuese estricta, atada a nuestras formas, la respuesta en la mayoría de los casos sería: "No tienen religión".

Si para esta definición se exige la creencia en la divinidad suprema o en un juicio después de la muerte, la adoración de ídolos o la práctica de sacrificios, u otras doctrinas o ritos parcialmente difundidos, no hay duda de que muchas tribus pueden ser excluidas de la categoría de religiosas.

(Tylor, 1981: 26-27.)

Es por ello que, decidido el curso de acción por el sí, es necesario un acto clave: la ampliación del concepto. No atándose a los procesos manifiestos sino apuntando a los motivos últimos del fenómeno, es posible hallar la presencia, si no en todas, en casi todas las tribus conocidas. La definición, lejos de restringirse, amplía su campo de observación. Lejos de incorporar más requisitos, suprime muchos de ellos. La definición se ha ampliado y, cuanto más lo haga, más tribus tendrán religión.

Pero tan estrecha definición tiene el defecto de identificar la religión con determinados procesos, y no con el motivo, más profundo, que les sirve de base. Parece mejor remontarse inmediatamente a esta fuente esencial y establecer, sencillamente, como una definición mínima de religión, la creencia en seres espirituales. Si se aplica esta norma a las descripciones de razas inferiores respecto de la religión, se obtendrán los siguientes resultados. No puede afirmarse positivamente que todas las tribus existentes admiten la creencia en seres espirituales, porque la condición nativa de un número considerable es confusa a este respecto, y, a causa del rápido cambio o de la extinción que están experimentando, pueden permanecer siempre así. Sin embargo, sería más aventurado afirmar que todas las tribus mencionadas en la historia, o conocidas para nosotros por el descubrimiento de antiguos vestigios, han pasado necesariamente la definición mínima de religión. Más imprudente aún sería declarar que esa rudimentaria creencia natural o instintiva ha existido en todas las tribus humanas de todos los tiempos; porque ningún testimonio justifica la opinión de que el hombre, del que se sabe que es capaz de un desarrollo intelectual tan amplio, no pueda haber emergido de una condición no religiosa, anterior a esa condición religiosa a la que actualmente ha llegado con suficiente claridad, dentro de nuestra esfera de conocimiento.

(Tylor, 1981: 27.)

Una ampliación del fenómeno, tal como se da entre nosotros hasta un basamento en los motivos del fenómeno entre nosotros. Un abandono de los procesos dentro de la definición deja un protagonismo definitivo a la motivación, tal como la percibimos nosotros.

Sólo ahora, habiendo caminado el proceso de ampliación conceptual y a partir de tal ampliación (hecho claramente especulativo) es posible avanzar en una observación minuciosa con esta linterna conceptual: ampliada la definición, ahora sí, es rechazable la continuidad en el plano especulativo.

De todos modos, es aconsejable fijar nuestra base de investigación en la observación, y no partir de especulaciones. En esto, a juzgar por lo que yo puedo deducir de la inmensa cantidad de testimonios accesibles, tenemos que admitir que la creencia en seres espirituales aparece en todas las razas inferiores con las que hemos alcanzado una relación estrecha y profunda; por lo tanto, la afirmación de la falta de esa creencia puede aplicarse, o bien a las tribus antiguas, o bien a las modernas imperfectamente conocidas.

(Tylor, 1981: 27.)

Hasta la ampliación el plano es conceptual, pero ampliada; elaborado el concepto instrumental, el camino es el de la convalidación empírica. Antes de aquel proceso es lo mismo que acceder a un fenómeno observable pero no observarlo por carecer de anteojos. Cualquier contestación empírica en ese caso es de dudosa credibilidad.

La definición restringida, tal como el fenómeno se da entre los civilizados, no lleva a otro camino que al de negar la religión. Es necesaria una ampliación por alguno de sus sentidos. Es este acto de flexibilización el que permite ahora cambiar la aseveración antes que cualquier hecho empírico. Fue necesario llevar la religión más allá del templo.

Pero, ¿qué vinculación tiene esto con nuestra relación entre antropología y economía?

LA ECONOMÍA

En el ejemplo precedente acerca de la religión, se manifiesta este hecho: en el mundo antropológico, la definición ampliada es la que rige, y puede hacernos ver ahora lo que espontáneamente, sin aclararlo, nos ha ocurrido a lo largo de este trabajo cada vez que, económicamente, incursionábamos en el mundo antropológico.

Nos hemos movido dentro de un esqueleto, en mayor o menor medida representado por los estadios de caza, pastoreo, agricultura, comercio. El cuarto estadio respetaba bien lo que la economía no sólo dice ser sino que realmente es. El cambio ha sido la preocupación de los economistas clásicos, y este cambio se refleja en el comercio. Sin embargo, en el momento de hablar de los otros estadios no hablamos de cambios sino de procesos que apuntan a la subsistencia. El cambio caracteriza al cuarto estadio *per se*; la subsistencia a los otros tres. La riqueza, aquel valor de uso que excedía a la economía política, reaparece en el valor de uso más evidente, el de subsistir. Con él, la definición de economía, restringida al comienzo, se ve ampliada, y en general (aunque no exclusivamente) desplazada hacia su opuesto: la subsistencia sin cambio.

En primer lugar, excedíamos la definición restringida al cambio, asentándonos predominantemente en la cómoda situación de la subsistencia, el sentido más fuerte del valor de uso en términos naturalistas. Pero, ¿el valor de uso no excedía al valor de cambio? Es verdad: lo excedía, como excede a la subsistencia. Pero el valor de cambio tiene como condición el valor de uso, y el valor de uso más evidente es el de subsistencia. No importa que no nos quedemos en la seriedad de los presupuestos, basta con que alcancemos el sentido más evidente. Ésta ha sido la lógica.

Sólo habiendo ampliado espontáneamente la definición de economía, también de manera espontánea pasamos a considerar lo económico en la subsistencia, cosa que no hacen los clásicos en nuestra sociedad, aun cuando consideren parte de ella. Ahora bien, la subsistencia no ha sido cualquier cosa. Es el fundamento y el punto de partida de los clásicos. Es el motivo último, lo que ya hemos demostrado en el capítulo IV. El antropólogo —y el economista en el mundo antropológico— amplía la definición para auscultar el mundo primitivo y no elige cualquier cosa sino lo que considera que es el fundamento de su fenómeno. Saltea el fenómeno, pero no su argumento. La subsistencia es el sentido y, por eso, es o todo el argumento o parte de él. De ser parte, conforma la parte ineludible. Ése también es el caso de los "seres sobrenaturales".[4]

---

4.   O la unión entre sexos restringida para la familia, en Morgan.

¿Qué ocurriría si eligiéramos el intercambio como fenómeno económico? Los requisitos para que el cambio exista son varios e históricamente particulares, tal como ya lo desarrolláramos. Varias tribus quedarían fuera de la definición económica, y esto se expresaría: "No tienen economía". Sin embargo, si ampliáramos nuestra definición al "motivo último expresado por los propios economistas clásicos", la subsistencia se erigiría y, ahora sí, casi por definición de lo primeros hombres, sería imposible considerar la inexistencia de la economía.

NOS	C		Cambio mercantil
	B	S U B S I S T E N C I A	I N T E R C A M B I O
OTROS			
	S		

Esta adhesión del término *economía* a la subsistencia no es otra que la que espontáneamente hemos adscripto entre economistas clásicos y antropólogos evolucionistas, aunque a veces —y ya no universalmente sino históricamente— la definición por el proceso de intercambio ha aparecido (véase Locke en el capítulo I y Smith en el V). Es decir, la idea de que el intercambio era un buen referente de "economía" existió pero, sin lugar a dudas, restringía la posibilidad de afirmar en todo lugar: "Hay economía".[5]

Sin embargo, la elección dominante fue la subsistencia, y una particularidad no enfatizada en los consumos sino en los procesos de producción, como le corresponde a la tradición genetista. Procesos de producción como lo son los procesos espontáneos de recolección y los más laboriosos de pesca, caza, pastoreo y agricultura.

5.   Bucher (1901) es el mejor ejemplo de quien afirmó una instancia no económica por la inexistencia de intercambio. A veces las discusiones contra él fueron malas interpretaciones de esta semirrestringida definición.

La economía en el mundo antropológico —como la religión—, si quiere ser hallada debe ampliar su concepto, y si quiere ser universalizada lo debe hacer aún más. En un caso, adscribiendo a ciertos procesos, se integra algunas otras sociedades en el parámetro; en el otro, es necesario calar en el motivo último para que por todos lados aparezca.[6]

LA ANTROPOLOGÍA

Ya debimos recurrir a esta ampliación conceptual cuando necesitamos idear un concepto de antropología más amplio que el de antropología científica evolucionista. Cuando quisimos ir más allá, no tuvimos otra alternativa que aumentar el concepto, poniéndole menos restricciones. Así procedimos: la antropología se refiere a esos extraños no occidentales llamados *primitivos*, y no teníamos duda de estar en el evolucionismo. Pero luego dijimos que la antropología se refiere a los occidentales ante esos extraños no occidentales,y podíamos incluir a cualquier degradacionista. Más aún, dijimos, extrañeza ante los no occidentales, e incluimos a Jaldun. Para decir, finalmente, simplemente extrañeza (intercultural), y los aztecas son incluidos. Quedó el motivo último, la extrañeza intercultural (ante el extranjero).

Así como nos vimos en algún momento obligados a restringir tanto la definición de economía como la de antropología para comprender ambas manifestaciones dentro de las ciencias clásicas (economía política clásica y antropología evolucionista), en el mismo momento en que se pretende ir más allá de sus campos tradicionales, enmarcados por las corrientes científicas clásicas, es necesario modificar la definición restringida, darle aire, e ir ampliándola progresivamente según cuál sea la intención del alcance, llegando a su mayor universalidad cuando se apela al motivo, tal como la ciencia clásica lo consideró. Este mecanismo es el que nos ha permitido durante todo nuestro desarrollo hablar de economía entre los primitivos o en algún otro en particular, hablar de antropología fuera del evolucionismo. Y esto pudo hacerse sin dar mayores explicaciones.

---

6.   Y cuando decimos "motivo último" no nos referimos necesariamente a un motivo "real" sino al motivo consciente de la sociedad observadora.

BIBLIOGRAFÍA

ARISTÓTELES (1941), *La política*, Madrid, Espasa-Calpe.
— (1947), *Psicología. Tratado del alma*, en *Obras completas*, t. II, Buenos Aires, Anaconda.
BENTHAM, Jeremy (1991), *Antología*, Barcelona, Península.
BLAUG, Mark (1985), *Teoría económica en retrospección*, México, FCE.
BUCHER, Karl (1901), *Industrial Evolution*, Nueva York.
BUFFON, (1986), *Del hombre*, México, FCE.
CHALMERS, Alan (1984), *¿Qué es esa cosa llamada ciencia?*, Madrid, Siglo XXI.
— (1992), *La ciencia y cómo se elabora*, Madrid, Siglo XXI.
CHATELET, F. (1981), *Historia de las ideologías*, México, Premiá.
CLASTRES, Pierre (1981), "Salvajes y civilizados en el siglo XVIII", en CHATELET, F., *Historia de las ideologías*, cit., t. III.
COLÓN, Cristóbal (1985), *Diario de a bordo*, Madrid, Historia 16.
D'ALEMBERT (1984), *Discurso preliminar de la Enciclopedia*, Buenos Aires, Hyspamérica.
DARWIN, Charles (1977), "El origen del hombre", en MATEO, Fernando (comp.), *Los orígenes de la antropología*, Buenos Aires, CEAL.
— (1983), *El origen de las especies*, Madrid, Sarpe.
— (1985), *Teoría de la evolución*, Madrid, Nexos.
DEFOE, Daniel (1984), *Robinson Crusoe*, Madrid, Ortella.
DE LAS CASAS, Bartolomé (1985), *Brevísima relación de la destrucción de las Indias*, Madrid, Sarpe.
DOBB, Maurice (1938), *Introducción a la economía*, México, FCE.
— (1975), *Teorías del valor y de la distribución desde Adam Smith. Ideología y teoría económica*, México, Siglo XXI.
DUCHET, M. (1975), *Antropología e historia en el siglo de las luces*, México, Siglo XXI.
DUMONT, Louis (1982), *Homo aequalis. Génesis y apogeo de la ideología económica*, Madrid, Taurus.
DURKHEIM, Émile (1985), *La división social del trabajo*, Barcelona, Planeta.
EINSTEIN, Albert, e INFELD, Leopold (1993), *La evolución de la física*, Barcelona, Salvat.
FERNÁNDEZ LÓPEZ, M. (1978), "Valor trabajo y capital", en *Ensayos actuales sobre Adam Smith y David Hume*, Buenos Aires, Del Instituto.
FERRATER MORA, José (1984), *Diccionario filosófico*, Madrid, Aguilar.
FEYERABEND, Paul (1989), *Límites de la ciencia*, Barcelona, Paidós.
FIRTH, Raymond (1974), *Temas de antropología económica*, México, FCE.
HERSKOVITS, Melville (1954), *Antropología económica*, México, FCE.
HEISENBERG, W. (1993), *La imagen de la naturaleza en la física actual*, Barcelona, Planeta.
HOBBES, Thomas (1940), *Leviatán*, México, FCE.
ITARD, Jean (1978), "Memoria sobre los primeros progresos de Víctor del Aveyron", en MONTANARI, A., *El salvaje de Aveyron*, Buenos Aires, CEAL.
KOYRÉ, Alexandre (1994), *Pensar en la ciencia*, Barcelona, Paidós.

Kuhn, T.S. (1971), *La estructura de las revoluciones científicas*, México, FCE.

Kula, Witold (1980), *Las medidas y los hombres*, México, Siglo XXI.

Lakatos, Imre (1987), *Historia de la ciencia y sus reconstrucciones racionales*, Madrid, Tecnos.

— (1989), *La metodología de los programas de investigación científica*, Madrid, Alianza.

Le Goff, Jacques (1983), *Tiempo, trabajo y cultura en el Occidente medieval*, Madrid, Taurus.

— (1987), *La bolsa y la vida*, Barcelona, Gedisa.

Lévi-Strauss, Claude (1983), *Antropología estructural*, México, Siglo XXI.

Locke, John (1983), *Ensayo sobre el gobierno civil*, Barcelona, Hyspamérica.

— (1987), *Ensayo sobre el entendimiento humano*, Madrid, Aguilar.

Malthus, Thomas R. (1986), *Ensayo sobre el principio de la población*, México, FCE.

Mandeville, Bernard (1982), *La fábula de las abejas*, México, FCE.

Marx, Karl (1959), *El capital*, México, FCE.

— (1970), *Contribución a la crítica de la economía política*, Buenos Aires, Estudio.

— (1984), *Las formaciones económicas precapitalistas*, Barcelona, Crítica.

— y Engels, Friedrich (1970), *La ideología alemana*, Barcelona, Grijalbo.

Meek, Ronald (1981), *Los orígenes de la ciencia social*, Madrid, Siglo XXI.

Mill, John Stuart (1943), *Principios de economía política*, México, FCE.

Moreau, P.F. (1981), "Naturaleza, cultura, historia", en Chatelet, F., *Historia de las ideologías*, cit.

Morgan, Lewis H. (1987), *La sociedad primitiva*, Madrid, Endymión.

Palerm, Ángel (1982), *Historia de la etnología. I: Los precursores, y II: Los evolucionistas*, México, Alhambra.

Pérez Luño, A.E. (1992), *La polémica sobre el Nuevo Mundo*, Madrid, Trotta.

Quirós, E. Guillermo, y Tiscornia, Sofía (1988), "Lo evidente: la inocencia de la necesidad", en *Cuadernos de Antropología 1*, Buenos Aires, Eudeba.

Quirós, E. Guillermo (1993), "La antropología. Una disciplina en campo impropio. Perspectivas desde la antropología económica", en *Alteridades*, III, 6, México, Universidad Autónoma Metropolitana.

Quirós, E. Guillermo, y Saraví, Gonzalo (1994), *La informalidad económica. Ensayos de antropología urbana*, Buenos Aires, CEAL.

Ricardo, David (1959), *Principios de economía política y tributación*, México, FCE, 1959.

Roll, Eric (1984), *Historia de las doctrinas económicas*, México, FCE.

Rousseau, J.-J. (1980), *Ensayo sobre el origen de las lenguas*, Madrid, Akal.

— (1992), *Discurso sobre el origen de la desigualdad*, México, Porrúa.

Smith, Adam (1958), *La riqueza de las naciones. Investigación sobre la naturaleza y causas de la riqueza de las naciones*, México, FCE.

Spencer, Hebert (1947), *Principios de sociología*, ts. I y II, Buenos Aires, Revista de Occidente.

Todorov, Tzvetan (1991), *La conquista de América. El problema del otro*, México, Siglo XXI.

— (1993), *Las morales de la historia*, Barcelona, Paidós.

TOLOSANA, L. (1987), prólogo a MORGAN, L., *La sociedad primitiva*, Madrid, Endymión.

TYLOR, Edward B. (1975), "La ciencia de la cultura", en *El concepto de la cultura: textos fundamentales*, Barcelona, Anagrama (comp. de J.S. Kahn).

— (1977), *Cultura primitiva. I: Los orígenes de la cultura*, Madrid, Ayuso.

— (1981), *Cultura primitiva. II: La religión en la cultura primitiva*, Madrid, Ayuso.

— (1987), *Antropología. Introducción al estudio del hombre y de la civilización*, Barcelona, Alta Fulla.

VICO, Giambattista (1985), *Ciencia nueva*, ts. I y II, Madrid, Hyspamérica.

WACHTEL, Natham (1976), *Los indios del Perú frente a la conquista española (1530-1570)*, Madrid, Alianza.